朱镕基答记者问

人民出版社

前　言

本书收入朱镕基同志在担任国务院副总理、总理期间回答记者提问和在境外发表的部分演讲。

本书分为 4 个部分，每部分内容按时间顺序编排。

第一部分，朱镕基同志自 1998 年 3 月担任国务院总理后，先后在九届全国人大会议 5 次记者招待会上回答中外记者提问。当时，中央电视台、中央人民广播电台、中国国际广播电台和新华网进行了现场直播，世界各大媒体也做了大量报道。

第二部分，朱镕基同志接受外国记者采访。采访内容境外媒体当时报道过，国内尚未公开发表。

第三部分，朱镕基同志在境外发表演讲并回答提问。国内外媒体对此曾做过综合报道。这次收入本书的是演讲和答问的全文。

第四部分，朱镕基同志在出访期间接受香港记者随行采访。当时海外媒体有过报道，这次选取的是其中的部分内容。

本书收录的内容，均根据音像资料、文字记录稿整理而成，只对个别文字做了订正。我们对正文中涉及的相关人物和专有名词，做了简要注释。英文专用名词在第一次出现时做页下注，以后每篇中第一次出现时放在括号内做随文注，再次出现时不再注释。正文中的英文保留，将中译文放在括号内做随文注。

中央领导同志对本书提出了宝贵意见。中央有关部门负责同志对本书编辑提出了指导意见。外交部、中央新闻纪录电影制片厂、香港凤凰卫视、亚洲电视等单位提供了部分资料。人民出版社对本书出版给予了大力协助。在此，一并表示谢忱。

参加本书编辑工作的有：李炳军、廉勇、谢明干、林兆木、鲁静、侯春等同志。张长义、马东升、李立君同志参与了有关资料的收集整理等工作。

由于编者水平有限，不妥之处，敬请批评指正。

本书编辑组

2009 年 8 月

目　录

一、在全国人大会议记者招待会上回答中外记者提问

二、接受外国记者采访

三、在境外的演讲和答问

四、接受香港记者境外随行采访

一、在全国人大会议记者招待会上回答中外记者提问

1998 年 3 月 16 日，九届全国人大一次会议举行第四次全体会议，江泽民、朱镕基在主席台上。

1998 年 3 月 19 日，朱镕基总理率同李岚清、钱其琛、吴邦国、温家宝副总理，在九届全国人大一次会议举行的记者招待会上回答中外记者提问。

在九届全国人大一次会议记者招待会上回答中外记者提问*

（1998年3月19日）

美国《时代》周刊记者：上周我曾有机会到吉林省和辽宁省去观摩了当地的村民委员会的选举，这种选举使得村民们有机会选出他们希望选出的村长，或者是把他们不喜欢的村长赶下台。你个人对于建立这样一种体制是否支持？也就是说，允许所有18岁以上的中国人都不仅能够选举他们所在地的领导人，而且也能够选举国家领导人，包括国家主席和总理。如果你赞成这种做法，你认为需要多长时间中国才能够实现这种制度？如果不赞成，理由是什么？

朱镕基：我知道已经有一个美国的基金组织到中国来，对这种选举进行过调查，并且发表了非常肯定的意见。目前这种民主的制度不但在农村，而且也在企业中实行，例如，民主评议厂长，民主审查财政账目，一部分企业民主选举厂长等等。我认为这是非常好的一个方向。至于如何选举国家主席和总理，这是一个政治体制问题，要从中

* 1998年3月17日，九届全国人大一次会议决定朱镕基为中华人民共和国国务院总理。3月19日上午，九届全国人大一次会议在北京人民大会堂举行记者招待会，朱镕基总理率同李岚清、钱其琛、吴邦国、温家宝副总理会见采访本次大会的中外记者，并回答记者提问。

国的国情出发。中国不同于外国，东方不同于西方，我们有自己的选举制度。

中央电视台记者：今后5年对中国的改革和发展非常关键。你认为当前最迫切需要解决的、最富有挑战性的问题是什么？

朱镕基：对本届政府的任务，去年，江泽民总书记在中国共产党第十五次全国代表大会上已经提出明确要求；刚才江泽民主席和李鹏委员长发表的讲话，又对本届政府的任务做了具体规定。如果说得具体一点，我可以把本届政府要干的几件事情概括为"一个确保、三个到位、五项改革"。

"一个确保"，就是东南亚当前的金融危机使中国面临着严峻的挑战，我们必须确保今年中国的经济发展速度达到8%，通货膨胀率小于3%，人民币不能贬值。我们必须做到这些，因为这不但关系着中国的发展，也关系着亚洲的繁荣和稳定。我们实现这些目标的主要手段是提高国内的需求。由于我们最近几年宏观调控成功，采取了适度从紧的财政货币政策，控制了货币的发行，使通货膨胀指数降得很低，因此有可能拿出较多的财力来刺激国内需求。这个需求就是加强铁路、公路、农田水利、市政、环保等方面的基础设施建设，加强高新技术产业的建设，加强现有企业的技术改造；当然还有住房建设，因为这是中国国民经济的新增长点。

什么叫做"三个到位"？第一个"到位"，就是我们已经确定用3年左右的时间，使大多数国有大中型亏损企业摆脱困境，进而建立现代企业制度。

第二个"到位"，我们去年召开了全国金融工作会议，确定要在3年的时间里彻底改革我们的金融系统。就是说，中央银行强化监管，商业银行自主经营，这个目标也要在本世纪末实现。

第三个"到位"，是政府机构的改革。这次大会上通过的中央政府机构改革方案已经把 40 个部委精简为 29 个，政府机关的人数准备分流一半。这个任务要在 3 年内完成，相应地，各级地方政府也要在 3 年内完成机构改革。我讲的 3 年内完成，是指分流出来的政府机关的一半干部 3 年内都能够到达充分发挥他们作用的岗位上。至于分流工作，今年就得完成。也就是说，新一届政府成立以后，在“三定”方案（定职能、定机构、定编制）确定后，今年这一半人就分流了，但完全到位则需要 3 年时间，因为分流的这一半人要经过培训，并考虑到他本人的志愿，把他分配到合适的位置上去，这就需要比较长的时间。

关于“五项改革”，第一是粮食流通体制改革。中国由于农业政策的成功，已经连续 3 年丰收，中国粮食的库存现在达到历史最高水平。我可以负责地说，中国即使再遭两年大的自然灾害，粮食也不会缺乏。但是由于粮食库存庞大，政府财政补贴也相应增加，我们必须针对这个问题进行粮食购销体制的改革。

第二是投资融资体制改革。因为现在的投资融资体制主要是行政审批制度，不能发挥市场对资源配置的基础性作用，这就产生了许多重复建设，必须进行根本的改革，使之能够符合市场经济的要求。

第三是住房制度改革。住房建设将要成为中国经济新的增长点，但是我们必须把现行的福利分房政策改为货币化、商品化的住房政策，让人民群众自己买房子。整个房改方案已酝酿 3 年多。我们准备今年下半年出台新的政策，停止福利分房，住房分配改为商品化。

第四是医疗制度改革。我们在下半年将出台一个全国的医疗制度改革方案，来保证人民群众的基本福利。

第五是财政税收制度改革的进一步完善。现行财税制度是 1994 年改革的，取得了极大成功，保证了每年财政收入以很高的速度增加。但是，目前存在的一个问题是费大于税。很多政府机关在国家规定以外征收各种费用，使老百姓负担不堪，民怨沸腾，对此必须整顿和改革。也就是说，各级政府机关除了必要的规费以外，不允许再巧立名目向人民群众收费。

最后我还要讲，科教兴国是本届政府最大的任务。江泽民主席非常重视这个问题，多次阐明科教兴国的重要性。但是我们因为资金不足，贯彻得不好。钱到哪里去了呢？政府机关庞大，“吃饭财政”把钱都吃光了。其次，在各级政府的干预下进行了不少盲目的重复建设，几十亿、几百亿元的一个项目，投产之后没有市场，倒把原有的一些企业挤垮了。这就使得中央的财政和银行都拿不出钱来支持科教兴国的方针。因此，本届政府决心精简机构，减掉一半的人，同时制止重复建设，把钱省下来贯彻科教兴国的方针。中央已经决定，成立国家科技教育工作领导小组，我担任组长，李岚清副总理担任副组长。这个决定已经江泽民主席批准。我们有决心进一步把科教兴国方针贯彻到底。

法国《世界报》记者：当中国在考虑进行国有企业改革的时候，正是韩国的大财团非常成功的时期，但是最近这些大财团纷纷出现了问题，有的还垮台了。他们失败的经历会不会对中国国有企业改革产生影响？特别是考虑到当前的金融危机，中国是否会放慢国有企业改革的速度？

朱镕基：我对于韩国企业的经验不作评论，但是，对于在这次亚洲金融危机中各国的经验教训，我们应该很好地借鉴。这次亚洲金融危机不会影响中国国有企业改革的进展。在3年内，也就是本世纪末，国有大中型企业中的亏损企业大多数摆脱困境是完全能够实现的。我认为，外国舆论对中国国有企业的困难看得太大了。我们讲中国国有企业的亏损面现在有49%，这是按企业的个数来统计的。中国的工业企业有7.9万个，有的很小，只有几十个人。按这个数目统计，当然亏损面很大。可是，500 个特大型国有企业向国家交纳的税收和利润占了全国税收和利润的 85%。这 500 个特大型企业亏损面只有 10%，也就是 50 个。我们认为，从总体上讲，用 3 年时间使大多数国有大中型亏损企业摆脱困境是能够实现的。

香港无线电视记者：当年的“六四”事件对新一届政府有没有历史经验可以吸取？你曾说过，不管香港成为什么基地你都会去香港。请问你再去香港时如果有人请愿要求平反“六四”，你怎么看？

朱镕基：对于发生在 1989 年的政治风波，我们党和政府及时采取了果断措施，很好地稳定了全国的局势。对此，我们全党的认识是完全一致的。最近几年，我们党和政府的历次会议对此都作出了正确的结论，这个结论不会改变。当时我在上海工作，上海是完全和中央保持一致的。

至于香港，过去我就想去，而且去过了；现在我还特别想去。但现在我当了总理，失去了部分“自由”，不能想去就去，可是我一定会再去。至于香港人民对我去香港是表示欢迎，还是示威、抗议、游行，那是香港人的自由。但是我想，香港任何组织的活动，都必须符合《香港特别行政区基本法》，符合香港特别行政区的法律。

俄罗斯《苏维埃俄罗斯报》记者：有人讲，因为你不像有的中国领导人在苏联留过学，所以也许你当总理后会在中国对俄罗斯的态度方面带入一些新的内容。你能否介绍一下你的政府在制定对俄罗斯的政策方面有什么考虑，你对中俄关系的发展有什么看法？

朱镕基：我在上届政府担任副总理，主要负责经济工作，外交管得很少，但是我从来没有考虑过对俄罗斯的外交政策会有任何的变化。我将继续坚决贯彻执行江泽民主席和李鹏同志任总理时所制定的外交政策。我是否可以请钱其琛副总理对这个问题做一点补充呢？

钱其琛：任何一届政府里面有人在苏联或者其他国家留过学，就认为这届政府一定对那个国家怎么样，我看这个逻辑不存在。不管从哪里学习回来，有什么经验，中国政府都是代表中国的。

香港凤凰卫视记者：去年亚洲爆发金融危机，香港的危机也开始显现。现在香港经济回升，股市指数又创新高。请问香港如果出现困难，中央政府会采取什么措施帮助、支持？人们称你为“经济沙皇”，你对此有何感想？

朱镕基：去年发生亚洲金融危机；10月份，香港也发生了“股灾”。但由于香港经济结构比较完善，经济实力较强，有980亿美元的外汇储备，特别行政区政府领导有方，采取措施得力，已经克服了一个又一个困难。中央政府高度评价特别行政区政府采取的对策，也不认为香港今后会遇到不可克服的困难。可是，如果在特定情况下，万一需要中央帮助，只要特别行政区政府向中央提出要求，中央将不惜一切代价维护香港的繁荣稳定，保护它的联系汇率制度。

对于外界称我为“中国的戈尔巴乔夫”、“经济沙皇”等，我都不高兴。这次九届全国人大一次会议对我委以重任，我感到任务艰巨，怕辜负人民对我的期望。但是，不管前面是地雷阵还是万丈深渊，我都将一往无前，义无反顾，鞠躬尽瘁，死而后已。我虽然很怕辜负人民的期望，但是很有信心。只要我们高举邓小平理论伟大旗帜，在以江泽民同志为核心的党中央正确领导下，紧紧依靠全国人民，我相信本届政府将无往而不胜。

日本《经济新闻》记者：亚洲金融危机是否会影响中国开放金融市场？在2000年前有没有可能实现人民币兑换完全自由化？

朱镕基：亚洲金融危机不会影响中国金融改革预定的进程，也不会影响中国金融、保险事业的对外开放政策。中国已经实行了人民币在经常项目下的可自由兑换，至于人民币的完全可自由兑换，也就是在资本项目下的可自由兑换，按照我们预定的改革进程，将在中国中央银行的监管能力能够达到的时候再实行。

新华社记者：国外舆论认为中国是一个很大的市场，但是近年来国内市场出现了相对饱和，你如何看待中国市场的潜力？

1998 年 3 月 19 日，朱镕基在九届全国人大一次会议举行的记者招待会上回答中外记者提问。（新华社记者赵迎新摄）

朱镕基：中国是全世界最大的潜在市场，但是由于多年没有解决的重复建设问题，现在很多产品出现了供过于求的情况。即使这样，中国目前对许多产品仍然是世界上最大的市场。中国钢产量达到 1 亿吨以上，这个市场还小吗？中国每年增加程控电话 2000 万门以上，世界第一，这个市场还小吗？可惜，VCD 生产得太多，世界第一，卖不出去。中国现在需要的是经济结构的调整，所以我们今后要加强基础设施的建设，加强农村广大市场的开发，加强人民群众关心的住宅建设，这个市场大得不得了。现在中国的市场远未饱和，我们欢迎外国的投资者踊跃到中国来投资。

英国《金融时报》记者：中国国有企业改革和金融改革遇到哪些困难？你说要用3年时间完成这些改革，会不会推延中国加入世界贸易组织的进程？是不是要等中国对银行系统进行非常彻底的改革之后，才能向更多的外国银行和保险公司发营业执照？

朱镕基：金融改革我们规定了3年的目标，但是实际上今年就要基本完成改革的任务。我们定3年的目标是因为估计到这一改革的艰巨性。至于参加世贸组织的问题，现在请李岚清副总理回答。

李岚清：我想讲三点。第一点，中国对于加入世贸组织的态度是积极的，我们为此进行了11年的谈判，参加了乌拉圭回合谈判的全部过程，并签署了最后的一揽子协议。我们之所以采取这样积极的态度，是由于我们认为世界的贸易和经济合作要有一个统一的规则，否则会引起区域保护主义，甚至会引发贸易冲突，这对谁也不利。

第二点，中国需要世贸组织，但是，世贸组织没有中国这个在世界贸易排位上是第十位的国家参加，我看它也很难发挥应有的作用。现在有少数成员认为中国很需要世贸组织，而世贸组织并不太需要中国，我认为这是一个不太正确的看法。

第三点，我们进入世贸组织，准备承担作为一个发展中国家应当承担的义务，但同时也要享受应当享受的权利。我们的改革已经大大前进了，这10多年当中，我们虽然还没有进入世贸组织，但是很多改革已经比原来的承诺发展得更快。我们的改革必须按照预定的目标和计划一步一步进行，实践已经证明这是完全正确的。我们还要继续按照预定的目标一步步改革。现在谈判已经取得重大进展，我们希望这个问题尽快获得解决。

台湾《中国时报》记者：未来5年，你所领导的新一届政府准备采取哪些措施来处理两岸经贸关系？不久前，汪道涵先生所领导的海协会曾给海基会发函，希望、欢迎辜振甫先生到大陆来访问。对于辜振甫先生来访问有没有什么前提条件，什么时机比较合适？

朱镕基：关于发展海峡两岸的关系，江泽民主席在1995年春节发表了重要讲话，他所提出的八项原则[1]是指导海峡两岸关系发展的基本方针。

关于发展两岸贸易问题，台湾的工商界以及萧万长[2]先生对此都有积极的反应，我相信这种关系一定会改善。关于辜振甫先生访问的问题，我请钱其琛副总理介绍一些情况。

钱其琛：关于两岸的贸易，根据我们的统计，台湾的顺差大概有170亿美元，这对台湾非常有好处。发展两岸经济联系，双方应该共同努力，最好的办法就是逐步实现"三通"[3]。辜振甫先生表示要来访问，海协会已经表示欢迎。据说台湾方面还要派其他人员预先来商量，我们也欢迎。

印度报业托拉斯记者：印度新总理今天就要就职了，请问你对他要传达什么样的信息？

朱镕基：我昨天已给当选的印度新总理发了贺电。我很希望将来在适当的时机同他见面，向他请教。我在1983年曾经访问印度，主要是参加世界能源会议，印度给我留下了美好的回忆。我希望通过你，向印度政府的首脑和印度人民致以我最美好的祝愿。

[1] 八项原则，指1995年1月30日，江泽民主席在中共中央台湾工作办公室、国务院台湾事务办公室等单位举办的新春茶话会上，就现阶段发展两岸关系、推进祖国和平统一进程提出的八项主张。

[2] 萧万长，当时任台湾"行政院长"。

[3] "三通"，即海峡两岸直接通邮、通航、通商。

在九届全国人大二次会议记者招待会上回答中外记者提问

（1999 年 3 月 15 日）

意大利《24 小时太阳报》记者：有人认为，10 年以后世界会有三种大货币，美元、欧元，另一个不知道是亚洲的日元还是人民币？你觉得人民币有这个可能性吗？

朱镕基：人民币能否成为世界货币，这个问题不应该由我来回答，而且现在还言之过早。但是我可以说一句：现在人民币非常坚挺，不会贬值。

中央电视台记者：在过去一年中，中国政府经受了严峻的考验，也赢得了广泛的赞誉。请问过去一年让你最感困难的是什么，最不满意的是什么，最感动的又是什么？

朱镕基：过去的一年我感到非常难，这个困难超过了我预料的程度。第一，我原来没有估计到亚洲金融危机的影响这么大；第二，我国发生的历史上罕见的特大洪涝灾害也超出了我的预料。但我感到满意的是，我们在以江泽民同志为核心的党中央领导下，依靠全国人民的努力，我们站住了，这两个困难我们都挺过去了。这是不容易的，所以我在《政府工作报告》中说了一句："来之不易"呀！

我所不满意的，是我的工作没有做好。但是，我也感觉到，有个别部门和地区没有很好贯彻中央的方针政策。我最感动的是，我在抗洪抢险第一线看到我们的人民解放军不顾一切地保卫人民，甚至用身体保卫堤防，我禁不住热泪盈眶。

美国《时代》周刊记者： 你再过几天就将访问美国，但是考虑到现在华盛顿出现了一种很不好的反华情绪，看起来你的美国之行就好像要踏入另一片“雷区”。在华盛顿，人们指责中国从事间谍活动，或者是偷窃一些敏感的、高技术的情报用于提高中国自己的军事技术，而这对美国的安全构成了威胁。你对这样的指责做如何的反应？你打算怎样来改变美国人对中国的看法？在美国华盛顿有一些政客，他们正在要求重新审查美国奉行的对华接触政策。在美国人好像不太喜欢中国的情况下，你认为中国还值得把美国当成你们的朋友吗？

朱镕基： 在中美两国元首实现互访以后，中美之间致力于建立建设性战略伙伴关系，发展势头本来是很好的。但是由于种种不讲你们也知道的原因，在美国出现了一股反对中国的潮流，这使我们感到很不安。我不认为我对美国的访问将要进入“地雷阵”，可是确实会遇到很多敌意和不友好的气氛。在今年 2 月 22 号的 *Business Week*（《商业周刊》）上，登了一篇题为“China: What’s Going Wrong?”（“中国出了什么问题?”）的文章。这篇文章十分特别，它认为中国已经大祸临头。我还没有看到美国的其他杂志发表过这样的文章。这篇文章的发表也反映了现在美国出现的那一股潮流，实际上是美国的内部斗争把中美关系作为牺牲品。这样，我也成了一个受害者。这家杂志的封面上登了我的一张照片，这张照片看起来我就像个死人。在这种气氛中，我应邀访美当然是个很不轻松的任务，很多媒体也预言我的访问不可能成功，但我还是要去，因为既然你们有气，我就要去给你们消消气。这不是个“地雷阵”，无非是气氛不太好，而我的访问就是要去说明真相，恢复中美致力于建立建设性战略伙伴关系的好势头。

刚才，你要我说明关于所谓中国盗窃美国军事机密的问题。我认为，在这个问题上美国方面的人士犯了两个“过低估计”的错误。第一，过低估计了美国自己的保密能力。据我所知，美国洛斯阿拉莫斯实验室里的保密措施十分严密，根本就不可能泄露什么机密，所以直到现在他们也没有能够找出那位李文和博士泄露机密的证据，没法起诉他，只好把他解雇了。我们不要忘记历史，历史上曾经有过这种草木皆兵、人人自危的时期，在美国有过这种时期，在中国也有过这种时期。第二，过低估计了中国开发军事技术的能力。中国人是很聪明、很勤奋的，许多华裔美国人的成就证明了这一点，中国独立自主地开发“两弹一星”也证明了这一点。中国完全有能力开发任何军事技术，这仅仅是个时间问题。但是请记住，中国是最早声明不首先使用核武器的国家。我们已经停止了核试验，我们和美国已经签订了导弹互不瞄准的协议。我们为什么还要冒政治上和道德上的风险去盗窃什么人的军事机密呢？所以，所谓中国盗窃美国军事机密的问题，可以认为是一种天方夜谭。

台湾人权新闻通讯社记者：1993 年下半年开始实施的宏观调控卓有成效：第一，对付亚洲金融危机有一个很大的截阻作用；第二，在中国内部使金融市场稳定、物价稳定、社会稳定。请问宏观调控今后怎样继续做到内外兼顾？另外，你这次到美国去将面临人权问题，这个问题也可能是一个焦点。请就人权问题提出你的看法。

朱镕基：1993 年下半年开始采取加强宏观调控的措施，当时正是中国加大改革开放力度、取得巨大成就的时候。与此同时，也出现了某种程度的过热，就是在房地产、开发区、股票市场方面出现了过热现象。这种过热导致 1994 年的通货膨胀率达到 21.7%。当时邓小平同志还在世，在他的支持下，以江泽民同志为核心的党中央决定加强宏观调控，采取了 16 条措施，其中 13 条是经济措施，有 11 条是关于金融方面的。由于加强了宏观调控，中国在两年多一点的时间内解决了经济过热问题，改革开放和社会主义建设取得了很大成绩。去年中国之所以能够抵御亚洲金融危机的冲击，就是因为我们在 1993 年已经发生了这种金融问题，幸好我们在它还未扩大的时候就把它制止住了。我们有了宏观调控的经验，才使我们去年在亚洲金融危机中站得笔直。我在这里想介绍 2 月 16 日《纽约时报》发表的一篇文章。这篇文章意思是说美国在亚洲大力推行资本的过分流动，促成了危机的发生，危机发生后又通过国际金融组织贷款，要一些国家实行紧缩财政、提高利率等并不适合这些国家的政策，结果使金融危机加深。关于这个问题、这些观点，我早在去年就已经讲过。所有到中国来同我见面的贵宾，我都给他们讲过，包括《时代》周刊 2 月 15 日一期封面上的 3 个人：格林斯潘、鲁宾、萨默斯，你们称之为“阻止了世界金融崩溃的 3 个人”。这 3 个人，我去年都跟他们谈过，我想他们也同意我的观点。我说这些话，并不是想跟《纽约时报》那两位作者分稿费，因为我的这个观点也没有申请专利。我只是说，经济的发展、金融的开放必须有宏观调控，要根据每个国家的具体情况实行不同的宏观调控政策。过快地要求一个国家开放资本市场，过分地扩大资本的流动性，往往欲速不达，很可能会破坏这个国家的经济。

刚才还提出了一个人权问题。我想，这也是在座很多记者想向我提出的一个问题。所有跟我们中国领导人会见的外宾，很少有不谈人权问题的，好像不谈中国的人权问题回去就不好交代。因此，这个问题在我向他们重复了那么多遍以后，今天实在不想再讲了。我只想讲一桩事情，就是美国国务卿奥尔布赖特最近访问中国时，我告诉她的一句话。我说：“我参加争取和保障人权运动的历史比你早得多。”她说：“是吗？”表示她不同意我的意见。我就说：“不是吗？我比你大

10岁。当我冒着生命危险同国民党政权作斗争，参加争取中国的民主、自由、人权运动的时候，你还在上中学呢。”我说，我们在人权的观点上很多是一致的，我在中学学习时就念了法国卢梭写的《社会契约论》、《爱弥儿》、《忏悔录》。人生而平等、天赋人权的观念，我早就知道。我们接受了中国五四运动的影响，五四运动就是为民主、科学而斗争，所以后来我们在共产党领导下一直进行着反对专制独裁、反对反动政权侵犯人权的斗争，我们今天怎么可能反过来去压制人权？而且，只有我们才知道在中国如何才能够实现保障人权。当然，我们在人权问题上并不是没有缺点，也不可能没有缺点。因为中国几千年是封建社会，还有过半封建半殖民地的历史，中华人民共和国成立只有50年，50年怎么可能把所有问题都解决？但是我们愿意听取各方面的意见，特别是听取我国人民群众的意见。我们天天都在看人民来信，研究怎样满足他们的愿望，实现他们的要求。我们也愿意听取国际友人的意见，因此我们有很多对话的渠道。我们同美国、欧盟、澳大利亚都有人权方面的对话渠道。我们在人权方面的工作每天都有进步。刚刚闭幕的九届全国人大二次会议通过了宪法修正案，增加了依法治国、建设社会主义法治国家的内容。我们全国人大常委会在立法，我们国务院也在立法，国务院立的法叫行政法规。我们天天在努力健全我国的法制，保障中国人民的人权，我们会继续做下去。我们欢迎外国朋友批评我们的工作，但你不要太急了，我比你还急嘛！

日本共同社记者：日美两国同意共同研究战区导弹防御系统，这件事对日中两国友好合作伙伴关系会带来什么负面影响？观察人士说，广东国际信托投资公司倒闭案损害了包括日本在内的外国金融机构对中国的信任，你对此有何评论？还有，你任总理以后第一次访日将于何时实现？

朱镕基：我们反对 TMD[1]，尤其坚决反对把台湾纳入 TMD，因为 TMD 不但违反了有关导弹的国际协议，也干涉了中国的内政，是对中国主权和领土完整的侵犯。为什么要搞 TMD？据说是因为中国在东南沿海部署了 600 枚导弹，而过去只有几十枚。我不知道你怎么知道中国部署了 600 枚导弹，因为连我都不知道！在我们的国土上部署导弹是我们自己的主权，但我们的导弹绝对不会瞄准台湾的兄弟姐妹。我们不会轻易地使用导弹，但我们不能不部署。我们希望和平统一中国，也绝对不能承诺放弃使用武力。如果那样的话，台湾将永远被分离出去。美日建立 TMD 的另一个理由，就是说朝鲜民主主义人民共和国发射了导弹，在研制核武器，而中国没有对它施加影响。我们不知道这件事。何况它是一个独立的国家，我们怎么能干预?! 既然世界上最先进的武器都是从美国出来的，你还害怕什么呀?

关于广东国际信托投资公司问题，这是大家所关心的。广信申请破产这件事情，是中国金融改革过程中的一个个别事件。但是这件事非常重要，它向全世界发出一个信息：中国政府不会为一个金融企业还债，如果这个债务不是由各级政府所担保的话。这就是说，外国的银行和金融机构对这些金融企业进行贷款时，必须进行风险分析，审慎从事。大多数舆论都认为中国这种做法坚持了金融改革的原则，符合国际惯例。我觉得那些债权银行以及某些金融机构对这个问题的估计太悲观，就是认为中国已经发生了金融危机，没有支付能力，不讲信用。中国经济保持快速发展，现在有 1450 亿美元的外汇储备，国际收支是平衡的，完全有能力偿还债务，问题是这种债务是不是应该由政府来偿还。同时，我也认为，尽管你破产是合法、合情、合理

[1] TMD，是英文 Theater Missile Defense 的缩写，即战区导弹防御系统。

的，你也不能随便破产，不要破出甜头来，大家都搞破产也不行。我在中学时念过莎士比亚的《威尼斯商人》，这个剧本里的商人夏洛克借给安东尼奥 3000 块金币，契约订明如果 3 个月不还，就要在安东尼奥身体的任何地方割下一磅肉。当然，现在不还债不会割你的肉，但是那些债权银行对你也不会善罢甘休。因此我想，今后不会有太多的金融机构破产。但前提是各个债权银行不要逼债，不要逼它们提前偿还贷款，你逼急了，它们就只好破产。如果大家坐下来按照国际惯例谈一谈，采取资产重组、注资、债权变股权等办法，这个问题是可

1999 年 3 月 15 日，朱镕基在九届全国人大二次会议举行的记者招待会上回答中外记者提问。
（新华社记者鞠鹏摄）

以得到解决的，你的债务也能得到偿还，它们也用不着破产。你刚才说，这件事影响了一些日本银行的债务，我感到遗憾。但我想大家如果共同努力的话，今后可能不会再发生这样的事情了。

关于访日问题。去年是《中日和平友好条约》缔结 20 周年，江

泽民主席对日本进行了成功的国事访问，双方本着“以史为鉴，面向未来”的精神，宣布建立致力于和平与发展的友好合作伙伴关系，这是符合中日两国人民根本利益的。如何落实这一联合声明，中国将尽自己的努力，我也很愿意来做具体落实的工作。至于我何时能够访问日本，要通过外交途径来商量。

俄罗斯《独立报》记者：一些观察人士说，现在涉及重大战略性的国际事务时，似乎只有俄罗斯在支持中国。最明显的一个例子是，中国在反对战区导弹防御系统上与俄罗斯的立场非常近似。你是否会料想有朝一日中国在反对战区导弹防御系统方面，会与俄罗斯共同采取更加实际、更加具体的措施？如果那样，你是否认为在国际事务中，中国将会与俄罗斯靠得更近，而不是与美国靠得更近？还有，在实施俄中签署的一系列有关文件特别是经贸协议方面，你认为俄罗斯是否有足够能力实施这些协议？

朱镕基：最近我应普里马科夫总理邀请访问俄罗斯，并进行了第四次中俄总理会晤。这次会晤是为了落实江泽民主席和叶利钦总统关于建立中俄战略协作伙伴关系的要求所涉及的具体内容。我们取得了很多成果，主要是在经济贸易合作方面签订了十几个协定。

俄罗斯支持中国反对 TMD，但这并不是说，而且也没有到研究如何对付 TMD 的时候，因此我们没有谈到这个问题。

我认为中国与美国的关系到目前为止还是很好的，双方致力于建立建设性的战略伙伴关系。中国与俄罗斯的关系也是很好的，双方建立了战略协作伙伴关系。我可以告诉大家：我确实在俄罗斯受到了热烈的欢迎。你们从电视里看到，叶利钦总统同我会见的时候，把我的手拉过去放在他的胸口上；会谈结束时，叶利钦总统走过来和我紧紧拥抱。我想，这无非是说明我们是真诚的朋友。

我想我这一次访问美国，也会受到同样的接待，也会受到热烈的欢迎，而不是去闯“地雷阵”。也许我跟克林顿总统不会拥抱，但可能握手握得很紧，这也是一样的意思。

1999 年 2 月 25 日，朱镕基在莫斯科克里姆林宫会见俄罗斯总统叶利钦。

（新华社记者饶爱民摄）

香港凤凰卫视记者：我的问题跟香港的生活与投资有关。打个比方，如果我在香港打个电话给美国总统克林顿，每分钟只要 0.98 港元；要是我打电话给你，每分钟就要 9.8 港元，是 10 倍的价钱。这次发现从北京打电话回香港，每分钟从原来的 8.1 元降到了 5 元。我们知道通过竞争可以降低通话费用，提高服务质量。请问总理，你用什么样的方法可以加快中国电信市场的竞争步伐？还有，现在一些外资银行已经可以经营人民币业务了，那么你认为大概最快什么时候可以全面开放人民币的业务经营？

朱镕基：中国电信业务正在降价，但降得还不够，还要继续降价，办法就是引进竞争。首先，我们正在改革中国电信业体制，一个重要原则就是打破垄断、鼓励竞争。第二，有步骤地开放中国的电信市场，让外国资本进入中国的电信市场。我们也将让外国银行在中国经营人民币业务。具体的细节现在没法谈，反正是要逐步开放。香港银行家赶快申请，申请得越早，批准得越快。

英国《金融时报》记者：在你访问美国期间或是在访问美国之后几个月，中美在有关中国加入世贸组织方面，达成协议的可能性有多大？考虑到现在中美之间的关系有所恶化，中美之间达成协议的可能性是增加了还是减少了？另外，在中国看来，开放市场、引入外国的竞争，最困难的是哪些领域？

朱镕基：中国就恢复GATT[1]的地位和加入WTO[2]，已经谈判了13年，黑头发都谈成白头发了，该结束这个谈判了。现在存在这种机遇：第一是加入了WTO的国家知道没有中国的参加，WTO就没有代表性，就是忽视了中国这个潜在的最大市场。第二是中国改革开放的深入和积累的经验，使我们对加入WTO可能带来的一些问题提高了监管能力和承受能力。因此，中国也准备作出最大的让步。最近，我们与美国以及欧盟等进行了认真的谈判，双方的差距正在缩小，但是还有相当大的差距。只要双方从大局出发，从促进国际市场的繁荣和稳定出发，大家都做一点让步，那么达成协议是很有希望的。

[1] GATT，是英文General Agreement on Tariffs and Trade的缩写，即关税及贸易总协定。

[2] WTO，是英文World Trade Organization的缩写，即世界贸易组织。该组织成立于1995年1月1日，负责管理世界经济和贸易的秩序，总部设在瑞士日内瓦。它的前身是1947年订立的关税及贸易总协定。它与世界银行、国际货币基金组织一起，并称为当今世界经济体系的三大支柱。

在九届全国人大三次会议记者招待会上回答中外记者提问

（2000 年 3 月 15 日）

朱镕基：这是我担任总理以来的第三次记者招待会。我借此机会向在座的中外新闻界新老朋友表示衷心的问候，并且祝大家有被点中发问的好运。

新华社记者：西部大开发是本次“两会”的一个热门话题。据我们了解，美国的西部大开发先后经历两次，历时 100 多年。你在《政府工作报告》中也谈到，中国西部大开发是一个系统工程和长期的任务。那么，你认为中国如何实现东西部的协调发展？在你本届任期内，中国西部大开发将会达到怎样的阶段性目标呢？

朱镕基：关于我国西部地区的开发，早在上个世纪 80 年代就是邓小平“两个大局”[1]战略思想的内容。去年以来，江泽民总书记多次强调西部大开发，在开发前加了一个“大”字。这个战略思想现在

[1] “两个大局”：1988 年 9 月 12 日，邓小平在一次谈话中指出：“沿海地区要加快对外开放，使这个拥有两亿人口的广大地带较快地先发展起来，从而带动内地更好地发展，这是一个事关大局的问题。内地要顾全这个大局。反过来，发展到一定的时候，又要求沿海拿出更多力量来帮助内地发展，这也是个大局。那时沿海也要服从这个大局。”见《邓小平文选》第三卷，人民出版社 1993 年版，第 277—278 页。

已经有了实施的机遇，因为中国的经济发展已经到了这样一个阶段：沿海地区经济的发展，特别是传统产业的发展已经趋于饱和，它要寻找新的市场；而西部地区的开发，现在也迫在眉睫。

关于西部大开发，我主要讲两个内容。一是基础设施的建设。西部地域辽阔，交通不发达，首先要进行基础设施的建设。现在我们已经把国家的投资大量向西部地区倾斜，比方我们最近宣布的“西气东输”工程。我们在新疆的塔里木地区发现了大量天然气，我们已经决定从新疆修建4200公里的管道，经过8个省、自治区、直辖市，直达上海。这样，沿线地区的能源结构、产业结构都会发生很大变化。这需要大量资金，我们欢迎海内外的投资者，特别是外国的投资者来参加建设。你们可以投资，可以控股，可以管理。我相信这一条管道的效益是很好的，回报率是很高的。

二是生态环境的改善。中国目前可以说粮食问题已经基本解决，而且出现了相对的供过于求。过去由于粮食不够，把山上的树林都砍掉，种上粮食；现在我们粮食已经富余，完全可以无偿地向农民提供粮食，让他们把山上种的粮田退出来，种上树，或者种草，也就是退耕还林、退耕还草、退耕还湖，使西部地区有一个非常好的、美丽的生态环境，有一个能吸引外国投资的好环境。

西部要实行与东部相似的对外开放政策，我们欢迎外国的投资家，银行、证券、保险业都可以到中国西部去发展。何时见效呢？我想基础设施建设已经在见效，中国修公路、铁路是拿手好戏，修这条4200公里的天然气管道，分段施工，我认为两年就可以建成；至于说种树，时间要长一点，但是我亲自考察过四川阿坝藏族羌族自治州的森林，植树以后8年到10年就可以成林。因此，我认为西部地区的开发见效可能是很快的。当然这是一个非常艰巨的事业，不是一代人能够完成的，西部地区真正的开发恐怕需要几代人的努力。

香港凤凰卫视记者：最近海峡两岸的问题可以说举世瞩目，尤其是在《一个中国的原则与台湾问题》白皮书发表之后，在国际间以及台湾都引起很大的反响，各方有不同的解读。特别是在“三个如果”[1]的问题上，各方有不同的反应，不知道总理的看法如何？另外，这份白皮书是暂时的策略还是中长期的政策？

朱镕基：我想提醒大家，先有“两国论”，后有白皮书。如果没有“两国论”的抛出，也许就没有白皮书的发表。白皮书不过是比较全面地概括了中国关于台湾问题的原则立场和政策，包括了邓小平关于“和平统一、一国两制”的思想，也包括了江泽民主席的八项主张。

至于说台湾问题不能够无限期拖下去的问题，早在上个世纪 80 年代，邓小平几乎是用同样的语言阐明了这个问题。台湾问题的解决不能永远地拖下去。拖下去，那不动武行吗？既然早就讲过了，那为什么会引起如此大的反响呢？甚至于一贯对中国友好的美国人士也对此提出意见。但是，我们问他们看过白皮书没有？我们问了 10 个人，10 个人都说没有看过，是听别人说的。

为什么反响这么大呢？就是因为在某个国家，有一些从来就是反对中国的人士，他们从来就是把中国当做潜在的敌人，要利用台湾这个不沉的“航空母舰”来反对中国。他们就是愿意或者主张台湾问题

[1] “三个如果”：出自 2000 年 2 月 21 日中国政府发表的白皮书《一个中国的原则与台湾问题》。原文是：“如果出现台湾被以任何名义从中国分割出去的重大事变，如果出现外国侵占台湾，如果台湾当局无限期地拒绝通过谈判和平解决两岸统一问题，中国政府只能被迫采取一切可能的断然措施，包括使用武力，来维护中国的主权和领土完整，完成中国的统一大业。”

2000 年 3 月 15 日，九届全国人大三次会议举行记者招待会，邀请国务院总理朱镕基回答中外记者提问。图为朱镕基来到记者招待会现场后，向记者们致意。

（新华社记者李学仁摄）

无限期地拖下去，今天你说不能够无限期拖下去，那不就翻了天了嘛！因此，种种的威胁也就出来了，说什么如果中国要解决台湾问题，那某某国家就要用武力来干预。

3月12日，克林顿总统在霍普金斯大学发表了演说。他讲了这样一段话，就是必须要实现由威胁转成海峡两岸对话的这样一种转变。我觉得克林顿总统这句话应该改几个字才比较确切，就是必须要实现在太平洋两岸之间的由威胁转为对话的这样一种转变。

新加坡《联合早报》记者：台湾的选举这几天形势发生了一些变化，民进党的候选人陈水扁，声势看涨。请问总理先生，你对台湾岛内选举的最新形势有何看法？

朱镕基：台湾的选举是地方性选举，是台湾人民自己的事情，我们不想干预。但是我们必须讲清楚，不管谁上台，绝对不能搞"台湾独立"，任何形式的"台湾独立"都不能允许。这是我们的底线，也是代表12.5亿中国人民的心声。我们解决台湾问题的一贯方针是"和平统一、一国两制"，但是我们绝不承诺放弃使用武力。谁赞成一个中国的原则，我们就支持谁，我们就跟他谈，什么问题都可以谈，可以让步，让步给中国人嘛！谁要是搞"台湾独立"，谁就没有好下场，因为你不得人心，你违背了海峡两岸中国人的人心，你也违背了全世界华裔、华侨的人心。我们中国人都记得，1840年鸦片战争以后，中国的一部近代史就是受外来侵略势力欺侮凌辱的历史。台湾也是多年处在日本军国主义者的统治和占领之下。回想当年，中国是何等的积贫积弱，但是我们还是喊出了"起来，不愿做奴隶的人们"，并且为此进行了前仆后继的英勇斗争。抗战全面爆发时，我只有9岁，救亡的歌曲，现在我还记得清清楚楚。每逢唱这些救亡歌曲的时候，我的眼泪就要流出来，我就充满了要为祖国慷慨赴死的豪情。今天中国人民已经站起来了，我们能够允许自古就属于中国领土的台湾从祖国分裂出去吗？绝对不能！

现在，有些人在计算中国有多少飞机、多少军舰、多少导弹。结论是中国人不敢打，也不会打。按照这种计算，希特勒早已统治全世界啦。他们不懂中国的历史，不知道中国人民一定会以鲜血与生命来捍卫祖国的统一和民族的尊严。

这几天，台湾的选情波谲云诡，急转直下。有人用尽了权谋手段，“司马昭之心，路人皆知”，不就是有人要让“台独”势力上台嘛！

前天，台湾股市重挫617点，它集中地反映了台湾人民对于“台独”势力嚣张的忧虑。他们担心“台独”势力上台，会挑动两岸的战争，破坏两岸的和平。我们认为，这种担心和忧虑是逻辑的必然，是关系到每一个台湾人的切身命运的。现在，台湾人民面临着紧急的历史时刻，何去何从，切莫一时冲动，以免后悔莫及。但是，我们相信台湾人民的政治智慧，我们相信台湾同胞会作出明智的历史抉择。现在离选举还有3天，世事难测，台湾同胞，你们要警惕啊！

德国电视一台记者：在德国，腐败问题多年来是一个比较严重的问题，但是，德国现在对所有比较大的案子都进行了审理并且加以解决，原因是我们有一个独立的法院、独立的司法系统，我们有比较独立并且强有力的议会，而且有报界的新闻自由。你是非常有信心地认为中国能够解决腐败问题的，如果中国不实现有关方面的制衡，不取消一党执政，如果中国不在这方面加以改变，你觉得能够解决这个问题吗？

朱镕基：反腐败问题是各国政府所面临的一个重大问题，中国也不例外，但是我从来不认为中国政府是最腐败的政府，像某些杂志所排列的次序，从来不是这样。中国的腐败案件是多一点，因为中国人多嘛。我们反腐败取得了很大的成绩，你们像我们那样依法处置了那么多人吗？中国政府和中国的司法系统对于贪污受贿腐败的案件，是依法从重处理的。当然，我们对这个工作并不十分满意。今天刚刚通过了最高人民检察院和最高人民法院的报告，2700 多名代表中有 700 多人投票表示反对或者是弃权，也就是说，人民对于我们这个工作还不是很满意。

但是，必须看到我们反腐败所取得的重大成绩。比方说打击走私，我们依法查处了湛江海关案件、厦门远华案件。经过重重地打击走私，我们海关的税收去年比前年增加了一倍。我们拿这笔钱给 8400 万低收入者增加了收入，这不是很大的效果吗？

我看不出反腐败问题跟一个党执政还是多党轮流执政有什么关系。你们那里是多党轮流执政，不也有腐败吗？关键是法制，不仅要立法，而且要坚决地执法。中国在这方面已经取得了很大成绩，我们还要继续完善我们的法制。当然，我们在新闻发布方面是落后于反腐败工作的进展，这有种种实际的困难，我们正在改进。你可以看到，将来更多的案件会在报上公布，接受人民群众的监督。

日本广播协会（NHK）记者：日本方面希望今年在日本举行的八国集团[1]会议之前，能够实现朱总理访问日本。请问你今年上半年是否有访日的打算？你对现在的中日关系怎么看？

朱镕基：中日关系现在发展得很好。我和小渊惠三首相多次见面，我也在中国接待过小渊首相的访问，我们建立了很好的关系。他多次邀请我访问日本，我准备今年访问日本。但是，我的访问跟八国会议没有任何联系。至于对八国会议的立场，中国已经多次表

[1] 八国集团，由美国、英国、法国、德国、意大利、加拿大、日本和俄罗斯组成，其成员国的国家元首每年召开一次会议，即八国集团首脑会议。

明不打算参加八国会议。不过，我们愿意像过去一样，跟他们保持联系。

中央电视台记者：你今年的《政府工作报告》第四部分在讲到关于全面加强管理方面，用了18个“严”字，可以说“严”字当头。很显然，这与一些领域管理松懈有关。请问你打算如何解决管理松懈的问题？

朱镕基：如何解决“松”的问题，那就是要“严”了。在那部分我是说了18个“严”字，但讲得还不够。我在今年国务院第一次全体会议上就提出今年是“管理年”，就是说要全面加强管理。如何加强管理？就是要立法，要有法制，我们要加强各个领域的法制工作。我关心比较多的是金融领域。我可以告诉大家，最近两年我们处理的金融方面的案件达5000多件，撤掉了50多个银行分行的行长。我希望从今年此时开始，这个“严”字能够贯彻始终。

美国有线电视新闻网（CNN）记者：中国政府表示，如果台湾当局无限期或者拒不同意同大陆就实现和平统一恢复谈判的话，大陆方面就要对台湾动武。外国人对此不太理解。很多人觉得，中国方面如果说要对台湾动武的话，可能就会促使很多台湾人希望实现同中国大陆的统一，好像看不出有这样的逻辑。这就像有的人，夫人要离婚就威胁说，如果你不回来同我团聚，同我重续前缘，我就把你杀掉。你觉得这中间有什么逻辑吗？

朱镕基：关于台湾问题，我已经没有更多的话要说了。你讲的这个例子很风趣，但是跟我的讲话风马牛不相及。因为，我们一贯地讲清楚了，我们从来不承诺放弃使用武力，但这并不是针对台湾人民，而是针对外国的干涉势力和台湾岛内搞“台独”的分裂势力的。

英国路透社记者：去年中国国务院承诺，中国的电信公司可以开始建立CDMA[1]的移动电话系统。到目前为止，中国联通公司还是不被允许，而中国人民解放军所支持的几个电信公司已经开始提供这样的业务了。请问中国联通将来是否也能进行这样的计划？还有，近日中国有30名人大代表提交了一个议案，要求中国政府在加入世贸组织之前，允许私营企业参加中国的电信业，这个议案有没有希望通过？再有，中国现在有很多互联网公司想去海外上市，但是有关规定还没有出来，能不能透露这些规定什么时候出来？它们的内容是什么？

朱镕基：中国的移动电话现在是采用GSM[2]系统，移动电话的容量是世界第二。我们已经决定，要同时采用美国的CDMA系统。这个工作，国务院指定联通公司统一对外，从美国引进这个技术。联通公司最近举行了CDMA系统引进的招标，但是，这个招标在手续方面同有关主管部门，即信息产业部和国家发展计划委员会联系得不够，还要办理一些必须办理的补充手续。我想，这个问题不会要很长的时间就能够解决。外界所传的中国停止从美国引进CDMA技术，是不正确的，没有这回事。

至于30位人大代表的议案，我还没有看到。但是，私营企业参加电信产业的发展没有任何问题。我们允许外国的私人企业来参与中国电信业的建设，为什么不允许本国的私营企业参加？不合逻辑嘛。中国的互联网发展速度，我想是全世界第一的，现在上网的可能已经超过了1000万户，而且将以更高的速度向前发展。因此，互联网的立法问题是一个非常重要的问题，你讲得很对，我们正在加强这个方

[1] CDMA，是英文Code Division Multiple Access的缩写，即码分多址的数字通信技术。

[2] GSM，是英文Global System for Mobile的缩写，即全球移动通信系统。

面的立法工作。

台湾《联合报》记者：中国大陆最近强调，台湾的问题不能无限期地拖延下去。在台湾，新的“总统”在3天之后选出。如果这个新任的“总统”在他未来的一任或者两任的任期，也就是4年到8年的任期里拒绝就中国统一的问题进行两岸谈判，他选择维持现状，那是否会导致两岸出现战争？在统一的问题上，是否会制定一个时间表？在这3天之内，大陆是否会采取一些军事演习，例如导弹试射，像1996年的那次行动，以发挥它的影响力？

朱镕基：关于台湾问题，我认为我刚才已经讲得很清楚了，没有必要再回答假设的问题。至于是不是会举行军事演习，请你等着瞧，不要着急，只有两天了。

法国法新社记者：我想问一个有关中美关系的问题。你刚才讲，中国宣布不会放弃使用武力是针对那些台湾的分裂势力和外部干涉势力，是不是也包括美国？因为现在中国不断地批评美国，说美国影响海峡两岸关系的发展；而且据中国《解放军报》发表的评论说，美国打算把台湾作为不沉的“航空母舰”。那么，台湾问题会不会影响到中美关系，影响到中美有关世贸组织问题的谈判？而且人们感到关切的是，台湾问题是不是会阻碍美国国会通过有关中国加入世界贸易组织的立法？

朱镕基：我这次讲话，到目前为止，除了把克林顿总统的讲话改了两个字以外，没有提到过美国。我现在不想把台湾问题跟美国联系起来，更不想把台湾问题跟中美关系的其他问题联系起来。

中央人民广播电台记者：我国今年打算在社会保障体系的完善和规范方面采取哪些具体措施？预计达到什么样的目标？

朱镕基：中国的社会保障体系很早就建立起来了，包括养老、失业、医疗保险等等，但是很不完备。比方说，我们在进行产业结构调整的时候，一定会有部分职工下岗，要重新再就业。对此，现有的社会保障体系就显得力不从心。很多下岗职工现在还是待在他原来企业的再就业服务中心里，他们的生活来源是由国家财政、社会资助，再加上企业本身来供给，这种保障是不可靠的。我们已经决定，要建立一个独立于企业以外的、管理社会化的社会保障体系。

2000 年 3 月 15 日，朱镕基在九届全国人大三次会议举行的记者招待会上回答中外记者提问。图为记者招待会现场。（新华社记者饶爱民摄）

我们已经决定，而且正在从各种资金渠道来筹集社会保障基金，这个法律可能在今年年底就可以出来。我们相信，在中国建立一个完善的社会保障体系，为期不远了。

丹麦记者：毫无疑问，中国在建设它的基层民主方面取得了很大成功，因为现在人们在基层可以进行直接的差额的民主选举。那么，你觉得多少年之后中国可以把这种民主选举制度进一步扩展到县一级、省一级，甚至可以进一步推进到全国一级的全国人大代表的选举？而且，总理先生，你的任期已经过半，你希望中国人民在你离任之后最记得你的到底是哪个方面？

朱镕基：感谢你对于我们基层直接选举的好的评价。至于直接选举向上能扩大到哪一级、有多快，我当然希望越快越好，但那要取决于经济、文化、社会发展的条件。

至于我的任期，确实已快过半。在今后不到3年里面，我将恪尽职守，奋力拼搏，以不辜负人民对我的信任。我是在以江泽民同志为核心的党中央的领导下，在国务院全体同志的帮助下进行工作的。我自己所做的工作是有限的。我只希望在我卸任以后，全国人民能说一句，他是一个清官，不是贪官，我就很满意了。如果他们再慷慨一点，说朱镕基还是办了一点实事，我就谢天谢地了。

《中国证券报》记者：中国证券市场现在已经有近千家上市公司和4000多万投资者。请问总理对中国证券市场10多年来的发展有何评价？国有企业改革今年已进入“决战年”，你认为中国证券市场能为国有企业改革再做哪些服务？

朱镕基：中国的证券市场发展很快，成绩很大，但是很不规范。要取得全国人民的信任、股民的信任，还要做大量的工作。中国的股票市场是非常重要的，特别是对于国有企业的改革，具有非常重大的意义。我希望海内外的专家，特别是香港的专家、台湾的专家，以及新加坡的专家，都能够来帮助我们规范和发展证券市场，拿多少工资都可以，只要他们愿意来。

英国《金融时报》记者：最近中国有一些学者提出中国应该宣布

一个时间表，以便能够实现人民币在资本项目下的完全可兑换。你觉得这是不是一个好的主意？中国什么时候才会允许国外的一些互助基金，来到中国的资本市场上进行投资？而且，中国什么时候才会把A股和B股合在一起？中国什么时候才会实现人民币的完全可兑换？

朱镕基：我们已经实现了经常项目下的人民币可自由兑换，我们也一直讲，一定会实现资本项目下的人民币可自由兑换。但是，这需要时间。要实现资本项目下的人民币可自由兑换，必须要有足够的监管能力，我们在这方面的条件还不具备，我现在也没办法告诉你这个时间表。

美国《华尔街日报》记者：我想就有关中国的移动通信再提一个问题。现在一些与解放军有关的产业，仍然在进行着商业性的以CDMA为基础的移动电话方面的通信服务。他们在4个城市进行了试点，还想把这个服务的范围进一步扩大到其他地方。他们这样做是否得到了中国政府的允许？是否允许军方从他们这些商业性的移动电话服务中获得正常的收入？中国军队是否会成为中国移动电话的第三个运营者？

朱镕基：过去，中国电信曾经和军队的一些下属单位在4个城市进行过CDMA的试点。但是，后来中央军委作出了军队与所属的企业要脱钩，军队不能经商办企业的决定。因此，今后如何来进行CDMA的合作，包括CDMA如何满足军队的需要，我们正在研究、协调。这个问题很快就可以解决。

香港财经频道亚洲CNBN记者：我想请你澄清一下，台湾问题的无限期是指几个月、几年、几十年还是几个世纪的时间？还有，中方曾经做了巨大努力同美国达成中美之间的贸易协定，如果美国的国会拒绝批准给中国永久正常贸易关系待遇的话，中国将会做什么样的反应？中国是否会在美国不支持中国的情况下，还加入世贸组织，而且那样的话，中国是否会拒绝让美国商业进入中国市场？

朱镕基：关于无限期的问题，我不知道英文该怎么翻译。有人告诉我是 indefinitely；还有人告诉我，拉丁文的原文是 sine die。我看，反正你我都知道是什么意思，我就不再讲下去了。

关于美国给中国永久正常贸易关系待遇的问题，这是中美达成的关于中国加入 WTO（世界贸易组织）双边协议的一个基础和前提。这个双边协议是经过 13 年的谈判，最后在江泽民主席和克林顿总统亲自领导下所达成的一个“双赢”的协议，来之不易。这是一个庄严的、政府之间的协议，我们两国政府都有责任使它获得国会的批准而成为法律。中国政府已经尽了它的努力，在中国的人大方面已经没有任何问题了。克林顿总统已经承诺，而且确实在努力使美国国会能够通过给中国永久正常贸易关系待遇。克林顿总统说了这样一句话，如果现在不批准，恐怕要后悔20年。我可以加一句，不只是后悔20年，恐怕千百年以后，当美国人民翻到这段历史的时候，也会后悔为什么当时犯这个错误，掩卷而长叹。因此，我完全相信美国国会议员的明智和理智，一定能够通过给中国永久正常贸易关系待遇。

在九届全国人大四次会议记者招待会上回答中外记者提问

（2001年3月15日）

新华社记者：你在这次会议的报告中提出，近期要继续实施积极的财政政策，请问你如何看待中国现在的财政赤字？如果再连续几年增发国债的话，财政风险会不会逐渐加大？会不会出现通货膨胀？

朱镕基：1997年，亚洲发生金融危机，中国经济也面临很大的困难：1997年中国的出口增长了20%，到1998年出口几乎变成了零增长，进出口是负增长；有的中小金融机构发生了一些危机或者说挤兑；国有企业约有1000万职工下岗；因为需求不足，大多数工业、农业产品生产能力供过于求。面对着这么大的困难，对究竟应当采取什么对策，当时有各种各样的建议。比方说，有人建议人民币贬值，以促进出口；也有另外一种建议，把国有资产卖了就可以渡过这个危机。但是，党中央、国务院果断作出了采取积极的财政政策和稳健的货币政策的决定，这个决定执行3年以来，事实证明是正确的。为什么是正确的呢？因为当时的历史条件是中国的人、财、物都不缺乏。财，指的是银行里居民的储蓄存款很多。但由于加工工业生产能力过剩，已经没有多少有效益的项目可以把银行的存款贷出去，而银行还得对存户照付利息。如果国有银行的这些存款资金不能动用起来，对国家财政就是很沉重的负担。因此，我们采取由国家财政向银行发行国债的形式，把银行的资金动用起来。另一方面，有些国有企业的生产能力严重过剩，只有进行基础设施建设，才能够把这些过剩的生产能力利用起来。在这种情况下，我们3年发了3600亿元国债，搞了1.5万亿元的基础设施建设，把整个国民经济都带起、带活了。现在看，成绩是非常明显的。

首先，这些资金都是投入基础设施建设的。这3年，我们修建了17万公里的公路，其中1万公里是高速公路；新建、扩建电气化铁路1万公里；长江几千里的大堤提高了防洪的标准，再遇到1998年那样大的洪水，我们也不害怕了。各个城市也都进行了基础设施建设，全国的生态和环境保护都得到了改善，这个效益是很明显的。

其次，基础设施建设启动了工业生产，国有企业增加了税收和利润，国有企业改革和脱困的3年目标基本实现。国家的财政收入也大大增加了。我们从去年，即实行积极的财政政策的第三年，看到了这个效果。去年全国财政收入为1.388万亿元，比1999年增收1960亿元，跨了很大的一个台阶，所以我们能够还债。

因此，中国的财政赤字虽然增加了，而且增加得比较多，但是所有扩大的赤字都是用于基础设施建设的，我们有能力使国债能够得到双倍的偿还。所以我认为增发国债没有任何风险。

去年，我跟美国的前财政部长鲁宾先生在新疆见面，我问他对中国实行积极的财政政策有什么意见。他问我现在国债的余额有多少。我说是1.2万亿元，这包括了过去历年借的国债，占我国国内生产总值的14%。他回答得很干脆，说这没有任何危险，离大家公认的警戒线20%还差得很远。当然，我并不是因为他说了这句话就放心了。我是从去年的实践，就是财政收入一年增加1960亿元，感到手里有钱，“真金白银”都回来了，才放心的。

这次全国人民代表大会决定今年再发1500亿元的国债，用于现有国债项目的建设和西部地区大开发的新建项目。我估计，明年可能还需要再发1500亿元的国债。经过这两年以后，现有的国债项目都完成了，西部地区的大开发初具规模，国有企业进入良性循环，财政收入增加，社会资金渠道开通，我相信今后不需要再发这么多国债了，也许就不要再发行这种建设性的国债了，咱们等着瞧吧。

但是我也有另外一种担心，现在老百姓一听说要发国债，半夜就起来到银行排队，国债一个上午就卖光了。我担心将来如果不发国债，老百姓会对我们有意见。这个道理很简单，现在银行储蓄的利率一年期只有2.25%，而国债3年期年利率是2.89%，5年期年利率是3.14%。发行国债后，银行的存款并没有减少；在征收利息所得税以后，存款依然还在增加。可见人民群众对我们是有信心的。

德国《金融时报》记者：现在越来越多的中国人开始谈到可能会进行政治体制改革问题。几星期前，德国国防部长沙尔平先生访问北京，同江泽民主席谈到了党的作用问题。昨天我听到中国的高级官员说，中国正在研究东欧地区前社会主义国家一些社会民主党的情况。我想问的是，政治体制改革在中国是否已经临近？如果是的话，将从哪些部门开始改起？是从党还是从宪法制度开始改起？

朱镕基：中国的政治体制改革一直在进行，而且还会继续进行下去。但是，我们的政治体制改革绝对不会抄袭西方的模式，也就是说，不实行政党的轮流坐庄或者是两院制。我们党内的各项制度要进行改革，包括干部组织人事制度要改革。我们的国家机关、我们的政权机关也都需要改革。因此，不存在你说的谁先改、谁后改的问题。

日本广播协会（NHK）记者：日本已经对历史教科书进行了一些修改，你如何看待日本教科书的修改？另外，教科书问题会不会影响日中两国领导人的互访？你怎么评价现在的日中关系？

朱镕基：你的中文说得挺好，可是我没有完全听懂，请翻译把中

2001 年 3 月 15 日，朱镕基在九届全国人大四次会议举行的记者招待会上回答中外记者提问。
（新华社记者刘建生摄）

文再讲一遍。

中日之间的关系，早在1998年江泽民主席访问日本的时候，我们就共同确定了一种致力于和平与发展的友好合作伙伴关系，中日两国的关系大大改善了。去年我访问日本的时候，按照江泽民主席所提出来的“以史为鉴，面向未来”的精神，和日本政府的领导人进行了友好的谈判，并向各界人士做了一些增信释疑的工作。我认为，目前中日两国关系的主流是很好的。

教科书问题不仅是中日两国之间的问题，它是日本同整个亚洲有关国家和亚洲人民的问题。如果日本的军国主义者发动侵略战争这个历史事实被歪曲，那不但伤害了中国人民的感情，而且伤害了全亚洲人民的感情。这些教科书是由日本政府的文部省来审订的，所以，日本政府对修改教科书负有不可推卸的责任。要把被歪曲的改正过来，不能够以观点、言论自由作为借口来推卸这个责任。我听说已经做了一些修改，但是根据亚洲各国人民的反应，这种修改是不够的。我认为，这并不是谁要去干涉日本的内政，而是关系到日本人民同包括中国人民在内的亚洲人民能不能世世代代友好下去的问题，也是关系日本人民利益的问题。当然，我并不认为这个问题会影响中日两国之间的来往，包括高层的来往。去年，小渊惠三前首相曾邀请我访问日本，可惜我还没去他就逝世了，我们表示悼念。后来，森喜朗首相再一次向我发出邀请，我访问了日本，和日本人民有了很好的沟通。我再次重申，邀请森喜朗首相今年访问中国。

中央电视台记者：本届政府任期内，在政府机构改革和职能转变方面取得了重大进展。你这一次在关于“十五”计划纲要的报告里提出，要进一步实行政企分开，切实转变政府职能。请问你对于目前政府机构改革和职能转变方面，哪些进展比较满意，哪些方面还不太满意？哪些方面准备着力推进？

朱镕基：我认为，本届政府的机构改革是成功的。从 1998 年以后，我们用很短的时间，通过机构改革，使国务院系统的机关干部，从 3.3 万人减少到 1.6 万多人，也就是说减了一半，没有发生任何的动荡。各省、自治区、直辖市的政府机构也按照同样的比例进行了精简。今年我们又确定，对于市、县的机构按照 20% 的比例进行精简，所有编外人员一律辞退。这些政府机构的改革，对于提高政府的效率和政府职能的转变，有很大的好处。现在，国务院机构的办事效率有了很大的提高。

当然，我也有不满意的地方，就是我们政府机构的职能转变还没有完成，有些干部习惯于计划经济体制下的工作方式，对于在社会主义市场经济条件下的政府职能还不是很清楚，做了一些不应该做的事情，我把这个叫做角色错位。我们还在进行改革，去年已经把 10 个国家局（相当于过去的 10 个部）撤销了 9 个，改革了 1 个，这是很大的变化。同时，我们还适应社会主义市场经济的要求，加强了一些部门，包括国家工商行政管理局、国家质量技术监督局和国家出入境检验检疫局、新闻出版署。这些部门我们要加强、要升格，也就是说，它们原来是副部级单位，现在要变成正部级单位。当然，职能的转变不是一件容易的事，需要时间，我们将继续努力。

俄罗斯《劳动报》记者：今年在上海要举行“上海五国”[1]元首会晤。请问中俄经济合作的前途如何，对中国的西部大开发会起什么作用？

朱镕基：我想，“上海五国”元首第六次会晤将继续过去的成果，

[1] “上海五国”，是今天上海合作组织的前身。1996 年 4 月，中国、俄罗斯、哈萨克斯坦、吉尔吉斯斯坦、塔吉克斯坦五国元首在上海举行会晤，创建了“上海五国”会晤机制，每年举行一次会晤。

包括推动经济合作的成果。通过首脑之间的交流，这个成果会有进一步的发展。西部大开发是中国第十个五年计划的一个重要内容。我想，首脑会议一定会讨论这个问题，并且将采取措施促进我们之间的合作。

美国有线电视新闻网（CNN）记者：在刚刚结束的全国人民代表大会的闭幕式上，我们看到对于最高人民法院和最高人民检察院的报告，有不少代表投了反对票或弃权票。请问，他们的这种反应是不是对于政府打击腐败的能力缺乏信心？

朱镕基：我对于今天的表决结果内心既感到沉重，也感到高兴，因为比去年的情况还是好一些，以三分之二的多数通过了这两个报告。我们一定会更加警醒，进一步改善我们的政法工作、反腐败工作。我认为，这个投票结果并不表示人民群众对我们丧失信心，人民群众是信任我们的。

香港《星岛日报》记者：不久前你提到，将聘请香港的金融专家担任中国人民银行的副行长，请问是否已经物色到人选？除了中央银行和证监会，其他的部门是否也有相同的计划？这种安排是否会引起内地一些官员的不满？你对来自海外的人才有何要求和期望？

朱镕基：当今世界的竞争是人才的竞争。因此，中央决定要从海外我们的留学生中，从香港、澳门、台湾，吸收和利用人才，来加强我们在世界上的竞争能力。引进这些人才的重点，是那些开放程度越来越大、竞争越来越激烈的部门，比如说银行、证券、保险等行业，以及国有大型企业的管理层。

香港证监会的副主席史美伦女士来担任中国证监会的副主席，这仅仅是一个开始，我们还会继续实行这个政策。我现在并没有确定的人选，希望听取各界，也包括你的意见，以便于我们进行充分的考虑和比较。

新加坡《联合早报》记者：我想问的问题是关于NMD[1]和TMD（战区导弹防御系统），我们知道中国强烈和坚决反对美国发展NMD并将中国台湾地区纳入TMD。有人说，美国太强了，谁也拿它没办法。如果美国一意孤行的话，中国会怎么办？

朱镕基：你这个问题我一句话很难回答，是不是允许我谈一谈中美关系的问题？我想，这也是大家所关心的。布什总统上任以来，政府换了新人，有些人我们不很熟悉，有的还不认识。因此，中美关系的磨合还需要一个过程。我们从华盛顿得到了很多的信息，我们非常认真地研读和仔细地解析。我们有时候感到这些信息有些矛盾，需要澄清，我们也得到了使我们满意的澄清。有些问题我们感到是误会，需要沟通，我们也进行了有效的沟通。钱其琛副总理即将访问美国，这就是高层次的沟通。我也收到了鲍威尔国务卿的来信。我要郑重地告诉大家，江泽民主席和布什总统之间的信息渠道是畅通的，他们保持着密切的联系。我们得到的直接的信息是布什总统重视中美关系，认为这种关系有助于构筑21世纪，而且他希望和江泽民主席一道，共同促进中美两国关系稳定、健康地发展。我们被明确告知，美国将坚持一个中国的政策，继续履行在中美三个联合公报[2]

[1] NMD，是英文National Missile Defense的缩写，即国家导弹防御系统。1993年，美国总统克林顿宣布“星球大战”时代结束，取而代之的是NMD和TMD。

[2] 中美三个联合公报，指1972年2月28日美国总统尼克松访问中国期间，中美双方就实现两国关系正常化在上海发表的《联合公报》；1978年12月16日，中美两国政府发表的《中华人民共和国和美利坚合众国关于建立外交关系的联合公报》；1982年8月17日，中美两国政府就逐步减少、经过一段时间最后彻底解决美国向台湾出售武器问题发表的《中华人民共和国和美利坚合众国联合公报》。这三个联合公报分别简称中美上海公报、中美建交公报、中美“八一七”公报。它们确立了发展中美关系的政治基础。

中的承诺。关于我们两国存在的分歧，布什总统表示，将会通过平等、互相尊重、协商的方式来解决。他也相信，台湾问题将会得到妥善的解决。

当然，我们也有分歧。比方说，美国新政府的一些高级人士认为，中美双方所确定的面向21世纪建设性的战略伙伴关系是不对的，应该改为竞争对手关系。但是他们也认为，竞争对手不一定是敌人。我认为这个问题还需要沟通，关键是怎么理解战略伙伴关系。我们所讲的战略，就是长期稳定的意思。中国的外交政策是不结盟，也不针对第三者。至于伙伴关系与竞争对手，并不是矛盾的。当前，和平与发展是时代的主题。在经济全球化的形势下，国与国之间既有竞争，也有合作。我很高兴听到鲍威尔先生讲，中美虽然是竞争对手，但是在贸易方面还是伙伴。他还认为，在其他领域中美也应该进行合作。因此，我看这个分歧不算太大。记得1998年我在伦敦参加亚欧领导人会晤，与正在伦敦的美国前总统老布什见面的时候，他第一句话就问我，你们中国的私有化搞得怎么样了？顺利吗？我当时吃了一惊，我说布什先生，中国不搞私有化，我们搞的是股份制，股份制是公有制的多种实现形式之一。我赞成布什总统说的，中美两国的友好合作关系，有利于构筑21世纪。我也相信，中美两国近16亿人民之间长期稳定的友好合作关系，一定会有利于全世界60亿人民之间的和平发展、繁荣稳定。

我们很高兴布什总统接受江泽民主席的邀请，将要参加今年10月20日在上海举行的APEC[1]领导人非正式会晤并访问北京。我相信，这是我们相互沟通的一个大好机会。

关于NMD，中国的立场是明确的：反对！因为它违反了《反导

[1] APEC，是英文Asia-Pacific Economic Cooperation的缩写，即亚太经济合作组织。它是亚太地区的经济合作官方论坛，成立于1989年。

条约》，同时，它只会导致国际的军备竞赛。我们多次明确地向美国表明了我们的态度。我们也知道，布什总统表示会和中国进行协商。

法国《世界报》记者：最近对中国股市的问题正在进行激烈的辩论。有人认为中国的股市就像一个赌场，有人认为中国的股市有崩溃的风险。我想问中国政府对于股市的发展奉行什么样的政策？A股市场和B股市场合并有没有一个时间表？上海和深圳两个股市合并有没有计划？另外，我们注意到，中国一些上市公司经营不善，但是迄今为止，还没有看到任何一家上市公司被摘牌。上市公司由于经营不善被摘牌这种情况，是否会在中国股市发生？对于这些经营不善的上市公司，中国是否会采取严厉的措施？

朱镕基：关于中国股市有各种各样的看法，这不是说明中国有言论自由吗？因此，我对中国股市的状况不会作任何评论。我们的既定方针就是要加强证券市场的法制、规范、监管、自律。最近，中国证监会对B股的改革，是我们对股市整顿和改革的一个新尝试，目的就是要利用目前居民手中近800亿美元的外汇，为他们开辟一条新的投资渠道。同时，我们也希望，这样能够吸引更多的外国投资者来投资B股，促进B股的发展。至于A股和B股会不会合并，中国证监会没有谈到这个问题。我没有排除它们合并的可能，但是这需要有一个相当长的时间。至于对上市公司的整顿，是股票市场加强监管的一个核心问题。中国证监会正在采取各种措施，来加强这一方面的工作，摘牌肯定是他们考虑的一个措施。

《人民日报》记者：现在，社会上对收入分配问题意见比较强烈。你在“十五”计划纲要的报告中也提出，要规范社会分配秩序，防止收入差距过分扩大。请问你怎样看待当前收入差距问题？政府准备采取哪些有力措施调节收入分配？

朱镕基：收入分配差距过大的问题，值得我们认真注意；但是我认为，目前还没有达到严重的地步。据1999年的调查，中国根据国际惯例所计算的基尼系数[1]是0.39，也就是说，接近于国际公认的警戒线的水平。但是我认为，问题还没有那么严重。原因是：第一，历史上城乡收入差距很大。由于目前粮食供给的相对过剩，粮价下跌，农民收入增幅有所下降，特别是粮食主产区的农民收入下降得更多一些。对这个问题，党中央、国务院非常重视，已经把增加农民收入作为当前经济工作的首要任务，放在突出的位置，我们将出台一系列措施来解决这个问题。第二，城市居民中，由于国有企业改革还没有完成，下岗和失业的职工比较多。因此，在职职工和下岗职工之间的收入差距也越来越大。这个问题，我们将通过完善和建立规范的社会保障体系并改进再就业的工作来解决。第三，某些行业或者由于历史的原因，或者由于垄断的优势，收入过高。我们将对这些垄断行业，包括电力、电信、铁路、民航等进行体制改革，改变它们的垄断地位。当然，我们还会通过税收的手段来缩小收入的差距，比方说健全个人所得税制，收入最高的应该缴45%的税。这些方面我们执行得还不很好，今后要更好地改进，要依法征收。总之，对收入分配差距问题是三句话：值得注意，尚不严重，正在解决。

英国天空新闻（Sky News）电视台记者：请问你是否真的认为，江西的一所小学校是由于一个孤僻的、脑子有问题的人背了两袋子鞭炮炸毁的？你是否担心，由于你这样一个说法，使得国际社会对于中国经济改革的注意力分散了？

朱镕基：我对江西万载县芳林小学发生的爆炸事件心情感到很沉

[1] 基尼系数，是意大利经济学家基尼提出的、测量收入分配不平等程度的一种统计指标，介于0和1之间。基尼系数等于0，表示收入分配绝对平均；基尼系数等于1，表示收入分配绝对不平均。0.4是国际公认的警戒线。

重，我向遇难者表示沉痛的哀悼，对于他们的家属表示慰问。发生这样一件事情，特别是发生在江泽民主席对于这种爆炸事件多次作出批示的情况下，国务院没有尽到应尽的责任，我感到心情沉重，应该进行检讨。爆炸事件发生以后，江西省长立即从北京赶回江西处理善后，公安部也派出专家调查组对爆炸的情况进行调查。他们正式的调查结果，就像我前几天向报界宣布的那样。在我讲话以后，我知道海内外的新闻界，包括香港一些媒体，认为这一次爆炸是由于学校生产爆竹所引起的，不同意我的看法。因此，我亲自要求公安部长贾春旺再派遣一个 6 人专家调查组，到江西去进行微服私访。他们回来以后给我的报告说，他们发现了一些线索。比方说，这个学校在 1999 年曾经用勤工俭学的名义，让学生做给爆竹插引信的工作，但是在去年萍乡爆炸案发生以后，他们就停止了这种活动。另外，在现场也没有找到生产和装配这种花炮的证据。

今天，我不需要在这里跟对这件事情有怀疑的中外记者进行辩论。我认为，不管事实如何，国务院和我本人都负有不可推卸的责任，也就是说，对于党中央和江泽民主席的指示执行不力。我也相信，不管怎么样，事实是不能隐瞒的。我们将继续调查这件事情，使它能够水落石出。但是，目前我们没有证据来否定原来的结论。

我今天向全国人民承诺，我们一定会从这件事情吸取足够的教训，重申和完善已经制定的法规，就是说，绝对不能允许学生和未成年的儿童进行有生命危险的劳动。如果因此导致危害他们的生命安全，一定会把县长、乡长、镇长立即撤职，并且依法追究这些人的刑事责任，对于省长也应该给予行政处分。我们一定会实现对人民的承诺。

台湾《中国时报》记者：现在两岸关系还是僵持状态，我不知道总理有没有想过采取一些不一样的具体的方式，来化解两岸的僵持？比如说在不提出任何先决条件下推动两岸“三通”，或者是像去年下半年钱其琛副总理说的那样，大陆和台湾同属于一个中国，就是用更有弹性的方式来解释一个中国。

朱镕基：关于台湾问题，中国所有领导人的讲话都是明确的、一致的，也就是根据“一国两制”的原则和江泽民主席的八项主张来办事。现在关键的问题是有人不承认一个中国的原则。如果不承认一个中国，有什么可以谈的呢？如果承认一个中国，什么问题都可以谈。关于“三通”的问题，我们从1979年以来就作出最大的努力来促进“三通”的实现。我们的原则从来都很明确，那就是“一国两制”、直接“三通”、双向交流、互惠互利。我们希望台湾当局回到一个中国的立场上来，那样什么问题都可以谈。如果不承认一个中国，甚至不承认自己是中国人，那怎么谈呢？

韩国《中央日报》记者：中国人民完成“十五”计划的那一年，你认为你会在哪儿？还是在总理的位置上，或者是在学校，或者退休在家？你认为到多大年龄时，你就不再适合担任公职？

朱镕基：我最近看到一些新闻媒体特别是英国的《金融时报》说，朱镕基已经老了，也就是说不中用了。也有香港报纸说，可能这次朱镕基的《政府工作报告》是他最后一次的报告了。我想他们说得也对，我比你们在座的人都老得多。我目前只能说，我的任期是到2003年，现在来谈论今后的人事问题还为时过早。我可以告诉大家的是，明年的《政府工作报告》还是由我来作，后年的《政府工作报告》还是我来作。因此，明年的记者招待会还是由我来回答问题，今天提问题没有提够的，欢迎你们明年再来。至于说我什么时候退休，退休以后干什么，那么我可以说，我在1998年的时候就讲了，我将勇往直前，义无反顾，鞠躬尽瘁，死而后已。我现在还是这样，只要活着，还有一口气，就要为人民鞠躬尽瘁，死而后已。

法国《欧洲时报》记者：去年秋天中国的基金发生了很大的问题，

后来经过严格的整顿，加强了监管。请问今后5年中，证券市场的监管重点是在什么地方？是上市公司还是交易秩序？

朱镕基：从今年开始，中国证券市场的任务，或者说中国证监会的任务，就是要加强监管，通过法制规范的办法，来实现公正、公平、公开。它的监管重点是上市公司、证券公司和投资基金。这是一个长期的任务，但是今年要取得突出的或者说比较显著的成绩。

中央人民广播电台记者：我想问一个有关中国农业的问题。税费改革被称为“继中国土地改革和家庭承包经营之后的第三次农村革命”，毫无疑问，它将从根本上减轻农民的负担。但是，从目前的试点情况来看，也有人担心这种改革会导致一些新的问题，比如乡镇面临财政困难，农村教育经费短缺，请问国家将采取哪些措施来解决这些问题？

朱镕基：农村税费改革是一次很大的革命，我们绝不能低估它的重要性、复杂性和艰巨性。目前从农民手里收取300亿元的农业税，600亿元的乡统筹、村提留，再加上乱收费，恐怕从农民那里一年要拿1200亿元甚至更多。我们这一次的税费改革，就是要把现在收取的300亿元的农业税，提高到500亿元，也就是农业税税率从5%提高到8.4%；与此同时，把乡统筹、村提留的600亿元和各种乱收费一律减掉。这样会出现一个很大的收支缺口。中央财政准备拿出200亿到300亿元，补贴给有困难的省、自治区、直辖市的农村。但是，这个缺口还是很大的。这些收费主要是用在农村的教育上。因此，如果不对农村的教育体制进行改革，补贴这些钱是不够的。我们已经下了决心，一方面要减轻农民的负担；另一方面要保证农村义务教育的需要，这是坚定不移的。我们首先在安徽省进行试点，然后再在全国推广，这是一个非常重大的任务。这个改革如果得到成功，我们的农业基础就稳固了，农村就稳定了，国民经济发展就有了更好的基础。

英国路透社记者：你的报告中谈到了江泽民主席的“三个代表”

的思想、“以德治国”的思想，请问对于普通人来讲，“三个代表”对他们意味着什么？“以德治国”对他们又意味着什么？

朱镕基：我想，江泽民主席提出的“三个代表”的思想、“以德治国”的理念，都是对马克思主义理论的发展。在这个问题上，我们中央的意见是完全一致的。但是你让我在这个地方来阐明这个思想，我想不是时候，也许我们需要开一次研讨会。

《澳门日报》记者：澳门回归一年多来，各方面的工作都取得了较大进展，开局很好。但是，随着海峡两岸关系的改善和变化，以及中国和中国台北相继加入WTO以后，澳门在经济上的地位和作用会发生什么变化、澳门的发展前景会怎么样，这是澳门很多人都关心

1999年12月20日凌晨，中华人民共和国澳门特别行政区成立暨特区政府宣誓就职仪式在澳门综艺馆隆重举行。澳门特别行政区行政长官何厚铧（左）宣誓就职，朱镕基监誓。

（新华社记者刘宇摄）

的一个热点问题，能不能请总理谈一点看法和意见？

朱镕基：澳门地域较小，经济规模不大，但是它高度开放，在大陆和台湾地区的经济联系中发挥了很大作用。我相信在中国加入WTO，台湾地区随后也加入WTO以后，澳门更能够发挥它的优势来加强这种联系，更好地发挥它的纽带作用，使它自身的经济也发展得更快、更好。

《中国日报》记者：今天是“3·15”维权日。近年来，制造假币，还有棉花、粮食掺假事件时有发生，人民对此反应强烈。请问国务院在打击、遏制这些假冒伪劣产品，保护消费者权益，增强中国产品在国际市场的声誉和竞争能力方面，将采取哪些有效的措施？

朱镕基：在社会主义市场经济发展过程中，市场的欺诈行为、假冒伪劣、坑蒙诈骗层出不穷，大家可以从“焦点访谈”和其他的电视节目里看到这些情况。我看了以后义愤填膺，晚上睡不着觉。现在我们政府职能的转变就是要加强对市场的监管、查处，保护消费者和人民的利益。在这方面，我们的工作还需要大大加强。我们除了要加强市场监管的立法工作以外，还要加强执法部门的地位和作用，发挥它们的市场监管作用。我们今年准备召开一次全国性整顿和规范市场经济秩序的大会，来加强这项工作，包括整顿文化市场。当然，不是搞运动，但是开头总得有点声势，然后把它变成一个持久执法的工作。

新加坡亚太金融新闻社记者：刚才你谈到农村税费改革时指出，改革以后会有资金的短缺，因此，需要对农村的教育进行改革。但是钱少了，怎么样才能进行农村教育的改革，从而确保在农村地区的所有孩子都能像城里的孩子一样得到应有的教育？

朱镕基：我们一定要实现保证农村义务教育的目标。钱不够，就加钱，而且应该把这个钱用得更加有效。就是说，还应该进行教育体制改革。明年开记者招待会时，我可能会对你这个问题回答得更加具体。

在九届全国人大五次会议记者招待会上回答中外记者提问

（2002年3月15日）

朱镕基：请大家提问题，分秒必争。

中央电视台记者：在世界经济低迷的情况下，今年中国经济增长率预测目标为7%。请问总理，能否达到这个目标？主要措施是什么？

朱镕基：今年国民经济增长的预测目标为7%，是经过我们周密考虑，考虑了各方面的不利因素，包括世界经济增长速度减缓等因素来制定的。我想是可以实现的。具体的措施已经在我的《政府工作报告》中做了简述，我就不再重复了。从今年第一季度的情况来看，比我预想的要好。根据国家统计局的预测，今年第一季度的国内生产总值比去年同期增长7.5%。因此，我对此更有信心，也就是说，对实现经济增长7%的目标有信心。

德国德新社记者：今年对中国来讲是关键的一年，要选举产生新的领导班子，包括下一任总理，有人看好温家宝副总理，对此你是否能发表评论？另外，对你的继任者，你有什么建议？

朱镕基：我觉得你提这个问题的时机恐怕是太早了一点，因为你所提的问题的答案连我都不知道，所以我就没办法告诉你，很抱歉。

新华社记者：今年我国财政赤字为3098亿元，占国内生产总值的比重达3%。请问总理，如何看待我国的财政风险，这对下届政府有没有影响？

朱镕基：前天我看到香港有一份报纸，送给我一个“荣誉”称号叫“赤字总理”。我从来不接受荣誉称号或者荣誉学位，因此，对这个问题我需要解释几句。我查了手头的资料，我只查了二十几个国家。2000年，19个国家都有赤字，包括一些发达的大国。所以，问题不在于财政有没有赤字，而是这个赤字的水平是否在承受能力范围以内，特别是这个赤字是用在什么地方、“赤”在什么地方。中国今年的预算赤字是3098亿元人民币，相当于当年国内生产总值的3%左右。国债余额总计2.56万亿元，占国内生产总值的16%左右。这两个数字都在公认的警戒线以内。至关重要的是，我国这个赤字不是用在弥补经常性的预算方面，没有把它“吃”掉，而是用在基础设施建设方面。本届政府已发行的5100亿元国债，带动了银行资金和其他资金，一共完成了2.5万多亿元的工程。包括新建10万公里的公路，其中1.3万公里是高速公路；新建5000公里的干线铁路，加上复线、电气化铁路在1万公里以上；建设了9500万千瓦的电站，全部改造了农村的电网；移动电话和固定电话用户已经达到3.2亿户。这些都是实实在在地摆在那里的。因此，我留给下届政府的不只是债务，还有2.5万多亿元的优质资产，这些在未来中国的经济发展中将长期发挥巨大的经济效益和社会效益。更为重要的是，这几年5100亿元的国债加上银行配套的贷款，拉动了整个工业生产，带动了整个国民经济快速发展，财政的收入每年都大幅度地增加，这才使我们有可能大力改善人民的生活。最近几年职工工资差不多增加了一倍，还使我们构筑了一个比较健全的社会保障体系，也使我们有大量的资金投入教育和科技战线。与此同时，最近几年里人民群众的银行储蓄存款也不断地增加，保持每年增加7000亿到8000亿元人民币的水平。

如果我们不是采取积极的财政政策和稳健的货币政策，中国经济也许就垮了。因此，从这里可以看出，积极的财政政策的力度也是恰到好处的。你看 1998 年以来这 4 年，物价一点也不涨，降得也不是很多，在 1% 上下浮动，足见中国的“功夫”是不错的。所以，对不起，我不能接受“赤字总理”这个“荣誉”称号，奉送回去。我为我们国家能够实行积极的财政政策，不但克服了亚洲金融危机带给我们的影响，而且利用这个机遇空前地发展了国民经济而感到自豪。

韩国《朝鲜日报》记者：昨天有 20 多个朝鲜人进入西班牙驻华使馆，请问中方怎么处理这件事？

朱镕基：中国的外交部门已经跟有关的驻华大使馆进行了协商，达成了协议，将按照法律予以解决。请你稍微等一等，也许很快就解决了。

日本共同社记者：我想问两个问题：第一个是日中关系问题。今年是日中邦交正常化 30 周年，日中两国的高层往来比较多。我听说，中方已通过外交渠道表示希望日本皇太子和皇太子妃来中国访问。你认为如果他们来的话，能够推动日中关系的发展吗？另外，他们会受中国老百姓的欢迎吗？第二个是内政问题。我认为中国现在的社会阶层两极分化比较严重，有一些专家也认为，要改善这个现象，培育和扩大中产阶层是必要的，你是否同意这样的看法？如果同意，应该采取什么样的措施来培育这样的中产阶层？

朱镕基：今年是中日邦交正常化 30 周年。前年，我和森喜朗首相见面时就把今年确定为“中日友好年”，双方将举行一系列纪念活动，来庆祝邦交正常化 30 周年，包括加强沟通和往来，在中国举行“日本文化年”、在日本举行“中国文化年”活动等等。关于邀请皇太子和皇太子妃访问中国的问题，我们早就予以推动，我们当然希望他们能够接受邀请，我相信他们一定会在中国受到热烈的欢迎。

关于你提出中国存在着贫富差距加大的现象，我认为是存在的。你大概记得邓小平先生讲过让一部分人先富起来，那么必然是有一部分人现在还没有富起来。因此，贫富差距的扩大在一定的历史时期里，也许是不可避免的。但是，我们在执行让一部分人先富起来政策的同时，也在不断地扶持低收入的群体，或者说弱势群体。比如说，增加农民收入的问题占了《政府工作报告》的很大一部分，可以说已成为我们的一个中心工作。又如，对建立社会保障体系的重视，扶持下岗的、失业的、离退休的职工，都是我们工作的重点。除了政府通过财政预算来缩小这种贫富差距以外，最重要的手段就是税收。我们通过税收政策、税制改革来扶持这一部分还没有富起来的人民群众。

2002 年 3 月 15 日，朱镕基在九届全国人大五次会议举行的记者招待会上回答中外记者提问。
（新华社记者姚大伟摄）

我相信，在经过一个时期以后，这种贫富差距扩大的现象最终会得到解决的。

香港《经济日报》记者：现在香港跟内地正在商谈建立类似自由贸易区的更紧密的经贸关系。我想问一下，中央有什么政策来继续巩固香港的亚洲金融中心的地位？另外，在中国加入WTO后，香港怎么样帮助内地的经济发展？

朱镕基：香港特区政府成立以来，由于亚洲金融危机的影响，香港碰到了暂时的经济困难。但是，我始终认为香港具有不可替代的优势地位。它的国内生产总值相当于广东省。没有任何一个大城市在近期内能够超过香港。我相信香港一定能够克服当前面临的暂时经济困难，对此我们是有信心的。至于中央政府对香港能够提供什么样的帮助与合作，中央政府和香港特区政府的官员正在进行紧密的协商。只要对香港有实惠和好处的事情，而且是可行的，中央政府一定会全力以赴。我相信香港完全能够保持它的亚洲金融中心地位，特别是在中国加入了世贸组织以后，机遇会更大。

俄罗斯俄通社—塔斯社记者：你今年要和俄罗斯总理再次举行会晤，请你评述一下中俄关系现状，包括两国经贸合作关系的发展前景。

朱镕基：中俄的战略协作伙伴关系，最近几年发展得非常好，特别是去年江泽民主席和普京总统签订了《中俄睦邻友好合作条约》，更加巩固了这种友好合作关系。表现在经济领域里，也产生了实际效果。去年中俄两国之间的贸易额比前年增加了三分之一，这个贸易统计是不完全的，因为有很多边境贸易没有统计进去，就公布的贸易额来讲，这个发展是非常巨大的。去年中俄两国总理在圣彼得堡举行定期会晤，我们商定在经济贸易和各个领域进一步加强合作。我预期在两年，也许三年之内，我们可以把现在的中俄贸易合作水平提高一倍。今年两国总理定期会晤将在上海举行，我们将进一步共同努力推进中俄两国友好合作包括经济贸易合作迅速发展。

美国有线电视新闻网（CNN）记者：跟1998年你第一次举行记者招待会的时候相比，现在看起来，你虽然同样的帅，但是略显疲劳。我的问题是，操持一个有13亿人口国家的大事，我难以想象是一个什么样的情景。你能否谈一下，在你管理国家大事的时候，最让你头痛、最让你难以入睡的问题是什么？你担任总理以来，取得了很大的成绩，但是也有一些事情可能现在还没有完成。你能否讲一下哪方面做得还不够？另外，你有没有想过再干一任？

朱镕基：我比1998年是不是显得疲劳，我不知道在座各位作何评论。不过我想，时间已经过去4年了，人总是要老的嘛。但是，这4年以来，我始终丝毫不知疲倦地在进行我所担负的政府的工作。我想，这4年本届政府做成了很多事情，特别是刚才讲的克服了亚洲金融危机对我国的影响，而且在这几年里不断发展了我们自己。当然，我还有很多事情没有完成。令我最感头痛的是什么？我一天到晚都头痛，最厉害的，就目前来讲，主要是增加农民的收入。因为这4年里，国家的公务员差不多增加了一倍的工资，而物价没有涨。大多数大中型国有亏损企业在3年里面已经基本脱困，很多企业职工的工资也有很大的提高。离退休职工由于社会保障体系的完善，他们的待遇也提高了，我想他们都是很高兴的。但是比较起来，农民的收入增加得不快，个别地方还有下降。对这个问题，这几年中国政府做了巨大的努力，在我的《政府工作报告》中，也用了大量的篇幅，但是要解决这个问题是不容易的。最根本的措施，是要靠农业种植结构和农村产业结构的调整。中国现在的粮食供过于求，农产品越来越多，种什么什么多。价格上不去，农民的收入就增加不起来。特别是中国加入WTO以后，美国的农产品还要大量地在中国登陆，国内农产品价格还要下降，农民不是更困难吗？这就是我很头痛的事情。现在美国出口到中国的大豆已经相当于中国大豆年产量——1500万吨了。当我们想采取转基因农产品管理办法的时候，这也是国际上很多国家实行的办法，你们美国的领导人就来跟我谈大豆的问题，说影响美国10亿美元的出口，要我们慎重一点儿。但是美国对中国出口的钢铁产品，却宣布要加税8%到30%，这样就影响中国3.5亿美元的钢材没法向美国出口。我可不可以像美国领导人关心大豆一样也关心我们的钢材，也对美国大豆加税30%行不行呀？这些都是头痛的问题，但我想虽然头痛，还是可以解决的。因为现在全国粮食库存有5000亿斤，我们可以开仓济贫，实行退耕还林、退耕还草、退耕还湖的政策，使农民的收入直接或间接地得到增加。同时，我们正在实行农村费改税的政策，以减轻农民的负担。我相信，这些措施能够缓解目前农民困难的局面。再经过一段时间以后，农业的产业结构调整取得成效，农民的收入会增加起来。当然，这需要一定的时间。

《人民日报》记者：本届政府开始时提出的目标是“一个确保、三个到位、五项改革”。请问总理，在本届政府任期内，这些目标能否全部实现？

朱镕基：我在1998年本届政府开始时所提出的“一个确保、三个到位、五项改革”，在这4年里面就已经基本完成了。“一个确保”，是确保1998年经济增长速度达到8%和人民币不贬值。结果，人民币没有贬值。当年的经济增长速度为7.8%，比8%少了一点，原因大家也知道，1998年遭受了严重的水灾，加上亚洲金融危机的影响，稍微差一点。“三个到位”，第一个指大多数国有大中型亏损企业在3年内实现扭亏为盈，这个目标在第三年的时候就已经完成了。如果没有这些国有企业缴纳的大量税收，财政收入状况就不可能这么好，不可能每年以超过国内生产总值增长速度一倍的增幅在增加。第二个

“到位”是金融改革，我们已经对商业银行进行了很大的改革。我们借鉴美国 RTC[1] 的经验，把不良贷款分离出来，成立资产管理公司，使商业银行的经营状况有很大转变，光去年一年，不良贷款的比例就下降了 3 个百分点。第三个“到位”是精简政府机构，这在当年就已经完成了，减少了一半的人员。现在，精简机构已经推进到省、市、县政府。“五项改革”，包括粮食流通体制改革、投资融资体制改革、住房制度改革、医疗制度改革以及完善财税制度改革。这五项改革，有的已经完成，有的正在进行，我对于改革的进展还是满意的。因此，我认为本届政府实现了对全国人民、全国人民代表大会所作出的承诺，要不然为什么每次《政府工作报告》都以高票通过呢？可以说我们问心无愧。但是还有很多工作没有做好，我们要继续做好。

英国路透社记者：自你担任总理以来，中国在经济领域进行广泛改革。中国即将召开中国共产党的十六大，十六大以后，中国是否会强调在政治领域进行改革？另外，接着 CNN 记者的问题，再问一下，你是否寻求连任？如你不想再干一届，那么你的同事，江主席、李鹏委员长是否也会退下来？

朱镕基：我想，中国的政治改革，也就是建立民主法制国家的改革一直都在进行。今后会以更大的力度来进行。至于连任不连任的问题，我已回答了无数次这样的问题，每次都引起无端的猜测，所以我重复刚才的话，你耐心等待一段时间，答案马上就有了。

台湾《联合报》记者：在你今年的《政府工作报告》中有关台湾的部分，我们注意到你并没有提到以前常用的一些词语，例如“绝不承诺放弃对台湾使用武力”，也没有使用最近常听到的“渐进式台独”

[1] RTC，是英文 Resolution Trust Corporation 的缩写，即处置信托公司。

这样的词，请问你是出于什么考虑？是不是反映大陆对台湾有一些新的思路？是不是基于台湾民进党执政的事实？

朱镕基：中国关于解决台湾问题的政策没有任何改变，我们始终坚持“和平统一、一国两制”的方针和江泽民主席所提出的八点具体解决措施。我没有强调的问题不等于我们的政策就改变了。“不承诺放弃使用武力”，主要是针对那些坚持“台独”的顽固势力所讲的，这个话没有变，但是也不需要我天天讲、月月讲。

美国彭博新闻社记者：在几个月以前，我们看到中国银行的一些海外分行有一些腐败现象被揭露出来，它们有一些违规的贷款等等。另外，中国的同行也有同样的报道，中国银行广东分行也有类似的问题。我想问的是，在中国的银行界是否还存在这样的问题？这种问题有多严重？中国正在采取什么办法解决这样的问题？此外，既然已经有了这些报道，这是否影响你过去一直提倡的一种做法，就是你鼓励中国的金融机构，包括银行、保险公司要到海外上市？现在出了这些问题，有了这些报道，是否影响这方面的考虑？

朱镕基：中国四大国有商业银行有十几万亿元人民币的资产，在个别的分支机构发生违法事件，我想这不是什么太奇怪的问题。你们美国不是也出现了“安然事件”吗？由于你们在认真地处理“安然事件”，中国的报纸、杂志、舆论界没有大肆渲染这件事情。同样，中国银行的个别分支机构发生一些违法事件，也不值得大肆渲染。我们对这种事件的态度是非常严肃的，是依法处理的。我想，个别的银行分支机构发生这种违规事件，不会影响中国银行、中国金融界的信誉，也不会影响中国的银行将要在国内或者在海外上市的目标。

法国法新社记者：朱总理，我们听到很多中国老百姓说，很希望你连任。但你刚才不太想回答这个问题。请问，无论下一届总理是谁，你觉得他应该有什么优点呢？如果下任总理不是你的话，你觉得

2002 年 3 月 15 日，九届全国人大五次会议举行记者招待会。图为到会的中外记者。
（新华社记者王晔彪摄）

他在哪个方面应该向你学习，在哪个方面不应该向你学习？

朱镕基： 我很佩服你们新闻记者的执著和毅力，总是要把这个问题追个水落石出。但是我刚才已经说过了，连我自己都不知道答案，我怎么回答你呢？至于我本人，除了我确实是在埋头苦干以外，我没有什么优点，我不希望别人学习我。特别是某家香港报纸说我的本事就是拍桌子、捶板凳、瞪眼睛，那就更不要学习我。但是这家报纸说得不对，桌子是拍过，眼睛也瞪过，不瞪眼睛不就是植物人了吗？板凳绝对没有捶过，那捶起来是很疼的。至于说我这样做是为了吓唬老百姓，我想没有一个人相信这种说法。我从来不吓唬老百姓，只吓唬那些贪官污吏。

香港亚洲电视记者： 刚才你提到香港比起内地的其他城市有一定的优势，但是我们也看到一个事实，就是现在内地很多大城市发展得很快，也追赶得很快，尤其是它们在国家整个经济的战略发展中找到了自己的定位。但是，香港在这方面还不是太明确自己应该扮演一个怎样的角色。请教一下总理，能不能具体跟我们讲一下，你觉得香港在未来可以扮演一个什么样的角色？因为我们都很担心，像过去20多年引入外资的角色可能要失去了。

朱镕基： 香港曾经扮演着亚洲金融中心的角色，同时，也是一个文明的国际城市。我想，这种优势香港并没有丧失。特别是在上世纪七八十年代的时候，香港对于中国的改革开放所作出的贡献是第一位的。今后随着世界经济的发展，我想香港的地位应该作一些调整。所有香港的精英都在为这个问题进行探讨。我们也愿意和香港特区政府，和香港人民一起来探讨这个问题。我始终坚信，香港的优势还没有完全发挥，它将来的地位是不可限量的。我刚才已经说过，没有任何一个内地的城市可以在近期代替香港。我们都应该有信心，我们的目标一定能够达到。

二、接受外国记者采访

接受德国《商报》记者柴德立兹采访*

（1993 年 5 月 6 日）

柴德立兹：我并不期望中国领导人像美国总统里根那样脱去衬衣，在荧屏上展示自己的健康状况。但是，有传闻称李鹏总理因心脏病突发住院，因此我想在提问之前，请你谈谈对李鹏先生健康状况的看法。

朱镕基：谢谢你的关心。我可以告诉你，李鹏总理正在康复。事实上，我几乎与他同时得了感冒。因此我也不想显示自己身体很好，我也感冒了。可能是因为最近北京天气变化太大，忽冷忽热的。如果医生建议我休息，我也很乐意，但是我还得坐在这里接受这次采访。今天上午，我已经说了近两个半小时的话，现在嗓子还很难受。

柴德立兹：副总理先生，有人说中国经济过热，担心发生极度通货膨胀，还担心 1988 年的混乱重演。在上海，我得知大众（中国）公司继去年提薪 20% 之后，今年又不得不提薪 25%。你是如何看待这一现象的？

* 1993 年 5 月 6 日下午，朱镕基副总理在中南海紫光阁就中国经济问题，接受德国《商报》驻北京记者彼得·柴德立兹采访。

朱镕基：去年，中国国民经济进入快速增长期，我们的国内生产总值以超过12%的速度增长。相比前几年较低的增速，这一速度确实比较快。我认为，今年我们还会保持较快的增速，但不会超过12%。这一时期世界经济衰退，一些国家经济不景气，而中国经济增长如此之快，很自然地会引起国外人士的关注。有人说中国创造了一个奇迹，有很大的潜力进一步发展；但也有人认为中国的发展速度太快了，经济发展过热。

柴德立兹：*那么你的看法呢？*

朱镕基：现在存在各种各样的预测，我每天都能听到很多。我认为，中国的经济发展速度会逐渐放慢一点。去年经济快速增长有赖于前10年的成功积累，也是前几年经济治理整顿的必然结果。通过治理整顿，我们得以厚积薄发。

确实，相比只有1%、2%或最多3%的西方经济增速，中国两位数的经济增长速度，让很多人感到吃惊。但这对中国人来说，一点儿都不稀奇。如果你回顾我们过去十几年改革开放的历程，就可以发现，那时候我们的经济年均增速就在7%到9%之间，也相当快了。当然，去年12%的增速是比平均值略高一些。但是，我刚才也讲了，我们并不希望一直保持1992年那样快的增速。8%到9%，最多不超过10%的速度对于我们来说比较合适，也不算太快。我想要提的另一个事实是，我们国民经济的基础相对薄弱。也就是说，尽管我们综合国力较强，但我们人均国内生产总值很少。

我们完全有可能以比较快的速度发展经济。我们现在有很好的国际环境。外国投资者对中国的投资环境越来越有信心，更愿意来我国投资。经过10多年的改革开放，我们的技术水平不断提升，生产成本仍然较低，这就使中国产品能够在国际上获得更大的市场份额。

柴德立兹：你担心通货膨胀吗？

朱镕基：我们非常重视国外著名的经济学家和国际金融组织的专家提出的建议与警告。我们正努力预防再度出现经济过热。我可以向你保证，在这一点上，中国的党和政府领导人有着清醒的头脑，并对这一趋势保持警惕。

尽管通货膨胀率高于往年，但总体上中国经济并未过热。中国的老百姓对此还是可以承受的。今年第一季度的社会商品零售物价指数上涨了 8.6 个百分点，其中 3 月份涨幅更大，上涨了 10 个百分点。这和香港的情况差不多。其原因在于我们对物价体制进行了大胆、重大的改革。目前，我们已经放开了大部分消费品的价格，其中甚至包括中国老百姓必需的农产品。过去完全由政府定价的资本货物现在已由市场来定价。这些大胆举措实属前所未有。我们现行的定价方法和你们的市场经济采用的方法几乎是一样的。这些大胆的物价改革举措，必然会引起物价指数大幅度上涨。

没有迹象表明 1988 年 8 月的混乱局面会再度上演，因为国民经济的基础，也就是农业生产比较稳固，消费品供应也很充足，甚至供大于求。中国政府已经采取了一系列措施来提高人民的收入水平，使他们能够维持相对稳定的生活。所以，我们有能力来承受和应对当前通货膨胀的影响。

柴德立兹：那就是说，没有“刹车”的必要？

朱镕基：我并不是指整个中国一点儿都不存在经济过热的迹象。事实上，某些地区和某些行业还是出现了过热的迹象。在沿海地区，在开发区建设、房地产业以及证券发行方面都出现了一定程度的过热。在部分地区，当地政府甚至在尚未确定能否吸引到足够的国外投资的情况下，就把大片土地划为新的开发区。有些地方还建造了许多豪华别墅和旅游景观。这种大规模扩建显然超出了实际需要。

此外，几乎每个省份都想通过发行有价证券来为自身的发展筹集资金，但是，我们还不具备相应的经验和必要的法律措施来保护公众利益。

为解决所有这些问题，我们将采取一些宏观调控措施，确保国民经济以较快的速度增长，同时保持经济可持续地稳定发展。我们即将采取的第一个步骤其实是许多国家所广泛采用的，就是通过提高存款和贷款利率来鼓励储蓄，抑制投资增长。我们很快就会采取这项措施。至于证券市场的发展，我们将尝试更多措施，尽管这些措施都比较温和，我们不希望进行得太快。我们将主要依靠吸收存款来为国家发展筹措资金。当然，我们也会采用直接筹款或融资，但这不会是首要方式。进行金融改革、建立和发展证券市场的目标将保持不变，但我们不想进行得过快。我们让一些大中型国有企业在香港上市的计划保持不变。

柴德立兹：在德国东部地区，我们看到大型国有工厂的改革推不动。这些工厂消耗大量的政府补贴，运营模式不经济，运营成本过高，冗员问题严重。你能做到在中国关闭这些国有企业吗？这会让工人失业，并可能引发社会动乱。

朱镕基：1990 年，当我还是上海市长的时候，一名德国的企业家到上海来拜访我，他也是个政治家，他当时很兴奋地告诉我说德国已经实现了统一，并且很快就将成为世界上最强大的经济体。他说，德国东部会迅速发展并赶上西部。我回答说："别高兴得太早了，我想我比你更了解德国东部的情况。中国和民主德国都曾实行过社会主义计划经济，两国都发展相同类型的国有企业。"

德国采取的这种迅速私有化的做法，直至今日也算不上很成功。虽然德国东、西部同属一个民族，但这两个地区在价值观、意识形态，特别是生活水平等方面存在差距。因此，德国东部非但没能增强西部的实力，反而成为西部的负担。我们不会走这条路，也不会采取私有化的办法。

我们可以允许国有企业向个人出售股份，但大部分股份还是要由国家来掌控。我们完全相信，国有企业也能做到像私营企业那样有效益。我们的做法是在国有企业中实现所有权和经营权分开。换句话说，这些企业的所有权归国家，但它们将按照资本主义国家私营企业的模式运营。我们现在还说不上完全成功，但我们正朝着这个方向前进。我不相信我们的国有企业效益做不到像那些外资企业和私营企业一样好。现在看起来虽然国有企业正面临着一些亏损，而外资企业和私营企业正在赢利，但事实上它们之间的竞争是不公平的。举个例子，为了吸引更多外资到中国来，我们为国外的企业提供了非常优惠的条件，免除了它们几乎所有的税收。对于私营企业，我们也采取了优惠的政策。然而，国有企业则肩负着支持国家财政收入的沉重负担。国有企业和外资企业纳税的税率比是 5:1。这就是说，如果外资企业承担的税率是 1 的话，那么国有企业则要承担 5 的税率。

柴德立兹：但有很多中国的国有公司在香港注册后，以香港外资公司的身份重新回到内地进行投资。你认同这些国有企业所采取的这种避税做法吗?

朱镕基：这就表明竞争有多么的不公平。我们把这种公司叫做“冒牌外商”，名义上是外资公司，实质上却是中资公司。这些公司先到境外去，然后又回来。我当然不认可这种有失公平的做法，但我也的确没有办法阻止它们这样做，因为我们的法律允许并提供这样的有利条件。我们现在发展的是社会主义市场经济，所以我们无法把它们拒之门外，或者是不让它们回来。

柴德立兹：随着中国改革的快速推进，你认为中国的社会主义市场经济与欧洲的社会市场经济有何差别？共产党人和社会民主党人之间的差别是否正在消失？

朱镕基：最大的差别在于，我们仍坚持公有制在国民经济中占据主体地位。我们与那些社会民主党人的观点不同。中国仍处在前所未有的探索过程之中，目的是要发展高效的社会主义市场经济。自1949年取得革命胜利以来，中国为探索发展国民经济的途径进行了各种尝试。开始是依照苏联模式，试图建立社会主义计划经济体制。当然，我们不是机械地照搬苏联模式，而是发展中国特色的计划经济。经过多年尝试，我们发现这种模式带来了很多问题，甚至滋长了平均主义，也就是我们所说的吃“大锅饭”。这显然不能保持经济高速、持续的增长。直到1978年邓小平同志提出改革开放政策和建设有中国特色社会主义理论，我们才开始寻找自己的发展模式。我们既要继续保持公有制在国民经济中的主体地位，也要实现经济高效发展；与此同时，还要保证社会公正。我们相信这种模式是可行的，尽管此前没有人这么尝试过。我们不会照搬其他党派或国家的做法，我们目前努力建立的这种模式有着鲜明的中国特色。

柴德立兹：中国能从新加坡、日本这些成功的亚洲国家身上学到什么？

朱镕基：我们充分参考了新加坡和日本的发展经验；事实上，也借鉴了它们的经验。但是，中国与它们有很大的差别。中国是一个大国，而新加坡很小；中国有着庞大的农村人口，而新加坡没有。两者没有可比性。另外，新加坡的经济发展完全依靠外部资源，而中国不得不主要依靠自给自足。但新加坡的经验在很多方面都颇有参考价值，如城市发展、开发区建设、金融和旅游业发展等。

柴德立兹：很多人担心一个经济强大的中国，会成为民族主义情绪强烈的国家和国际社会上不易相处的伙伴。你对此有何回应？

朱镕基：产生这种担心的原因有两点。首先，可能很多人并不真正了解中国，对中国的情况知道得不多。他们只是凭历史教训得出这一结论：有的国家经济发展了就会走向扩张。有太多这样的例子，因此他们会有这种担心。但是，好好看一下中国的情况你就会发现，中国的经济还不发达，我们仍是一个发展中国家。尽管我们的经济增长速度较快，但经济总量还相对较少；尽管中国正在发展，可我们还有很长的路要走。看一看历史就知道，中国过去饱受列强欺凌，而从来没有欺凌过任何国家。即便中国在很久以后经济发展了、强大了，我们也将继续致力于维护世界的和平，永远不会对他人构成威胁。其次，这种担心是那些别有用心、对中国不友好的人散布的。总之，中国不是也绝不会成为这样的威胁。

柴德立兹：国有企业还存在其他问题吗？

朱镕基：人浮于事是国有企业面临的一个重大问题。大体上讲，要保证国有企业正常运转，只留现有人数的三分之一就够了，剩下那三分之二是富余的。然而，我们不能简单地把他们赶到大街上去，形成一支失业大军。那样会影响社会稳定。如果让他们靠社会保障生活，会使国家背上沉重的包袱。即便是在西方发达国家，社会保障也已成为政府的沉重负担。去年，我访问了北欧，几乎每个跟我谈话的人都抱怨他们再也承担不起这样一笔巨大的开支。所以，这样做也会给中国带来问题。因此，我们正在尝试用其他办法解决这个问题。即便一个岗位不需要某个职工了，他也不会被企业赶走，他可以转到其他岗位上继续工作。企业有责任对他的工作作出一个合理的安排。此外，中国的第三产业还很不发达，因而企业还可以在商业和服务业领域开展经营活动，安排一些职工就业。这就是我们所说的“离岗不离职”。

现在，国有企业负担沉重，它们是在帮助国家和社会养着许多人。如果我们把这一点考虑在内，国有工厂的效益就并不像所说的那样低。

柴德立兹：世界上有些人不愿意看到中国的出口继续扩大。他们会说，中国追求一切好处，却跟日本一样，别人进不了它的市场。

朱镕基：在世界贸易中，我们只占很小的比例，大约是 2% 或 3%。虽然我们的贸易总额有 1000 亿美元，但其中相当一部分是由海外投资者通过香港创造的。正如你所指出的那样，中国国有企业的产品质量和竞争力都比不上外资企业。因此，中国出口的相当一部分产品是由外资企业生产的。现在，美国人和欧洲人都在抱怨对华贸易存在逆差的问题。实际上，他们不应该责怪中国，而是要怪他们自己的企业，是这些企业导致了如此之大的逆差。因为我们有越来越多的产品通过香港进行转口贸易，所以美国人和欧洲人将这部分出口都算做是中国的出口，事实是大部分收益并没有装进中国的口袋里。每 100 美元利润中，我们只能拿到 2 美元，剩下的 98 美元都被美国、日本和英国在香港的公司赚走了。

现在，香港人比我们还要关心中国的最惠国待遇问题。彭定康[1]先生正在美国呼吁无条件延长中国最惠国待遇。他非常清楚，如果取消最惠国待遇，不是中国内地，而是香港将首当其冲遭受打击。这也意味着在港的美国和英国企业要遭殃了。

柴德立兹：从你的话中我们是否可以得出这样的结论，彭定康也不全然是那么糟？

朱镕基：他做的一切都是出于自己的利益。

[1] 彭定康，1992 至 1997 年曾任香港总督。

柴德立兹：你计划实现人民币的完全可兑换吗？你将阻止人民币正在贬值的趋势吗？

朱镕基：人民币终将成为一种完全可兑换的货币，但这恐怕还需要时间，因为条件还不成熟。我认为目前的人民币官方汇率是实事求是的，也与外汇收入和出口额的比例相符。关于外汇调剂中心的高汇率，我认为那种汇率水平是不正常的，也是不能长期维持的。现在外汇调剂中心的汇率这么高，这是由于很多暂时性的因素造成的。第一，当所有人都想快速发展经济时，对外汇的需求量就增大了。第二，大量的外资企业本应出口它们的产品，却在中国进行销售。为了保持外汇平衡，它们去外汇调剂中心获取外汇，这也抬高了对外汇的需求。第三，那些认为人民币不久将进一步贬值的人正在进行投机买卖，造成外汇调剂中心的高汇率。然而在我看来，人民币官方汇率将保持相对稳定，供求将在一段时间后达到平衡。

柴德立兹：除了经济问题之外，社会快速转型还会带来社会问题。你将如何在这方面给予支持？当今中国，每个人都想发财，除了家庭观念以外的其他价值观难道没有被完全忽视吗？

朱镕基：的确，在中国为建立市场经济体制而不断扩大对外开放的同时，外界对它的影响也在增加。在这方面，东西方文化从某种意义上来说有着冲突，东西方的道德观念也有不同。因此，在一些人，特别是年轻人中间出现了一些问题。此外，我们还有腐败的问题。但党和政府十分重视对人民的政治教育，即爱国主义教育、中华民族传统美德教育、中国优秀文化教育，当然，还有社会主义理念的教育等。这才是中国社会的主流。

在我们党和政府里的确存在着一些腐败的人和腐败的现象，然而一旦被发现，他们将会被依法严处。江泽民总书记就在昨天还号召人民与拜金主义作斗争。腐败现象在资本主义国家也有，中国在发展市场经济的过程中也出现了这个问题。但我相信，如果我们加大努力，加强教育，进一步发展经济，这些问题就可以逐步得到解决，不会成为社会主流。

柴德立兹：谢谢你，副总理先生。

朱镕基：我建议德国企业界对中国经济的发展保持信心。我必须再次强调，中国的经济并不像有些人所说的那样出现过热，对这种可能性我们保持着清醒的头脑。我们不想发展得太快，谁也不必对中国发展放缓感到惊讶。我相信我们能保持 8% 到 9% 的增长率，那就很了不起了。

不久前我见了亨利·基辛格[1]博士，他就坐在你现在坐的这个位置上。我告诉他，我对中国增长速度过快表示担忧。他说，他见过很多国家的部长和总理，我是唯一一个担心增长过快的人，所有其他人都对增长缓慢忧心忡忡。

请转达我对德国人民和德国朋友们的问候。

[1] 亨利·基辛格，曾任美国国务卿。1992 年 12 月 11 日，朱镕基在中南海紫光阁会见了基辛格。

接受美国《商业周刊》记者采访*

（1994 年 1 月 15 日）

记者：非常感谢你今天能给我这个机会与你见面，我们的《商业周刊》杂志致力于报道贵国经济发展的重要事件。

最近，你透露了经济体制改革计划，引起了很大反响。今天，我们主要想请你谈一谈今后几年的具体计划。另外，你是否可以详细地谈一谈，你认为中国在 1994 年以及明后年能取得多少成绩？

朱镕基：中国的改革开放进程始于 1978 年，当时邓小平先生首次提出要改革开放。应该说，从那时候起，中国就开始从计划经济向市场经济过渡。当然，那时候邓小平先生没有明确提出我们要建立市场经济体制，那是由于在当时的历史条件下，不可能这么说。因为当时市场经济与资本主义联系在一起，而计划经济则与社会主义联系在一起。但是，从邓小平先生过去十几年的讲话中可以看出，我们一直都在向建立市场经济体制转变。

1992 年 10 月中国共产党召开十四大时，正式提出建立和完善社会主义市场经济体制这一目标的时机成熟了。江泽民主席定下了这一

* 1994 年 1 月 15 日上午，朱镕基副总理在中南海紫光阁就中国宏观经济及中美经贸关系等问题，接受美国《商业周刊》总编辑马克·莫里森一行采访。

目标，这是与邓小平先生提出的建设有中国特色社会主义的理论一脉相承的。因此，中国的市场经济叫做“社会主义市场经济”。

从那时候起，我们就一直在制定建立社会主义市场经济体制的方案，同时也在制定实施这一方案的运行机制。在去年冬天举行的中共十四届三中全会上，我们提出了在中国建立社会主义市场经济体制的全面方案。

这将是一次史无前例的，全面、广泛、深刻的改革。这样一个改革必然会牵涉到社会各阶层的人民，也将涉及中国不同的地区，以及如何妥善处理中央政府与地方政府的利益关系问题。这样一来，很自然会有不同的观点。但是，因为中国共产党的政治威信以及中国政治和社会的稳定，我们成功地在很短时间内统一了全党的思想。正是这样，去年冬天，我们通过了为建设社会主义市场经济体制而实施改革的方案。

我相信，对于来自你们这样的国家的人来说，这种改革一点也不奇怪，因为我们想通过改革所建立的市场经济运行机制与你们的经济运行机制是一样的。唯一不同的是，你们的经济体制以私有制为基础；而在我们的市场经济体制中，我们将坚持以公有制为基础，而且公有制将处于主体地位。

改革方案是全方位的。我们主要在财政、银行业和企业这三个领域实行改革。

谈到财政改革，它主要是为了调整中央政府与地方政府的利益。在中国现行体制下，财政收入由中央政府和地方政府分享，与你们联邦政府与地方政府的关系类似。因此要推行财政改革，我们必须处理好中央政府与地方政府的利益关系。

银行业改革的目的在于建立一个独立的银行业系统。我们要努力确保中国人民币的币值稳定。实际上，这一领域的改革在一段时间以前就已经开始了，去年加快了速度。

现在说改革的第三个领域——企业改革，这一改革的目的是调节国家与企业间的关系。

值得一提的是，我们在去年以前，尤其是去年为改革所作出的努力，为今年实施的主要改革措施做了准备。这是一个长期的准备过程，在此期间，中央政府和地方政府达成一致，政府与企业也协调一致。因此，总体来说，在准备过程中就达成了一致。于是，今年 1 月 1 日，我们在全国范围内开始全面实施重大改革措施。

我们很高兴地看到，在启动了将涉及多个领域和行业的深度改革措施后，国内总体形势和各行业情况保持稳定，没有出现重大问题，这大大增强了我们的信心。

在开展旨在实施中央政府和地方政府分享财政收入的财政体制改革的过程中，各级地方政府都非常合作。我们还成功实行了人民币对美元的汇率并轨，没有出现大幅度的汇率波动。只有一个有趣的现象，那就是黑市的汇率比市场汇率要低。

这些改革举措十分重要，必须得到我国人民的理解、支持和认可。而要让我们的人民理解和接受这些改革举措绝非易事，尤其是在落实这些举措的过程中，出现了一些我们没有预见到的情况。因此，产生了一些小问题。

例如，1993 年 12 月 29 日，我们宣布将采用人民币单一汇率制。但是，在通告这一决定时，我们漏了一句话：汇率统一以后外汇兑换券的价值不变，即今年 1 月 1 日以后外汇兑换券和美元之间的汇率依然是 5.8:1。这一点我们此前已经指出过，但在发布通告时漏了，人们都误以为 1 月 1 日以后外汇兑换券和美元的汇率也会是 8.7:1，于是拥至商店购买黄金和珠宝，有些人还到银行把他们的外汇兑换券兑换成美元。这一现象在北京尤为普遍，因为人们以为外汇兑换券要贬值了。我们立即发现了这个问题，就在去年12月31日发表了另一份通告，告诉人们外汇兑换券不会贬值。于是不到一天，问题就解决了。但不管怎么说，这都是我们的疏忽所导致的。

另一个问题也是由于要实施重大改革措施所引起的。在落实税制改革过程中，我们将推行全世界普遍采用的增值税，但中国消费者对消费税这种概念不太习惯，也不太了解，以为推行税制改革，物价就要上涨。因为在中国，所有商品价格都含税，不像在贵国，物价是不含税的，因此，人们以为随着增值税和消费税的实施，物价会飞涨。于是，他们立即涌向商店抢购家电产品。我们花了很大力气做说服工作，国家税务总局局长还在电视上向人民群众做了解释，现在已经没有这种抢购现象了。

这些都是我们实施改革后在短期内遇到的问题。鉴于这一情况，我预料今后还会出现各式各样的问题，而且很可能会再次出现对某种商品的抢购现象。为了防止这种现象出现，我们正在组织专家编写关于我们已经出台或将要出台的改革措施的教材。这些教材的内容每天都将在电视台和电台播出，帮助人们更好地理解这些改革措施。

你刚才问我对改革的前途怎么看。我估计，如果今年不发生重大问题，我就要谢天谢地了。明年，我们将确保人民对改革措施更加熟悉。这样，中国将走上社会主义市场经济的轨道。到那时，中央财政的状况将大大改善，地方财政将有能力量入为出。此外，银行业也能够正常运转。国家的经济运行将有正确的调控机制来控制和调节，防止经济总体发展过热，物价也将保持稳定。我们对改革措施取得成功充满信心。事实上，我们也承受不起失败的后果。

当然，我们清醒地认识到，我们为恢复金融秩序、控制投资规模过大而采取的宏观调控措施只是暂时的，并不能从根本上帮助我们解决经济过热的问题。要从根本上解决这个问题，我们需要采取重大的改革措施，在中国建立起社会主义市场经济体制。这些旨在建立社会主义市场经济体制的重要改革措施，今年已经基本上开始启动了。

我知道有外国媒体称，我们从去年10月开始改变货币供给控制政策，放弃了宏观调控措施。甚至有报道称，我个人是迫于压力才这么做的，这其实是一种误解。真正了解中国实情的是我们中国人自己。更重要的是，我们通过过去十几年的改革开放，已经为中国向市场经济转轨积累了经验。我们深知，对中国人来说，我们需要一个“软着陆”，需要避免经济出现大的波动。我们需要的是经济增长率逐步减缓的“软着陆”，如果大幅度降低经济增长率，我们将以社会稳定为代价。一旦社会稳定遭到破坏，我们就无法启动改革措施。

去年8月到10月，我作为中国人民银行行长，主持召开了8次会议。这些会议集中讨论了宏观调控措施实施的程度及货币投放量控制的程度。我一直密切关注所有进展，比如我们发行了多少货币。通过这种办法和我们的努力，我们基本上成功实现了经济增长的缓慢减速，没有发生经济增长率的急剧下跌，也没有发生大规模的价格波动。

事实上，在我们实施这些措施的时候，除了一些房地产项目之外，国家建设项目并没有停止，也没有大量工人下岗。人民群众对这些措施还是相当满意的，而通过这些措施，我们也成功减少了货币投放量。较之以往，目前的货币投放量已大幅下降。我提供几个数据，便能说明问题：1991年，我们一共投放了590亿元人民币；而1992年的货币投放量为1200亿元，较上年翻了一番。这预示着潜在的危险，说明经济有可能过热。到 1993 年，前 6 个月的货币投放增长量甚至超过了 550 亿元，因此，危险已相当明显。如果上半年的这种趋势延续下去，1993 年全年的货币投放量将超过 2000 亿元，较 1992 年再翻一番。然而，截至 1993 年年底，通过采取宏观调控措施，我们的货币投放量仅为 1500 亿元，与上年相比，只增长了 25%。因此，我们成功避免了经济过热的危险。尽管去年 1500 亿元的货币投放量与前年 1200 亿元的投放量相比仅增长 25%，但 25% 也绝不是一个小数目。

我们不能不看到，在投放的货币中银行存款准备金大量增加的事实。去年，存款准备金率是 5%，而今年增加到 13%。今年上半年，我们打算收回央行对商业银行的部分再贷款，这将有助于我们紧缩银根，减轻通货膨胀的压力。

去年 11 月，一度出现了食品、粮食价格上涨，也带动了其他一些商品的价格上涨。造成这种现象的原因是：尽管市场上有充足的食品、粮食供应，我们也有充足的粮食储备，但农民以及食品、粮食购销部门从心理上指望粮食价格上涨。事实上，这种现象不该发生。去年 12 月，我在全国平抑粮油价格、稳定市场供应会议上的讲话一公布，食品、粮食价格就立即降下来了。

一位香港经济学家昨天说，朱镕基副总理一贯支持价格自由化，主张改革；这次却在食品、粮食价格问题上采取了退缩的措施，限制食品价格上涨。我的话如果不符合市场经济规律，食品、粮食价格怎么会立即下降呢？就食品、粮食价格而言，我们不应忽视这样一个事实，即食品、粮食供求没有失衡。真实的情况是粮食供大于求，不应该出现粮食价格上涨，粮食价格上涨其实是心理因素造成的。这也是为什么在我提出限制价格上涨之后，价格就立即降下来了。如果我的话不符合市场经济规律，就不可能那么有效，可见它是符合市场经济规律的。

今年我们的目标是全面落实改革措施，同时要确保人们对改革措施有正确的认识。我们要确保在落实改革措施的过程中不出现大的波动。通过努力，我们将防止经济再度过热，确保不会出现价格大幅度上涨，经济发展速度或者说增长率不会那么低。如果我们能够实现这些目标，对我们来说就是成功；就我个人而言，我对此充满信心。

记者：你能否具体介绍一下将怎样给经济降温？现在中国经济的年增长率是13%，而政府提出的目标是在7%到8%这个区间。你能否具体谈谈你将如何实现这个目标？

这个问题的第二部分是关于达成改革共识。之前你提到，当前开展的很多改革，正给中国的体制带来巨大的改变。很多报道都称，在推动税制改革的过程中，你和各省、自治区、直辖市发生了激烈的争论，你甚至不得不亲自到各地去说服他们。那么，你将采取哪些切实的措施来推行这些改革？你将采用什么办法敦促各省、自治区、直辖市落实这些改革措施？你是否打算在各地都分别建立起国家、地方税务局，然后雇用10万人从事这项工作？

朱镕基：今年政府对国内生产总值增长率提出的目标是9%到10%，去年是13%。如果我们在今年能实现这个目标，我会感到相当满意。想要把经济增长率控制在7%不太可能，因为这将给中国经济带来我之前指出的大幅度波动，并由此引发社会的不稳定。

遏制经济过快增长的主要方法是控制基本建设投资的过快增长。要控制投资扩张，我们需要应对两方面的问题：首先是在房地产行业，我们要特别控制高端房地产市场。去年，我们就对此问题采取了措施，所以今年我们已经看到了这部分市场的降温。另一个需要我们采取调控措施的地方，就是基础设施建设规模的扩大。全国各地都希望迅速加快本地区的经济发展，都希望建设新公路、新机场、深水码头等。实际上，他们在这些方面的建设超出了国家经济实力。要控制这种趋势，我们的办法是紧缩银根。我们要按照国家宏观调控政策，通过银行系统来有效地对此进行管理。

去年，我们就对恢复银行业秩序出台了一些措施。对银行业的改革我们还将深入下去，我相信中国的银行体系能够控制投资规模和投资过度扩张。我希望通过这种做法，我们能把物价的增长幅度稳定在10%。虽然最终的数字有可能略高于10%，但我相信这个数字是公众可以接受的。

关于财政和税制改革，去年我们的确对各省、自治区、直辖市政府做了大量的说服工作。现在这项工作已经完成，问题也得到了解决，他们都支持这项改革。我们现在正处于落实这些改革措施的阶段。迄今为止，我们还没有遇到什么大问题，我预计财政和税制改革措施会得到顺利落实。但说在这方面没有障碍和问题是不切合实际的，你从别人的口袋里掏钱，别人要抗拒，那是很自然的事情。当然，我们采取的改革措施不是那么激烈，实际上还是非常温和的。当前我们从地方政府口袋里拿钱很少，以后会慢慢增加。在这种情况下，他们会认为从自己口袋里拿走的钱只是一个小数目，但同时自己又为国家作出了贡献，他们会对此感到骄傲。

我还有另一个足以说服地方政府的理由。去年地方政府的财政收入增长超过35%，而中央政府的财政收入却下降了6.3%，中央财政赤字扩大。所以，我告诉地方政府，如果不设置国家、地方两个税务局，由这两个分开的税务局来分别征税，如果中央政府的收入得不到增加，那除了破产，中央政府就没别的路可走了。

我们设置两个税务机构征收税款的做法是向美国借鉴的。我敢肯定在落实这种做法的过程中会出现一些问题，但应该不是什么大问题。通过两个税务机构收税，能够提高和增强我们管理和征税的能力。

记者：在中国有巨额的外来投资，你对此也表示鼓励。对目前在中国的外资水平及其在中国社会中所起到的作用，你是否感到满意？外商投资是否同本地投资达到一个良好的平衡？

朱镕基：1992年，在中国的外商直接投资额空前激增，达到110亿美元。这个数字远远超过了我们实行改革开放10年以来的外商投资水平。1992年前的10年，中国累计吸引外资220亿美元，而仅1992年一年，中国吸引的外资额就占到了之前10年我们吸引外资总额的一半。去年，我国大约吸引外资170亿到200亿美元。这也是一次较大的增长，是一个好现象。

外资在促进中国繁荣上起到了重要作用，是有利于中国经济快速增长的重要因素。这向世界表明，中国的投资环境一直在改善。这也就解释了为什么在过去的几年中，越来越多的外国投资者会来到中国投资，特别是美国的投资者，他们在中国的投资非常活跃。

我个人对外国在华投资现状感到相当满意。我们鼓励并且欢迎外国投资，但是，不应将其他国家的贸易逆差归咎于中国，同时，中国也不应该因对外出口的扩大而受到责备。接受这次采访前，我会见了一个美国国会众议院代表团。格普哈特议员告诉我，他对美中之间的贸易逆差感到十分关切，称最惠国待遇只对中国有利。为此，请允许我借这个机会再次介绍有关情况。

去年中国的进出口总额为1957亿美元，其中出口900多亿美元，进口超过1000亿美元，进口比出口多120亿美元。去年中国的出口额是900多亿美元，其中450亿美元是中国的传统产品，比如原材料、农产品和初级产品的出口。另一半出口则归功于外资企业，因为许多外国企业已在中国建厂，其产品亦用于出口。美资企业在这方面占了很大比重。

这些外资企业使用进口材料和零配件，在中国完成出口商品的生产，所以还应从外资企业创造的那450亿美元出口额中，扣除进口材料和零配件成本约400亿美元。换句话说，外资企业在中国进行加工所创造的附加值只有50亿到60亿美元，其中大部分成为外国企业家和商人的利润所得，仅有10亿到20亿美元作为工资支付给中国工人和职员。实际上，在华外资企业创造的这450亿美元出口额中，中国的美元收入只占很小的份额。

当然，外国企业通过在华投资，为中国人提供了更多的就业机会。不过，外国企业此举并未在其国内或是在美国造成失业，因为这些在华外资企业的产品是销往世界各地的，包括美国市场。

由于中国的劳动力成本和生产成本都比较低，所以最终产品在市场上更具竞争力，外国投资者因而能获得更高的利润率。这些具有较强竞争力的产品进入美国市场，也符合美国人的利益。同时，这也有利于增加美国的就业机会，而不是减少美国的工作岗位。如果没有外国资本在华投资生产的这些更具竞争力的产品，美国会有更多公司和工厂要关门。认为取消最惠国待遇只会对中国造成极坏影响的看法是不正确的。我想，如果取消中国的最惠国待遇，受害最大的将是美国民众、美国消费者。因此，我真心希望中美贸易关系继续发展，不要大起大落。

记者：江主席和克林顿总统曾在西雅图亲切会晤，对保持美中良好关系充满诸多期待。但从那时起，美国政府对是否继续给予中国最惠国待遇及所谓的“人权”问题是否取得进展一直喋喋不休，就是在最近，又将焦点转移至纺织业。你是否认为美中关系前景堪忧，还是你觉得很容易驾驭上述问题？

朱镕基：江泽民主席和克林顿总统的西雅图会晤，迎来了两国友好关系发展的一个新阶段。西雅图会晤以来，双边高层互访不断增多，将来，两国关系会向更好的方向发展，对此我持乐观态度。

当然，我们不希望看到将最惠国待遇与人权问题挂钩，我们确信中国的人权状况会继续得到改善。在这方面，我们肯定会取得更多进步。但是，人权问题不应同最惠国待遇问题联系起来，因为它们是性质不同的两个问题。

最近，美方决定将进口中国纺织品配额削减 25 到 30 个百分点。对中国这样一个纺织品出口大国而言，这将是一个沉重打击。今天，中美双方将继续就此问题进行谈判。我希望谈判能取得好结果。我想，我们最终是能够找到一个符合双方利益的解决办法的。

我们也承认确实存在一些非法的转口贸易活动，但有些活动不是中国能够控制的。所以，我们希望中美双方能相互理解对方的处境和情况，以达成共识。

记者：你认为最惠国待遇问题也能解决吗？

朱镕基：我一直很乐观。我确信双方都能够认识到这一点，进而达成协议，否则对中美任何一方都不利。

今天，我会见了很多美国国会议员，他们的观点和我的完全不同，尽管如此，我们还是进行了非常好的会谈，增进了相互了解。他们很坦诚地向我谈他们的观点，我也很坦诚地向他们谈了我的观点。我希望你的报道同样也能增进美国国会对中国的了解。

在实施分税制时，我们借鉴了美国的经验。在银行业改革方面，我们邀请了包括国际货币基金组织官员在内的很多外国专家帮助我们起草《中国人民银行法》。我们主要吸收了三方面的经验：第一是美国的经验，第二是日本的经验，第三是欧洲的经验。我们主要借鉴的是美国和日本的经验。我们认为美国经验在很大程度上适用于中国，不过我们也考虑了日本的经验。日本也是一个东方国家，特别是在财政投资和融资方面的经验对我们是有意义的。然而，我们并没有简单地照搬美国和日本的经验。试拿日本举例，日本的财政部负责财政和银行业，而我们有一个财政部和一个独立的中央银行，这与美国的做法类似。

记者：如果中国想有一个独立的央行，那么能有一位副总理主管吗？

朱镕基：不管我是不是央行的行长，财政和银行业的责任交给了我。在实施银行业改革时，我邀请了外国的银行家和专家来讨论。讨论过程中，各国的银行家都试图说服我相信他们自己国家的央行是最独立的。因此对我来说，很难判断哪一个国家的央行最具独立性。中国的情况是，无论央行再怎么独立，它都不能独立于国务院之外。中国央行的独立性是指它独立于地方政府和国务院的其他部门，从这个意义上来说，不管我是不是行长，中国央行的独立性都会得到保证。

关于外国银行是否应该被允许在中国从事人民币业务的问题，我们已有过多次考虑和研究，我也邀请了外国的银行家向我提建议。最后得出了一个结论，那就是在当前的节骨眼儿上，我们需要慎重对待此事。这主要是因为目前中国的各家银行还远不是商业银行，实际上在中国还没有名副其实的商业银行。所以，在这个时候让外国银行进入中国开展人民币业务，将导致不公平竞争。然而，最终我们会考虑允许外国银行在中国开展人民币业务，但眼下我们能做的只是允许试验。换句话说，当前我们所做的只是挑选一两家外国银行或少量外国银行在这方面进行试验，然后逐渐地展开，当中国的银行真正成为商业银行时，我们再让外国银行进入中国。

记者：你认为中国什么时候可以有一个真正现代的金融体制？

朱镕基：这是一道测验题。可能3、4、5年吧。

记者：你已经在时间上对我很慷慨了，那么让我问你最后一个问题。你的职位赋予你协助引导改革的使命，这对你个人意味着什么？你对你的职位所带来的机遇有何感受？这是打造中国的未来，也是更大意义上的推动世界经济在今后多年快速发展的机遇。

朱镕基：在国务院里，我是李鹏总理的第一副手；在中国共产党内，我是负责经济工作的中央政治局常委之一。但对于制定决策、设计改革方案以及落实改革措施，这一切都要由党中央领导集体和国务院来决定。当然，由于我一直以来把几乎全部的精力投入到国家的经济工作中，我的观点大概能对江泽民主席和李鹏总理以及国务院有影响，但没有一项决定是由我个人作出的。

上一次，《华尔街日报》的记者采访了我，她在文章中把我描绘成一位“经济沙皇”。实际上，我不喜欢“沙皇”这个词。

记者：那你如何描述你自己呢？

朱镕基：我会说，我只是相对而言比较熟悉中国的经济工作。我参与党中央和国务院在经济领域制定决策，到目前为止还没有任何重大失误。此外，我对我们改革的前景十分乐观。我的职务叫“副总理”。

接受保加利亚《言论报》记者采访*

（1995年11月9日）

记者：近年来，中国经济保持了非常高的增长速度。你认为中国的经济体制改革进展如何？

朱镕基：近几年，中国经济进入了高增长时期。1992到1993年，国内生产总值连续两年增长13%，1994年增长11.8%，1995年上半年比去年同期增长10.5%。为了保持良好的经济发展势头，中国政府一方面推进和深化改革，发展社会主义市场经济；另一方面，健全宏观调控体系，加强宏观调控力度。通过调控经济总量，实行适度从紧的财政政策和货币政策，控制固定资产投资规模，使经济达到适度、稳定增长，以利于解决通货膨胀等经济生活中的问题，并把改革推向前进。我们的目标是保持改革、发展和稳定的统一，实现国民经济持续、快速、健康发展。

去年以来，我们成功地进行了财税、金融、外汇、外贸、投资、价格和粮食流通体制等方面的重大改革，为建立社会主义市场经济体制迈出了决定性的一步。1995年，以深化国有企业改革为重点的各

* 1995年11月9日，朱镕基副总理在中南海紫光阁就中国经济形势及中国与东欧经贸关系等问题，接受保加利亚《言论报》记者采访。

项经济体制改革继续取得进展，建立现代企业制度试点工作全面展开。国家准备分期分批地选择500家到1000家大型企业，进行综合改革和改造，使之成为能够适应国内外市场环境的大公司、大集团。此外，股份制试点工作继续开展；社会保障体系和住房制度的改革有新的进展；宏观管理体制改革进一步深化和完善；流通体制改革逐步深化，市场体系建设稳步发展。这一切说明，我们的各项经济改革都在顺利进行。

记者：中国是否抑制了通货膨胀？在这方面，目前还将采取什么新的措施？

朱镕基：中国政府在避免经济增长出现较大波动的前提下，坚持适度从紧的财政和货币政策，严格控制固定资产投资规模和消费基金过快增长，加强农业基础地位，增加农产品有效供给，建立粮食和副食品风险基金，稳定粮食和副食品价格，并采取了严格控制各级政府出台调价项目等措施。经过两年多的努力，取得了明显成效。从去年11月起，物价涨幅逐月回落，到今年8月回落到12.3%，比去年12月回落了9.4个百分点。

今后，中国政府将在保持经济持续、稳定发展的基础上，继续采取有效措施，治理通货膨胀。一是保持宏观经济总量的基本平衡，继续坚持适度从紧的财政、货币政策，严格控制基本建设规模和消费基金的过快增长；二是增加对农业的投入，稳定农业生产资料价格，力争农业有较好的收成；三是近期内不再推出新的价格改革措施；四是加大对流通秩序整顿的力度，防止和反对投机与暴利行为；五是加快法制建设，规范市场行为，稳定市场价格，安定人民生活。

记者：国有企业发生了哪些变化？建立资本主义型的现代企业是否真像有些报道说的那样取得了进展？

朱镕基：改革开放17年来，中国多种经济成分迅速发展，但国有企业特别是国有大中型企业在国民经济中仍占主导地位，掌握着国家经济命脉，是国家财政收入的主要来源。国有企业通过十几年的改革，从总体上说，增强了活力，相当一批企业实现了机制转换，成为自主经营、自负盈亏、自我发展、自我约束的法人实体和市场竞争主体。目前，已经出现了一批有活力、有实力，在国内外市场上颇有声誉的国有大中型企业。

我们提出要建立现代企业制度，对企业的基本要求是产权清晰、权责明确、政企分开、管理科学，而不是“建立资本主义型的现代企业”。适应社会化大生产的企业组织形式，资本主义可以利用，社会主义也可以利用。正如市场经济，并不是资本主义所独有的。以公有制为主体的现代企业制度，是我国社会主义市场经济体制的基础，是发展社会化大生产和市场经济的必然要求，是国有企业改革的方向。国有企业改革的战略目标是：到本世纪末，使大多数国有骨干企业初步建立起现代企业制度，在社会主义市场经济中进一步发挥主导作用。

记者：国有企业改革对劳动者的社会地位有何影响？

朱镕基：中国所要建立的现代企业制度是以公有制为主体的企业制度，职工是国家和企业的主人，他们在企业中具有十分重要的地位和作用。我们在深化改革中要调动全体职工的劳动积极性，维护职工利益；通过职工代表大会，通过职工代表依法进入董事会、监事会和组织工会等形式实行民主管理，保障职工的权益。

记者：你已不再担任中国中央银行行长，该银行及整个银行系统将发生什么剧烈的变化？

朱镕基：我从 1993 年 7 月开始兼任中国人民银行行长，到今年 6 月底卸任，为期两年。

两年来，中国人民银行坚决贯彻执行国务院关于加强和改善宏观调控的一系列措施，严格控制货币总量，大力调整贷款结构，切实加强金融监管，迅速扭转了金融秩序混乱的状况。当前，金融形势平稳，并正在向宏观调控体制改革的预定目标发展，从而有力地支持了国民经济的持续、快速、健康发展。更重要的是，我们确立了金融体制改革的目标，金融改革正在稳步推进，外汇管理体制改革取得了显著成绩，国家外汇储备有了大量增加。中国改革开放的政策不会变，金融改革开放的方针政策也不会变。因此，不管我是否担任中央银行行长，我们的银行乃至整个银行系统的方针政策都不会发生很大的变化。

今年，我们出台了几部金融方面的法律，这为我国的中央银行依法制定和执行货币政策，实现维护人民币币值稳定，并以此促进经济增长的货币政策目标，为依法履行监管职能，维护金融业的稳健运行提供了法律保障。我对我国金融业的改革和发展充满信心。

记者：中国怎样培养推行新经济政策的新干部？他们在哪里培训，是在中国还是在外国？

朱镕基：中国培养适应社会主义市场经济体制需要的干部，主要依靠国内的力量和条件。当然，也利用国际资金、技术和智力，选派经济管理和企业管理人员出国接受培训并有计划地聘请国外专家来华讲学或短期工作，或同我国共同举办培训班。我们采用灵活多样的形式和方法培养经济管理干部，如利用高等院校、党校、干校、培训中心，进行普遍性培训。推进企业中青年干部岗位任职资格培训，在普遍提高企业人员素质的同时，集中优势力量，选择条件好的培训基地，重点培养一批熟悉社会主义市场经济、能驾驭大型企业参与国际竞争的厂长（经理）人才和各种专门人才，逐步形成一支具有较高素质、职业化的企业家队伍。

记者：国有部门的私有化在中国提上日程没有？

朱镕基：私有化不符合中国国情，中国的改革不走私有化道路。我们坚持以公有制为主体、多种经济成分共同发展的方针，在改革中不断发展壮大公有制经济。在积极促进公有制经济发展的同时，我们也鼓励私营、外资经济的发展，为各种所有制经济平等参与市场竞争创造条件。对国有经济，我们主要采取政企分开，即国有企业的所有权同经营权分开，以及授权经营等形式，强化国有经济管理的责任，提高国有经济的效率。国有经济将在同其他经济成分的平等竞争中不断发展。

记者：中国农村是否遇到了问题？人民的粮食问题是怎样解决的？

朱镕基：中国的改革是从农村开始的。十几年来，改革促进了农业和农村经济以及农村各项事业的发展。最近几年，农业生产稳步发展，农产品品种增加、质量改善，基本满足了人口增长和城乡居民生活改善的需要；乡镇企业继续保持了较快的增长速度；农民收入持续增长，生活条件日益改善；农村深化改革的各项措施正在稳步推进。但也不可否认，在经济高速发展中，农业和农村工作也出现了一些与当前形势不相适应的问题。如农业基础薄弱，造成工农业发展不协调，农产品供应趋紧；农村人口基数大，剩余劳动力多，安排就业难度大；农用生产资料供应不足等。针对存在的这些问题，中国政府已采取一系列措施。为依靠自己的力量解决中国12亿人口吃饭问题，我们制定了以下几项措施：

第一，挖掘耕地生产潜力，提高粮食单产，主要是农业综合开发。开垦宜农荒地，改造中低产田，在稳定粮食种植面积的基础上，提高单产。第二，依靠科学技术，提高粮食生产的数量和质量。第三，增加农业投入。为解决近几年来出现的粮食生产比较效益低的问题，从1994年开始，国家又安排专项贷款并由中央财政部分贴息，支持商品粮棉大县发展粮食等农副产品加工业，以加工、流通利润补偿生产环节的利益损失。第四，调整粮食政策，鼓励农民增产增收。适时提高粮食收购价格，调动农民的生产积极性；扩大农民在市场上的粮食交易量，增加农民从事粮食生产的收入。

记者：你是否认为外部势力，特别是世界上某些大国阻挠中华人民共和国向世界贸易组织靠拢和正式加入该组织？

朱镕基：中国为“复关”[1] 作出了长达9年的努力。在这期间，美国尽管也声称支持中国“复关”，但实际上利用其大国地位，一再阻挠谈判进程，对中国提出种种苛刻和不切实际的要价，甚至不承认中国是一个发展中国家，致使中国的“复关”问题至今不能解决。中国关于加入WTO谈判的立场是一贯的、明确的：第一，中国和WTO的关系是相互需要的关系；第二，中国加入WTO，不会接受损害国家根本利益的歧视性条件。如果中国不能加入WTO，中国仍将继续实行改革开放的基本国策，根据自身经济发展的需要，采取适当的贸易措施和产业政策。

记者：你如何评价中国与俄罗斯和美国的经贸合作？

朱镕基：中俄两国已互为重要的贸易伙伴。1993年，两国的贸易额达77亿美元，创历史最好水平。但1994年，中俄贸易出现了较大幅度的滑坡，贸易额比1993年下降了33.8%。造成这种下降的原因主要是，两国在市场经济条件下对本国经济、对外贸易进行了调整和整顿，双方市场发生了新的变化，而两国的企业、外贸组织未能及时适应这种变化。双方对此十分重视，都在为扭转这种下降局面寻找解决的途径并取得了积极成果。与去年同期相比，今年上半年双边贸易

[1] “复关”，即恢复中国在关税及贸易总协定中的缔约国地位。

额增长了3%到4%。今年6月，李鹏总理访俄，同俄方就加强双方有实力、信誉好的大公司和大企业之间的直接联系，尽快向现汇贸易过渡等问题达成了一致。我们认为，中俄经济互补性强，有着独特的地缘优势，两国经贸关系前景良好。

中美经贸关系是中美关系的重要组成部分，维护和发展长期稳定的经贸往来与合作，符合中美两国和两国人民的切身利益。1979年中美建交以来，特别是近年来，中美经贸关系发展迅速。1994年，双边贸易额达354亿美元；今年上半年，双边贸易额为183.5亿美元，比去年同期增长28.4%。按照目前的发展速度，今年的中美双边贸易额将超过400亿美元。经贸合作领域不断扩大，相互投资日益增多，美国在华投资企业已获得了良好的收益。目前，中国经济处于高速发展阶段，巨大的市场潜力正日益变为现实。应该说，中美两国经济各有优势，互补性很强，这为两国经贸合作提供了广阔的前景。当然，两国经贸关系在发展的同时，也出现了一些摩擦和问题。我们相信，只要双方本着实事求是、平等互利的原则，问题是可以通过磋商得到解决的。任何别的做法都是不可取的。

记者：在经贸方面，你对包括保加利亚在内的东欧国家提出哪些任务？

朱镕基：中国与包括保加利亚在内的东欧国家有着传统的经贸关系。由于我国与东欧各国的市场和产品具有较强的互补性，这种双边经贸关系在过去40多年里得到了很大的发展。

1990年以后，中国与包括保加利亚在内的东欧各国的贸易方式由原来的政府间协定贸易改为现汇贸易。双方目前正在经历着这种转变。相信双方经过努力，会较快地适应这种变化。

中保贸易在两国政府及有关外贸企业和组织的共同努力下，取得了一定进展。1993年，双边贸易额为1.73亿美元，创历史最好水平；

1994年为1.09亿美元。中保贸易还有很大潜力。

为发展我国与东欧地区的经贸关系，我认为应从以下几个方面加强努力：

第一，加强双方贸易主管部门间的直接联系，加强双方对发展双边经贸关系措施的协调。

第二，鼓励双方公司和企业建立直接联系，开展直接贸易，参加在对方国家举办的博览会、展览会、洽谈会等，增进相互了解，扩大贸易渠道，力争使双边贸易拥有较为稳定的大宗商品。

第三，开展多层次、多渠道的经贸合作，现汇、易货并举，开展灵活多样的经济技术合作，为双边经贸关系注入新的活力。

记者：中国在亚太地区想发挥什么作用？愿意同哪些国家首先发展经济合作？

朱镕基：中国奉行独立自主的和平外交政策，是维护亚太地区和平与稳定的重要力量，受到国际社会普遍重视。亚太特别是东亚地区，近年来保持着政治相对稳定、经济持续发展的良好势头。中国实行改革开放的政策，政局稳定，经济保持高速、健康的增长，对亚太地区的繁荣和稳定起到了积极的推动作用。一个稳定、发展和强盛的中国，不会对任何国家造成威胁，只会对亚太地区以及世界的和平与发展作出更大的贡献。

中国的对外经济合作政策是全方位的，中国愿意与包括亚太国家和欧洲国家在内的世界各国加强经贸合作关系。

接受乌拉圭《观察家报》记者沙东采访*

（1996年2月3日）

沙东：中国政府究竟以怎样的心态和视角看待1997年的香港回归和1999年的澳门回归？

朱镕基：我认为港澳按时回归祖国后，两地都将不会出现大的问题。

根据《中英联合声明》的精神，在香港回归祖国怀抱后，我们将坚定不移地贯彻“一国两制”原则，香港将实现“港人治港”、高度自治。1997年7月1日香港回归后，无论是经济、政治、社会制度还是港人的生活方式都不会改变。香港将成为中国的一个特别行政区，同时保持其单独关税区的地位不变。根据《香港特别行政区基本法》的规定，我们将努力维护香港作为国际金融、海运和贸易中心的地位。我们将保证香港的稳定和繁荣，也确信香港将在世界上继续发挥应有的作用。同时，香港将维持现有的法律和制度不变，其所有的

* 应乌拉圭东岸共和国政府邀请，1996年2月1日至5日，朱镕基副总理对乌拉圭进行正式访问。访问期间，朱镕基在下榻的维多利亚宾馆接受《观察家报》国际版主编沙东采访，就访问成果、中乌双边关系、中国改革开放成就以及我国对港澳台地区的方针政策等问题回答提问。

特点和优势也将得以保持。香港不仅不会出现波动，而且还将继续走自己的持续发展之路。

澳门的情况与香港一样，也将不会出现任何问题。

沙东：*台湾眼下正处在地区选举进程中。就在几周前，美国政府多次抛出“中国正向台施加强大压力”、“大陆准备对台动武”等言论。那么，什么才是中国政府目前的对台政策呢？中国政府又是如何看待美方的指责呢？*

朱镕基：在对台问题上，我们坚决反对李登辉的“台独论”和“一中一台”的错误政策。台湾自古以来就是中国领土不可分割的一部分，因此，无论通过何种方式，台湾终将回到祖国的怀抱。

当然，我们将尽全力促成与台湾的和平统一，但并不放弃使用武力的可能，因为总有外国势力从中作梗，挑唆台湾地区政府，试图将台湾从中国分离出去搞“台湾独立”。需要强调的是，除非形势所迫，我们将不谋求诉诸武力。而是否使用武力，也完全是中国的领土主权问题，别国无权干涉。

至于那些所谓“大陆可能对台动武”等传闻，只是个别国家释放的烟幕。但这些烟幕并非空穴来风，因为美国的第七舰队一直在台湾海峡附近巡弋。

我们赞赏并希望乌拉圭政府继续坚持一个中国的政策，不与台湾发展任何政治关系。台湾试图通过“金元外交”加入联合国，这是对联合国的一种侮辱。我们相信中国的统一大业必将实现。

沙东：*在你主导中国的经济政策时，中国的经济体制改革和贸易开放得到了很大发展。那么，你认为今日的中国在改革之路上究竟取得了哪些成绩，又面临着怎样的困难？*

朱镕基：1978年，我们在邓小平同志的指导下开始实行改革开放，大力建设有中国特色的社会主义。在十几年的改革开放过程中，我们取得了巨大的成就，年均国民经济增长速度达9.3%，尤其是近4年，中国经济增长速度介于10%至13%之间。这意味着现在的中国在中国共产党的领导下，中央政府已经实现了国民经济持续、快速、健康发展的目标，我们将会不断取得新的成就。

在这个过程中，我们曾经克服了不少诸如经济过热及商品零售价格过高等困难。这些问题在中国并不是非常严重，因为历史上国内物价上涨的最高纪录出现在1984至1985年和1993至1994年，均达到了20%多。在上述两段时期内，我们都曾成功地拉低了通货膨胀指数。特别需要强调的是，自1994年以来，我们开始对宏观经济结构进行全面调整，既有针对金融和财税的，也包括外贸政策，这些都保证了我们所取得的成绩。

金融系统的改革尤为成功，通过对货币制度的改革，中国的外汇储备大幅增加，去年全国外汇储备总额达到了750亿美元，1995年外贸总额突破了2800亿美元。3年来，外国在华直接投资额保持在每年300亿美元左右，外国在华投资已累计达1300亿美元。中国的财政收支状况得到了明显好转，预计在5到10年内，中国国民经济的年均增长速度将超过8%，通货膨胀指数将被控制在一位数以内，小于经济增长幅度。

沙东：你如何看待目前中乌两国间的双边关系？请从贸易方面，还有外交和政治领域谈一谈。

朱镕基：中乌两国自1988年正式建立外交关系以来，双边关系总体进展顺利，无论是在政治上，还是在经贸、文化和军事合作等领域，近年来都取得了不错的成绩。我们中国政府非常感谢乌拉圭政府一直坚持一个中国的原则，以及对我们的人权政策给予的宝贵支持。在国际多边领域，我们两国政府始终保持相互支持，我们此次来访也是为了进一步加深两国的友好合作关系。

沙东：在两国的经贸关系上，你有何评价？

朱镕基：两国建交8年来，双方经贸关系进展顺利。去年双边经贸总额达1.3亿美元，中国业已成为乌拉圭第三大贸易伙伴，也是乌拉圭第一大羊毛进口国。

两国经贸关系总体状况不错，未来我们将从乌拉圭购买更多的羊毛，因为这类贸易比较稳定。但是我们也认为，乌拉圭单纯向中国出口农牧产品并不能满足其自身需要，两国双边经贸关系也不可能只在单一产业的基础上取得实质性增长。为此我们通过此次访问，建议在乌拉圭设立合资企业，组装电子、机械和轻工产品，实现在乌拉圭制造并出口至其他国家的经营模式。这对乌拉圭有相当的好处，一方面可增加财税收入，另一方面也可部分解决失业问题。

总之，中乌两国双边关系非常好，相信将来肯定会更好。

沙东：如何尽快落实两国双边谈判的结果和你在此次访问中双方所达成的协议？

朱镕基：此次中国政府代表团访问乌拉圭取得了圆满成功。我们受到了乌拉圭政府和人民热情的接待，我们对此非常感谢，也很感动。

本周六，我们参观了一家毛条加工厂，也访问了一家庄园，这使我们更加深了对乌拉圭国情和民众的了解。

此外，我还想向乌拉圭政府和人民表达我们诚挚的谢意，特别是向胡里奥·玛丽亚·桑吉内蒂总统阁下。今天我可以向你确认，你们的外长将于年内访华，副总统也将于10月访华。我也利用此次访问机会转达了江泽民主席向桑吉内蒂总统的盛情邀请，希望他能于明年访华。我相信，他们将在中国受到同样热情而友好的接待。此次陪

1996年2月2日，朱镕基在蒙得维的亚总统府会见乌拉圭总统桑吉内蒂。
（新华社记者韩晓华摄）

同我出访的各位部长也将向乌拉圭政府的各位对口部长发出邀请，希望他们也能在年内实现访华，以进一步提升两国双边关系。

在此，我愿继续重申并强调，两国关系不仅是好，而且是非常之好。

接受美国《华尔街日报》发行人康比德夫妇采访*

（1999 年 4 月 2 日）

朱镕基：刚才，广播电台已经宣布，我将从 4 月 6 日开始访问美国。我一直想在访问美国以前能够通过媒体向美国人民致以问候；同时，希望创造一个良好的气氛，使我这次访问达到促进中美两国友好合作关系发展的目的。我之所以选择《华尔街日报》，不仅是因为你们是一家大报纸、大媒体，而且因为贺女士[1]在 1993 年采访过我，我们已经是朋友了。你们提出了一些问题，我的秘书班子起草了回答你们这些问题的答案，我看了一下，这都是“标准答案”，恐怕对你们没有多少新闻价值，所以我也不把这个答案交给你们了。我认为还是由你们直接向我提出问题，我即席回答，可能更能够符合你们的要求。在你们提出问题以前，我想先讲一下我最近一个时期关于访问美国的一些思考。我想，这对于你们也许还是有一点新闻价值的。

* 应美利坚合众国总统威廉·杰斐逊·克林顿邀请，朱镕基总理于1999年4月6日至14日对美国进行正式访问。访问前夕，朱镕基在中南海紫光阁接受美国道琼斯公司董事长兼《华尔街日报》发行人康比德夫妇采访，就中美关系、即将赴美进行的正式访问以及中国经济体制改革和经济形势等问题回答提问。

[1] 贺女士，指康比德的夫人贺开宇。

1999 年 3 月 31 日上午，朱镕基在北京人民大会堂会见由参议院外交委员会亚太小组委员会主席托马斯率领的美国国会议员代表团。

我在今年 3 月 15 日九届全国人大二次会议举行的记者招待会上已经讲过，预计我这次访问美国，将会遇到很多困难。我可能是一个不受欢迎的人，甚至有些人对我还怀有敌意，但是，我仍然愿意去访问。我想，我可以向美国人民解释一些问题，说明一些真相，来促进相互的了解。我当时是满怀信心的。然而，随后形势发展得很快，出现了许多没有预料到的事件，情况变得复杂起来。首先，发生了以美国为首的北约在科索沃采取军事行动的问题。对此，我们的江泽民主席已经多次发表了声明，明确地表明了我们的立场。但是我国人民情绪激昂，他们纷纷打电话或者写信给我，反对我访问美国。其次，美国决定在日内瓦人权会议上提出谴责中国的人权状况的提案，这件事情在中国也引起了极大的愤慨。再次，关于中国加入世贸组织的谈判，原来进行得比较顺利，可是最近一个阶段，我们估计是由于来自国会的压力，美国政府在这次谈判中的态度改变了。

实际上，美国政府方面自己心里应该明白，中国在加入 WTO 问题上已经作出了大的让步，这在 3 年或者 5 年以前，是他们难以想象的。这些让步如果使中美达成了这个协议，是有利于中美贸易合作关系发展的，是有利于缩小中美贸易逆差的，也是有利于美国的。目前，根据我与美国企业家的接触，我充分地了解，如果这个协议公布的话，一定会得到美国企业界的欢迎和支持。但是，就是由于来自一些国会议员的反对，到目前为止，我们的谈判对手没有在这方面表现出积极的态度。在前天上午，我会见了来自美国国会的两个代表团，

1999 年 3 月 31 日上午，朱镕基在北京人民大会堂会见由参议员罗斯（左二）率领的美国国会议员代表团。右二为罗斯的夫人，左一为齐怀远，右一为杨洁篪。

包括参议员和众议员，一共有 20 位。一个代表团是由罗斯先生率领的，另一个是由托马斯先生率领的。我跟他们进行了一个上午的谈话。我首先告诉他们，你们不要有一个错误的概念，以为中国非要加

入WTO不行。我们当然希望参加WTO，为此我们已经谈判了13年，但是，并不是离开了WTO中国就不能活下去了。那13年的历史证明，我们可以活下去，而且活得越来越好。其次，我告诉他们，我比你们更加专业，我更了解中美WTO谈判的全过程。对这13年过程的细节我都清楚，我比你们更知道中国做了多么大的让步。我认为这个协议公布以后，一定会得到你们的企业界的支持。但是，你们现在

1999年4月2日，朱镕基在中南海紫光阁接受美国道琼斯公司董事长兼《华尔街日报》发行人康比德夫妇采访。（新华社记者兰红光摄）

指责克林顿政府，指责巴尔舍夫斯基[1]，指责他们拿原则来做交易。我说这是不公平的，实际上，巴尔舍夫斯基在整个谈判当中表现得非

[1] 巴尔舍夫斯基，即查伦·巴尔舍夫斯基，当时任美国贸易代表。

常强硬。我奉送她一句话：得寸进尺。我说，我从来没遇到过这么强硬的谈判代表。我还说到这个协议公布的时候，恐怕美国人再不会指责美国政府拿原则做交易了，而我很担心中国人民会指责我拿原则做交易。

康比德：你讲话的语气使我们认为中美谈判好像已经达成了协议，是这样吗？

朱镕基：我认为我们距达成协议已经只有一点点距离了，但就是这一点点距离，由于美国方面的贸易代表受到各方面的压力，她不敢走过这一点点距离。

康比德：你刚才也说了，中国已经作出了最大的让步。是不是说，到此为止画一条线，中国不会再作出更多的让步了，是不是？

朱镕基：差不多。你们要问我为什么中国要作这么大的让步呢？我说你们不要搞错了，你们不要误会了。中国绝不是要乞求加入WTO，不参加WTO中国不是活得很好吗？我们之所以作出这么大的让步，就是为了顾全中美两国友好合作关系的大局，根据江泽民主席和克林顿总统所确定的目标，致力于建立一种建设性战略伙伴关系。我们希望这种好的势头能够发展下去，而不是像现在存在着倒退的危险。因此，我对这些议员先生们说，你们反对中美之间达成协议，这是不符合美国利益的。中国并不是非要达成这个协议不行，也并不是非要在我访问美国之前达成这个协议不行。我们主要是为了中美两国友好关系这个大原则。我们不达成协议，我们不加入WTO，仍然可以和世界各个国家发展双边的关系。刚才康比德先生也问我，是不是我们不能再做让步了？不是。确切地说，不是我们不能再做让步，而是现在美国方面要求我们再做的让步是没有道理的。比方说在开放电信产业方面，这在中国过去是根本不对外开放的，现在我们已经承诺，可以开放我们的电信产业。在最近的几年，可以允许外资参股合资的比例达到25%到30%，过了过渡期以后，允许外国投资的比例还可以放宽。但是我们有一个条件，就是中国必须控股，可美国方面一定要求它能够控股。那我就说，你们美国的很多产业也不允许我们控股，比方说你们的民航允许外国投资的比例只有25%。目前所有的国家和地区，包括韩国、中国台湾地区，都有对外国投资比例的限制，并不只是中国才有啊！其他在银行、保险领域，我们的开放度都超过了原来美国所要求的条件。在证券方面，我们吸取了东南亚国家金融危机的教训，在这个问题上是不能够过快地开放的。对中国的这个立场，美国也是很清楚的。我们仍然可以开放B股，但是A股我们是不能够开放的。如果美国一定要求开放A股，那中国是做不到的。并且我们看到，如果按照这个做法搞下去的话，我们将步东南亚国家金融危机的后尘。

康比德：你讲的这个开放A股和B股指的是什么意思？

朱镕基：这是一个专业问题，现在我没有时间来解释。总之，我觉得现在把一个经济问题——WTO谈判是一个经济问题，已经完全变成了一个政治问题，那这个问题就非常的复杂化了。前天，我会见美国的国会代表团。其中有一位议员很直截了当地跟我讲，WTO的谈判就应该和人权问题、核不扩散问题等等联系起来。我当时就表示了不同的意见。如果我们把任何中美之间的经济问题都跟人权、核不扩散问题联系起来，如果把任何经济问题都跟这些政治问题联系在一起的话，那中美两国就没办法发展友好合作关系了。农业方面的谈判，关于TCK小麦问题[1]、柑橘问题、肉类检疫问题，中国都做了充分的让步。美国方面认为，在这方面中美完全可以达成协议。那我就

[1] TCK小麦问题：TCK是Tilletia Controversa Kühn的缩写，指小麦矮腥黑穗病。

建议是不是可以把农业方面的协议公布于众，取得大家的拥护，这样我们就可以更好地来谈其他问题。当然，我也讲了，这个协议的公布并不是说整个 WTO 一揽子协议达成了，它要等到一揽子协议达成以后才能够生效。但是现在公布有助于改善这个气氛，同时促进其他协议的达成。可是美国方面就是不同意，说“It’s impossible（这是不可能的）”。在这种情况下，我到美国去还能够做什么，还有什么意义呢？中方反复地考虑，还是为了中美两国关系的大局。美国是个超级大国，中国是世界上人口最多的国家，我们两个国家友好合作关系的发展，是会影响到世界和平和国际合作的格局的。因此，江泽民主席和中国的领导层还是决定让我到美国去。这次我应克林顿总统的邀请访美，是希望做一次努力，来沟通两国和两国人民的意见，并对某些问题进行探讨，看一看我们能不能想办法把中美友好合作关系的大局继续推向前进。

康比德：是不是说，在你访问美国期间是不可能就 WTO 问题达成一致的？你刚才说不可能，是不是指不可能达成协议的意思？

朱镕基：我刚才讲“It’s impossible”，是指我提议先行公布一部分已经达成一致的协议，但是美国方面说“It’s impossible”，不是我们讲“It’s impossible”。

康比德：希望你再给我们详细讲解一下已经达成协议的内容，我们愿意把你的话告知美国的企业界，让他们了解美中在哪些方面达成了一致。

朱镕基：那巴尔舍夫斯基就会变得更加强硬了。我想，我这次访问不会很轻松。中国有句话叫做“两面不讨好”。一方面是一些美国人不欢迎我，另一方面是一些中国人不要我去，所以我想，我的任务是 very difficult job（困难重重的工作）。

康比德：还有 10 个到 20 个问题想问你，不知道合适不合适？

1999年3月30日，朱镕基在中南海紫光阁会见美国贸易代表巴尔舍夫斯基（中）。
（新华社记者刘建生摄）

朱镕基：我下面还要接受一个采访，加拿大《环球邮报》的。

康比德：你认为美国的商业界、企业界是支持改善美中关系的，但事实上，对华的外来投资在减少，这是不是实情？如果是的话，原因是什么？可以采取哪些措施来改变这种情况？

朱镕基：实际上，外国当然包括美国对中国的投资，每年都在增加，去年就比前年有所增加。你刚才说，外国在中国的投资在减少，完全不是这样。去年，外国在中国的直接投资是459亿美元，超过了前年450亿美元的水平。今年1到2月份比去年同期略有减少，但仅仅一两个月的时间是看不出问题的。我们预计，今年进入中国的投资会有更多的增加，因为现在很明显，中国的投资环境比东南亚的某些国家要强得多，特别是在我们实行了刚才我讲的诸多领域的开放，尤其是电信产业方面的开放以后，外国的投资更会大量地进入。

康比德：想问你一个颇具哲学色彩的问题。中国目前不断加深的经济自由化，是否不可避免地带来了政治上多元化的增强？或者说，政治多元化是推进经济自由化并使之取得成功的一个前提。你对这二者间的关系怎么看？

朱镕基：政治和经济是互相作用的，当然，经济决定政治的走向，政治对经济也有它的反作用。问题在于我们两个人对于所谓“经济自由化”和“政治多元化”的含义怎么理解，那是另一回事。

康比德：你刚才也提到，克林顿总统和江泽民主席曾经共同确立了一个目标，就是美中之间要朝着一种建设性的战略合作伙伴关系前进。但是有人认为，目前两国距离这种关系实际上还很远。那么，除了世贸组织的问题，你是不是认为还有其他的一些更为具体的问题？在这些问题上，美国会采取某种做法，使我们这种所谓的建设性的战略合作伙伴关系得以实现。

朱镕基：从中国方面来讲，我们仍然而且始终恪守江泽民主席和克林顿总统所要致力于建立的这种建设性战略伙伴关系。我们始终认为，中国不是美国的潜在对手，更不是美国的敌人，而是美国可靠的朋友。我们致力于建立这样一种建设性战略伙伴关系，并不等于我们会赞成美国的每一项对外政策或者对内政策，反之亦然。我想即使是美国最亲密的盟友，也不见得都同意美国的每一项政策和每一个行动。

康比德：鉴于美国现在是世界上唯一的超级大国，如果请你评判美国在发挥其独特作用方面到底做得怎么样，你给美国打几分？

朱镕基：美国确确实实可以说是当今世界上的一个超级大国。但是，纵观整个人类的历史，当一个超级大国不是很容易，也不是没有危险的；并且，没有一个超级大国能永远成为超级大国。因此我觉得，作为一个超级大国，美国应该好自为之。它对待别人的态度，应该像它所宣传的那样，要讲民主，要讲自由，要讲平等。

康比德：你是不是说，美国做得还不够，还有待于提高？

朱镕基：没有一个人能说自己做得都很够，做得都很好。

康比德：在涉及一个我们两国政府之间好像是有争议的关于亚洲战区导弹防御系统的问题上，为什么中国认为这个防御性的导弹系统会对中国产生威胁？

朱镕基：我们认为，建立TMD（战区导弹防御系统）与现行的国际《反弹道导弹条约》是相抵触的，发展这种系统不会有利于世界和平，这是我们的看法。我们反对的是把中国台湾地区纳入这种TMD，这是对中国的主权和内政的干涉，也违反了中美三个联合公报和两国元首的联合声明。

康比德：那么，你在这个问题上的观点纯粹是由台湾问题引发的吗？

朱镕基：我刚才讲的话不知你听清楚了没有，我是分两部分讲的。一部分是我对TMD的评论，它是不符合关于导弹的国际协定的，不利于世界和平。这是我的评论。第二部分是，我们中国反对把台湾地区纳入TMD。

康比德：我还想问几个问题。问了这几个问题呢，我想等你到了美国的时候，美国人民可能会对你有更多的了解。现在人们经常把你叫做一个现实主义者，叫做一个改革家，或者说你是一个温和派，也许这些称谓过于简单了，那么你对自己到底有什么样的说法？

朱镕基：我只能说我是一个普通的中国人，同时又是中国总理。

康比德：好像你有段时间是被划为了“右派”，而且很显然，因此你大概是受了将近20年苦。你是不是可以告诉我们，或者是通过我们告诉一下美国的人民，这段时间里你的生活到底是怎样的？而且，非常重要的是，你认为这一段经历对当今的中国政府将会发挥什么样的影响？

朱镕基：我现在不想、不愿意，也没有必要再讲我那段不愉快的经历。

康比德：我已经看到了相关报道。我们只是想再试一次，希望能得到一点有价值的信息。

朱镕基：我可以再补充一句：那段时间对于我虽然是一个痛苦的经历，但是对我也是有益的经历，使我学到了更多的东西，接触了更广阔的层面，社会的层面。至于今天说起来，我们党和政府已经充分地吸取了那个教训。

康比德：那么是不是也可以这样说，那段经历使你变得更能容忍不同的观点，而且使你的观点也变得多样化了？

朱镕基：也许是这样的。

康比德：美国人一想到中国，一个主要的印象，或者说，人们对于中国最近半个世纪的持久印象，反映在一张照片上，就是一个年轻人在 1989 年那场事件中站在坦克前的那张照片。回想起来，你对于这个人有什么看法呢？你认为他是勇敢，还是愚蠢，还是被误导了？

朱镕基：这张照片当初经常在美国及其他国家的电影和电视上出现，最近好像不大看见了。但是还有另外一张照片，给我的印象也是非常深的，就是越南的一个小女孩，光着身子，在受到美国飞机轰炸的路上跑。那个女孩现在还在美国。这些事情，我们都不希望它们再发生。但是，有一件事情是根本不同的，大家也得想一想。对那个面对着坦克的人，坦克并没有轧过去，而是在避开他。大家有没有想想，这是怎么一回事？

康比德：好像你在过去曾经几次谈到，现在对于中国的情况你得不到非常准确的统计数字，你表示出了某种程度上的苦恼。中国经济没有明确的统计数字，对政府制定政策有什么影响？

朱镕基：问题起源于中国去年经济增长速度达到了7.8%，在东南亚许多国家经济负增长的情况下，许多人怀疑这个数字的准确性。我对这个数字的看法，我已经都说过了。老实说，这里面肯定有水分，但这种水分并不是去年才有的，而且去年的水分也并不是更多。因为我们更加注意核实这个数字的准确性，而且三令五申，不许弄虚作假。这样的水分不但没有以前多，而且比以前更少了，因为我们一再地强调。我们这套统计制度最初是在50年代初期从苏联学来的，在1978年改革开放以后，我们又按照美国和国际统计的惯例做了修改。现在我们有差不多半个世纪的统计工作经验了。我认为，不能说这些数字都不准确，或者都是水分，那也不公平。现在恐怕有几百万人在从事统计工作，不过，我也不能够说它们很准确。公平地讲，我们对工业企业的统计还是比较准确的，而对于农村的一些统计，实在是太宽泛了，不可能统计得那么准确，但是每年的统计数字是具有可比性的。

康比德：我记得在1993年同你见面的时候，当时中国的通货膨胀率是25%，而且经济增长好像十二三年连续地超过了10%。当时你的艰巨任务就是要实现中国经济的“软着陆”，很多人都怀疑你能不能做到这一点，后来，非常明显，你取得了成功。那么，你现在面临的挑战却是如何使中国的经济保持一个令人满意的增长速度，比如说是以7%或者8%这种使人满意的速度来增长。你认为这两种挑战，到底哪一个更加巨大？

朱镕基：我想，1993年我面临的困难是通货膨胀，而我现在面临的困难是通货紧缩，是物价不断地下跌。从中国人几个世纪的经验来看，他们最害怕的就是通货膨胀。中国还没有经历过通货紧缩。现在，绝大部分中国人并没有意识到通货紧缩对他们有什么危险，我们少数人看到了这种危险。因此，我的任务要比治理通货膨胀轻松得多，因为老百姓现在不需要担心通货膨胀，他们很安心。

康比德：通货紧缩可能带来的危险到底有多大呢？

朱镕基：现在老百姓都把他们的钱存在银行里。现在的储蓄率不知是40%还是50%，我也搞不清楚，但是银行这个钱贷不出去，因为没有更好的项目来贷款。因此，发展速度就有下降的危险。而且，产品的供过于求、物价的下降使得企业的经营变得很困难。所以，我们现在开始实行积极的财政政策，从基础设施建设和刺激消费需求方面来提高人民的购买力，拉动生产的发展。

我还要讲一句，很多外国人，包括美国人，都认为去年由于遭受亚洲金融危机和水灾的影响，中国的各项改革没有按照预定的目标进行，步伐已经大大地放慢了，实际情况完全不是这样。本届政府所计划的一切改革，在去年都取得了很大的进展，都在按计划进行，而且超过了预期目标。我没有时间再详细地介绍这个问题了，也许我们能在美国再见吧。

康比德：我们只有一个小小的请求，是否能够考虑让我们在中国也发行《亚洲华尔街日报》？因为目前在亚洲的其他很多地方，大概有10个国家出版我们的报纸。这样的话，我们就可以向企业界人士报道有关经济、商业和金融方面的情况到底是怎么样的。所以，希望《亚洲华尔街日报》能够在中国发行，而且希望有一天能够出版我们的中文版。

朱镕基：我会跟主管这方面的负责人商量的。至少，我是《亚洲华尔街日报》的忠实读者。

接受加拿大《环球邮报》董事长兼发行人帕金森采访*

（1999 年 4 月 2 日）

帕金森：我们知道昨天你们讨论到很晚，以决定是否去美国和加拿大访问，现在好像决定肯定会去，是否如此？

朱镕基：你讲得很对。由于最近事态的发展，我确实曾经考虑，我能不能如期访问。在 3 月 15 日的记者招待会上我就讲过，尽管美国现在存在着反华逆流，我还是愿意访问美国，去解释一些问题，说明一些真相，沟通我们两国人民的相互了解，促进中美两国关系的发展。但是最近事态发展很快，首先是以美国为首的北约在南斯拉夫动武；其次是美国决定在日内瓦联合国人权会议上提出反华提案；再次，我们本来在 WTO 问题上的谈判很有希望达成协议，由于美国各方面的压力，美国政府看来不愿在当前这个时刻签订协议。因此，我们考虑，在这种形势下，到美国能做什么工作呢？但是尽管有这么多困难，江泽民主席和中国的领导层还是决定我如期访美，因为我们是从

* 应加拿大总理让·克雷蒂安邀请，朱镕基总理于 1999 年 4 月 15 日至 21 日对加拿大进行正式访问。访问前夕，朱镕基在中南海紫光阁接受加拿大《环球邮报》董事长兼发行人罗杰·P. 帕金森采访，就中加关系以及中国经济体制改革和经济形势等问题回答提问。

中美两国关系大局出发，我们希望能够做一点工作，来促使目前的反华逆流有所缓解，使得中美友好合作的关系能够继续发展下去。这对我来说并不是轻松的任务，美国人不一定欢迎我去，因为我说出了跟美国不同的声音。中国也有些人并不高兴我到美国去，有些人甚至反对我去。刚才，我们的广播电台已经宣布了我访问美国和加拿大的日期。我曾经跟你们的驻华大使说过，我到美国去紧张工作以后，要到加拿大休息几天。当然，我在加拿大也会遇到游行示威，少不了，但是我仍然认为，我到了加拿大就像回到了家里。

帕金森：刚才你提到关切的问题之一就是在南斯拉夫发生的情况，比如说在塞尔维亚、科索沃等地发生的情况。你能否详细说明中国感到关切的究竟是什么？比如在科索沃问题上感到关切的原因是什么？是由于相关军事行动没有经过联合国的批准，还是事先没有经过适当的磋商？还是认为米洛舍维奇[1]所采取的行动没那么严重，不应该对他作出什么反应？中国感到关切的到底是什么？

朱镕基：关于科索沃问题，江泽民主席在访问欧洲时已经发表过4次讲话，这是很不寻常的。他的讲话已经表明了中华人民共和国明确的立场，也表达了中国人民严重的关切。我们要求立即停止一切军事行动，它已经造成严重的生命伤亡和财产损失，它的后果是非常严重的。我们相信这种军事行动是不会解决任何问题的，这将是一个痛苦和危险的过程。历史已经证明过这一点。我们要求立即回到政治谈判的道路上来，只有政治谈判才能解决问题。

帕金森：我再问你一个具有哲学色彩的问题。我记得在江主席的一个讲话中谈到这是一个国家的内政问题，而且说到这是由于其他国

[1] 米洛舍维奇，即斯洛博丹·米洛舍维奇（1941—2006），当时任南斯拉夫联盟共和国总统。米洛舍维奇于2001年被捕，并被引渡到荷兰海牙前南斯拉夫问题国际刑事法庭，后死于狱中。

1999 年 4 月 2 日，朱镕基在中南海紫光阁接受加拿大《环球邮报》董事长兼发行人帕金森采访。
（新华社记者兰红光摄）

家对那个国家的内政进行的干预，所以，他对这种做法表示不同意。那么，从哲学意义上来讲，你本人或中国政府觉得在什么时候、什么情况下，外国人可以对一个政府、对它的公民或者说一部分公民所做的事进行干预呢？现在世界上有些国家认为自己应该对其他国家的事务进行干预，你对这个问题有什么看法？

朱镕基： 我想，科索沃问题归根到底是民族问题，民族问题当然是内政，这种民族问题很多国家都有。你们加拿大也有魁北克问题，英国也有北爱尔兰问题，中国也有西藏问题，这些问题当然都属于内政。外国人不可能一点不关心，比如说评论会有的，社会舆论、国际舆论总是会有的，但是军事行动是不能解决问题的。我们尊重人权，但不能不尊重一个国家的主权。如果对任何一个国家的人权问题都用军事干涉的话，这就开了一个很不好的先例。也就是说，是不是对加拿大的魁北克、英国的北爱尔兰、中国的西藏的民族问题，外国都可以采取军事行动呢？

帕金森：我想问，是不是有这样一些事件，别的国家就可以干涉？比如发生了某种灾难或种族清洗的情况，比如在南斯拉夫这样的主权国家里，采取军事行动来进行所谓的“种族清洗”。在这些情况下，一些大国以及它们的领导人就不应该干预吗？

朱镕基：你所讲的这些情况是一种笼统的提法，我也不了解它们的具体情况，无法发表评论。

帕金森：在英国，造成这种恐怖主义活动的并不是英国政府，也不是爱尔兰政府，而是一个民族、一个种族中的一些人。不同的是，在南斯拉夫，是军方正在制造人们说的这种“种族清洗”。你如何评论这种事件？

朱镕基：这就看由谁来评论这个是非了。现在也没有一个世界法庭、一个世界宪兵，能够决定进行这种军事干涉。

帕金森：请你来回答，谁能来决定？

朱镕基：我认为没有人能做这种决定。每个国家的内部问题应该由这个国家自己来解决。如果我们不承认一个国家的主权的话，那就会导致战争，甚至世界战争。

帕金森：现在美国正在讨论要在南美、北美和其他地方建立“反导弹盾牌”。在部署战区导弹防务方面，可能美国会寻求加拿大的帮助。你是否想过加拿大应该采取什么样的立场？

朱镕基：我们认为，建立地区导弹防御体系是不符合现有关于反弹道导弹的国际协定的。这样的做法不利于维护世界和平，只会引起军备竞赛。这是我们的一种评论。加拿大持什么看法是你们自己的事。对我们来讲，我们坚决反对把中国台湾地区纳入 TMD（战区导弹防御系统），因为它侵犯了中国的主权，干涉了中国的内政。

帕金森：在这个问题上，我也了解美国政府的一些评论。他们认为比较大的问题是朝鲜发射了导弹，而且是飞越日本或者说是朝着日本的目标发射。他们还关切中国大陆瞄准台湾所部署的导弹。我们想知道你们是否愿意撤走这些导弹，使美国不必再部署这种战区导弹防御系统？你们是不是愿意利用你们对朝鲜的影响来使美国不必部署这种系统？

朱镕基：我在 3 月 15 日的记者招待会上就讲过，美国说中国在东南沿海部署了 600 枚导弹，我说我根本不知道。我今天问过江泽民主席，他说他也不知道。我不知道美国人是怎么知道的。我并不是说我们完全没有在我们自己的领土上部署导弹，但是这属于我们自己的主权，也不是什么值得关注的事情。为什么他们要对这件事这样感兴趣呢？其实，导弹部署在沿海和部署在新疆有什么区别？照样可以打过去。美国强调中国在沿海部署导弹，纯粹是为它搞 TMD 找借口。至于朝鲜发射的是导弹还是卫星，美国人和日本人说是发射了导弹，俄国人说是卫星，我确实不知道它到底是什么。朝鲜跟我们有着传统的友谊，但它是一个主权国家，我们对于他们军事方面的情况并不了解。我们希望朝鲜半岛保持稳定与和平。我们在尽一切所能，做我们能够做的事情，但是我们也只能做这么多，也许美国还可以比我们做得更多。美国不应该，实际上也不会过高地估计朝鲜民主主义人民共和国的军事实力。我相信美国人自己一定很清楚，朝鲜究竟有什么样的导弹，究竟有没有核武器。我们看不会构成什么威胁，不要把这个作为搞 TMD 的借口。

帕金森：你能不能讲一讲，你认为美国到底准备怎么发展 TMD？到底如何找到钱来发展 TMD？因为加拿大也要为这出钱。这对中国的对台政策会发生什么样的影响?

朱镕基:美国怎么搞TMD,我们也不清楚。我看到两种不同来源的信息:一个是这个TMD还不能成为一个实用的体系;而另外一种报道说它已经搞成了,而且准确度非常高。我不知道该信谁。只有一点是相同的,所花的费用是一个天文数字。不管怎么样,我们反对把中国台湾地区纳入TMD。如果出现这种情况,那么是非常危险的。

帕金森:为什么会是危险的?

朱镕基:你没有听到我刚才讲的吗?这是对中国主权的干涉,台湾是中国的一部分。

帕金森:请你讲一讲有关世贸组织的问题。中国在同美国和加拿大进行加入世贸组织的谈判过程中,具体的症结所在到底是什么?而且,在加拿大和美国所提的要求中,到底有哪些是中国认为不能接受的?

朱镕基:关于加入WTO的问题,我们进行谈判已经13年了。我想,到了今天,很多问题应该都可以解决了。最近这一阶段,我们和美国,同时也同加拿大进行了双边谈判。我认为双方在中国加入WTO问题上,意见已经是非常接近了,尤其是我们同加拿大的谈判,以及同澳大利亚和日本的谈判,比同美国的谈判要顺利得多,双方几乎已经没有什么不同的意见了。在中国加入WTO的问题上,跟美国的谈判现在主要是由于美国方面的政治原因。也就是说,目前美国的政治气氛还不适宜于美国跟中国达成协议,主要的问题在于美国方面。

中国和加拿大保持了政治、经济和文化各个方面良好的关系。当然,我们在人权或者其他一些问题方面还有不同意见,但是这并没有影响中加两国友好合作关系进一步发展。所以,我对于这次访问加拿大充满信心。通过跟克雷蒂安总理以及其他加拿大政府领导人的友好、充分的交谈，我想一定能够进一步促进我们双方的相互理解，进一步推动中加两国各个领域的合作。

帕金森：我们也知道，美国商务部长戴利和贸易代表巴尔舍夫斯基最近都到过中国，而且我们看到有些报道说双方之间还有一些分歧，在某些问题上，美中之间还没有达成一致。在谈判中，美国具体提出了哪些中国不能做到的要求？

朱镕基：我想，戴利对中美两国关于 WTO 的谈判并不是很清楚，但是他这次访问也达到了他访问的目的。他所带领的代表团，包括他所带来的企业家，主要是在能源、信息等基础设施方面来谈判同中国的合作，这个合作取得了非常丰硕的成果，签订了很多合同。至于中美之间关于 WTO 的谈判还有什么分歧，现在不是一句话能够讲清楚的。在谈判没有最后达成协议以前，我也不便于单方面公布谈判的细节。

帕金森：当然可以，你可以公布。

朱镕基：是的，我可以公布。我公布以后，恐怕美方贸易代表巴尔舍夫斯基要大发雷霆，更加不利于我们继续谈下去了。但是，还是可以说，在市场准入方面、在农业方面，几乎已经达成协议。当然，美国认为我们在某些方面，如在证券市场和电信市场的开放方面做得还不够。可是我认为，他们也没有什么充分的理由来坚持他们的意见，在议定书方面还有些问题需要谈判。总之，我的总体看法，在经济方面要达成 WTO 的协议并不是很困难，但问题是政治决策。美国方面什么时候在政治条件许可的时候下决心来签这个协议，这是美国方面的事情。

帕金森：还有另外一个问题，现在也好像越来越是一个政治问题了。加拿大对中国的贸易逆差大概是 60 亿美元，美国对中国的贸易逆差大概是570亿到600亿美元。在中国经济增长有所减缓的情况下，中国打算怎么做来缓解对加拿大和美国贸易的这种不平衡状况？

朱镕基：关于贸易逆差的问题，说来话长，今天晚上绝对谈不完这个问题。我只能说，中美贸易逆差绝对没有600亿美元；中加贸易逆差，根据我们的统计数字，实际上加拿大是顺差。如果有美国的600亿美元加上加拿大的60亿美元顺差的话，那中国的外汇储备就远不止现在这些了。去年年初是1390亿美元，到年底是1450亿美元，没增加多少，中国哪来的顺差？我还可以用很多数字来证明我的论点，但是我今天没有时间来谈它。我只能够说，我们应该向前看，采取措施，使我们的贸易平衡发展得更好。在WTO谈判过程中，我们做了许多让步，提出了许多措施，如果大家共同努力，我相信我们的贸易平衡会更好。如果像美国那样，只给你小麦，只给你水果，人造卫星也不给，电子计算机也不给，其实那些根本算不得什么高技术，什么都不给，让我们尽吃小麦和水果，这贸易能做下去吗？而且，我们也不能只从美国买小麦，我们还要从加拿大买小麦啊。

帕金森：不只买一些。

朱镕基：对。

帕金森：你是不是能向我们的读者谈一谈中国经济总的状况？我们现在好像看到中国经济增长有所减慢，而且出现了一些比较严重的问题。在西方，人们都把你称为“伟大的经济改革家”，你进行了一些非常具有突破性的经济体制方面的改革。但是现在人们感到这个改革的步子好像有所减慢，比如说住房制度改革，还有其他方面的改革等等。你是否可以谈一谈？

朱镕基：关于中国经济发展的速度，去年的7.8%已经很高了。今年我们预期是7%，仍然是一个很高的速度，问题不在这个速度，而是在于有更好的效益。我预计今年7%还是可以超过的，即使达不到7%，也仍然是一个健康的速度。至于中国的改革，绝对不是像外界所讲的，步子已经放慢了。不是这样的，相反，去年中国的经济改革，在各个方面都比原来预定的进展更快。去年国有企业改革取得了很大的成绩，前所未有。过去中国的国有企业是不能减人的，也就是说，富余的人使得国有企业的效益不好。去年年初，国有企业1000万工人下岗，也就是说失业。但是，我们采取了措施，建立了社会保障体系，使这1000万人能够享受到基本生活保障，因此并没有引起社会不稳定。而且到年底，还没有再就业的下岗工人已经只有600万了。当然，去年国有企业经营的状况确实比前年更差一些，这是由于亚洲金融危机，加上特大洪涝灾害影响了中国的出口。然而可以预计，今年国有企业的效益肯定会比去年好。到明年年底，中国大多数国有大中型亏损企业一定会扭亏为盈。

帕金森：明年会完成这3年的目标？

朱镕基：我已经公开宣布，如果完不成的话，我就下台。也就是说，我以我的政治生命做担保。

帕金森：我要问一下人权问题。美国现在宣布，它将在今年的日内瓦联合国人权会议上再次提出谴责中国的议案。一年前，中国签署了联合国的人权公约，但是这之后的一年里又逮捕了一些“民运分子”。到底发生了什么事情，为什么会发生这种情况呢？中国为什么惧怕新闻自由和言论自由？

朱镕基：什么也没有发生，事实上，中国的人权状况在不断改善。我们谁也不惧怕新闻自由和言论自由。在这些方面，我们之间有不同的情况、不同的意见、不同的理解。这不是现在几句话能讲清楚的，否则，就不需要中加之间人权会谈的渠道了。我很担心再谈下去的话，你今天晚上就无法准备好明天发表的材料了。

帕金森：我想冒昧地再问一个问题，是有关你个人生活的。好像你的童年生活过得不太顺利，好像你的父母亲很早就过世了，那么你

1999 年 4 月 17 日，朱镕基在加拿大多伦多接受加拿大电视台专访。

（新华社记者兰红光摄）

童年中最重要的记忆到底是什么？这种记忆是不是影响到你后来建立自己的家庭生活？

朱镕基：我的父亲在我生下来以前就去世了，我的母亲在我 12 岁时也去世了。我是靠自己个人的努力，才能够受到教育的。也许这培养了我一种性格，就是没有什么困难是不能克服的。

请通过你的报纸，代我向加拿大人民、政府领导人表示我衷心的问候。我希望我的访问能够成功，从而为进一步发展中加两国之间的友好合作关系增添一些力量。我们非常重视中加两国的关系，重视同加拿大人民的友谊。

在与美国总统克林顿联合举行的记者招待会上回答记者提问*

（1999年4月8日）

朱镕基：感谢克林顿总统邀请中华人民共和国政府代表团访问美国。今天我很荣幸，能够与克林顿总统一起跟新闻界的朋友们见面。我愿意通过新闻界的朋友们，向美国人民致以我最衷心的问候和最美好的祝愿。

我踏上美国的国土，是从洛杉矶开始的。虽然老天不太欢迎我，倾盆大雨，但是似乎美国人民还是喜欢我的。今天，我们受到克林顿总统盛大的欢迎，我们跟总统和他的同事们进行了友好的会谈。中午，我也出席了奥尔布赖特国务卿举行的盛大欢迎宴会，使我能够会见很多老朋友。我想，我们的会谈是友好的、坦诚的，是建设性的，也是富有成果的。当然，这种成果不在乎达成多少协议，我想我们的协议达成的已经不少了，关键是我们中华人民共和国代表团能够会见美国的各界人士，能够直接地跟美国人民来交谈，来说明我们的观点。

我在今天上午已经说了，不是只对你 say“Yes”（说“是”）的朋

* 访问美国期间，朱镕基总理与克林顿总统在华盛顿白宫老行政楼总统大厅联合举行记者招待会，回答记者提问。

1999 年 4 月 8 日，朱镕基在与美国总统克林顿联合举行的记者招待会上回答记者提问。（新华社记者齐铁砚摄）

友才是好朋友，敢于对你 say “No”（说“不”）的朋友也许是最好的朋友。我从华盛顿，还要到丹佛、芝加哥、纽约和波士顿，我将会见很多的美国朋友，我愿意和他们交谈，也愿意和他们辩论，这样才能够促进我们中美两国人民之间的交流和相互的理解，从而促进我们中美之间由江泽民主席和克林顿总统所致力于建设的建设性战略伙伴关系，这样一个友谊的关系，能够继续发展下去。

刚才总统先生已经说了，今天上午在 WTO 问题上面，也达成了一定的协议，将要发表一个联合声明。同时，在已经达成的，比如在农业协定方面，我们要签署这个协定。我认为，这些都有利于进一步

1999 年 4 月 6 日，朱镕基与夫人劳安出席洛杉矶市长雷登（左二）举行的贵宾招待会。左一为雷登的夫人，左三为美国前国务卿克里斯托弗。

推进中美友好合作关系的发展。

朱镕基：我想，那位女士拿着中美两国的国旗，我应该点她提问。

记者：非常感谢朱总理，我是香港《文汇报》的记者韩桦。在你的美国之行开始之前，这一路从洛杉矶到华盛顿，人们包括我们的读者一直都有这样一个问题，就是现在中美关系遇到这么大的困难，为什么你还决定如期访美，能不能告诉我们你的真实想法是什么？在本世纪末，中美关系应该朝着一个怎样的方向发展？

朱镕基：说老实话，我一点儿也不想来。

就在我访问美国的前几天，我会见了美国国会的两个代表团，一个是由托马斯先生率领的，另一个是由罗斯先生率领的，一共有20位参议员、众议员。我当时就对他们说，你们那里的政治气氛那么反对中国，我不敢到你们那里去访问。可议员先生们都告诉我，你还是要去，我们欢迎你去，我们喜欢new face（新面孔）。那我说，我的好朋友尚慕杰[1]大使告诉我，他比我要先回美国，到我将要去的地方介绍我，来宣传中国。他准备被打得鼻青脸肿，在美国见我的时候，脸上要包着绷带。我说，他是一名美国人，还要遭到这样的待遇。我这个中国人去了，我这个新面孔要带血了。这些议员先生没有给我保证，但是江泽民主席让我还是要来，他是中国的number one（“一把手”），我还只能听他的。

可是我可以告诉诸位，我现在的情绪比我来的时候要好得多了，因为我在这里遇到了非常友善的面孔和非常热烈的接待。我相信，我此行不但能够为推进我们两国之间的友好合作关系的继续发展贡献一点力量；而且我也相信，我会得到美国人民的理解，使我们在很多现在争执的问题上取得一定程度的共识。当然，我们也会在很多经济问题上达成协议，比方说刚才讲的农业协定方面，这个我们已谈判了13年了，今天中国在这方面应该说已作出了很大的让步。在TCK(小麦矮腥黑穗病）小麦的问题上面，我们已经允许美国的7个州都能够向中国出口小麦；在出口柑橘方面，我们允许4个州包括加利福尼亚州都能出口到中国去；在中国加入WTO方面，我认为实际上我们的差距已经是很小很小，在我看来已经不算什么了。当然，克林顿总统

[1] 尚慕杰，即詹姆斯·拉尔夫·萨塞。他的中文名字叫尚慕杰，当时任美国驻中国大使。

先生可能不同意我的说法，他们还认为有很大的差距。我们现在只能够签一个联合声明，而不能够最终签署协定。如果要我说老实话，问题不在于那个“很大的差距”，而在于现在的政治气氛。

但是，我们对于中美两国友好合作关系的前途是非常乐观的。我今天上午已经讲了，在中美之间，没有任何问题是不能够通过友好协商来获得圆满解决的。至于在人权问题方面、在达赖喇嘛问题方面，刚才总统先生所讲的，我们还有时间来争论，不在这里争了。

记者：我是香港《星岛日报》记者。昨天朱总理的专机在安德鲁斯空军基地降落之前 7 个小时，克林顿总统作了一个对华政策的演讲，他提到 1996 年 3 月美国向台湾水域派遣航空母舰的事情，他认为这个事情维护了台海安全。朱总理，你如何看美国的军事力量对两岸关系的影响？你认为两岸统一要不要有时间表？你愿意不愿意访问台湾？

朱镕基：关于对台湾的政策、对统一台湾的政策，我们的江泽民主席有着非常明确的声明，这一点我想不用我再来说了。

我们从香港回归祖国就可以看到，中国严格地在那个地方实行“一国两制”、“港人治港”、高度自治。我想，全世界的人民都承认这一点。而我们对统一台湾的政策比这个要宽松得多，也就是说，我们允许台湾保留它自己的军队，而且我们也准备让台湾的首脑到中央政府来当副首脑。至于他能不能当正首脑呢？那我就不清楚了，因为我想大概没有人会投他的赞成票。

中国政府一再声明，我们尽量用和平的方法来统一台湾，但是我们也从来没有宣布放弃使用武力。因为如果我们这样宣布的话，那么台湾将从中国永远分离出去。我刚才在克林顿总统的办公室看到了林肯总统的肖像。当年林肯总统为了保持美国的完整，不惜使用武力，我们应该向林肯总统学习。

至于我要不要到台湾去，他们又没向我发邀请，我怎么去？而且，以什么身份去？你帮我想一想。

克林顿：对不起，我想插一句，因为林肯总统的地位好像比我还重要。首先，美国的政策就是一个中国的政策。我每次有机会都会重申，今天我就再次重申。第二点，我认为这个问题应该通过和平方式来解决。我想大家都会同意的是，台湾和中国大陆过去50年来关系的事实背景和美国南北战争那段时期的历史背景有所不同。我觉得，中国大陆和台湾之间除了血缘关系，就是大家都是华人，除了这个关系以外，还有很多可以实现互补的地方，包括经济，但是不仅仅是经济上。所以，我希望这个问题能够得到解决。而且我认为，如果总理先生到台湾的话，能够像今天在这儿访问那么幽默，那么有风度，那我认为应该去。

朱镕基：会不会被打得鼻青脸肿呢？

记者：总理先生，我想提的问题是，关于中国偷窃美国的核弹头技术，还有中子弹的技术，你是不是有什么话想说？有人捐数十万美元给克林顿作为政治献金，关于这个问题你有什么话想说？

朱镕基：我以中华人民共和国总理的身份在这里庄严地声明，我根本不知道有什么间谍偷窃了美国的军事机密，我也完全不相信这一点。我也问过江泽民主席，他也完全不知道有这么一回事。中国没有这种政策，要去盗窃美国的军事机密。我也不相信，在美国的安全保卫工作这么严密、技术设备这么先进（当然，这个麦克风的技术好像不是太先进）的情况下，中国能够在美国盗窃什么机密。我看是不可能的。

至于中美两国学者在交流他们的科学技术知识的时候，也许会谈到某些有关军事方面的技术，但是我不相信这里面有什么带有实质性的军事机密，我也不相信在他们的交流中间会涉及这样的问题。作为一个高级工程师，我主管中国工业几十年，我从来不知道有什么尖端技术是从美国来的。当然，技术是人类共同的财富，科学的发明往往是殊途同归，我们中国的导弹与核技术确确实实也是从外国引进的。我们导弹技术最早的先驱者是钱学森先生，他是从美国回来的；我们核技术最早的先驱者是钱三强先生，他是从法国的居里夫人的实验室回来的。但是我可以向你们保证，他们回来的时候一片纸也没有带回来，就带回来一个脑袋。所以，我在3月份的记者招待会上曾经说过，请你们不要过低地估计了你们自己的安全保密的能力，也请你们不要过低地估计了中国人民开发军事技术的能力。我在洛杉矶的时候，州长请我吃饭，他问我："你们今年准备怎么庆祝建国50周年呢？"我说，我们将要举行一个盛大的阅兵式，在这个阅兵式上将要展示中国最先进的武器，而这些武器都是中国自己开发的，不是从美国偷来的。州长夫人就建议："那你们应该在导弹武器上写上一个广告：'It's made in China, not from USA（中国制造，非美国品）'。"我很欣赏她的幽默，我说："That is a good idea（这是个好主意）"。当然，克林顿总统先生曾经宣布了，说美国有6000多件核武器，中国只有二三十件。他比我更清楚，我都不知道中国具体有几十件核武器。这个数字我虽然搞不清，但是我同意总统先生的结论：我们的很少，你们的很多，根本不可能威胁美国。

至于政治献金的问题，我也很负责地声明，我和江泽民主席根本不知道这回事。我们两个人也问过我们军方的高层人士，他们回答我们，他们也不知道有这种事。我觉得，这件事情反映出你们美国有些人把我们看得太低了。如果政治献金真能够起作用的话，那我现在有1450亿美元的外汇储备，我至少可以拿100亿美元来做这个工作，我怎么只拿30万美金来做呢？太愚蠢了！我听说，有些人在这个地方制造rumor（谣言）花了很多钱。我从来不相信这些谣言。我觉得我们通过相互的讨论，甚至于辩论来达成我们的共识，这是有利于中美两国人民，对于我们双方都是有好处的。我们相信美国人民，我们不会做这样的事情。

我同意配合美国进行调查，只要你们提出线索，不管是谁，我们都会进行调查。我也回应克林顿总统关于中国参加 WTO 的问题。他说，允许中国加入 WTO 符合美国人民的利益；我也应该说，中国作出最大的让步也是符合中国人民利益的。

香港报纸都说我到美国来送“大礼”来了，我认为这种提法是很不正确的。对不起，我讲话又走火了，得罪了新闻界。

因为中国要加入 WTO，要融入国际社会，必须符合它的“游戏规则”，因此我们不作出让步是不行的。当然，这种让步会给中国的国民经济、国有企业和中国的市场带来很大的冲击，但是我完全有把握地说，由于中国改革开放所取得的成果，我们完全可以经受住这种冲击，而这种冲击所带来的竞争会促使中国的国民经济以更快的速度、更好的效益来继续发展。

我请香港的记者朋友们注意，你们以后不要再讲送“大礼”了，送“大礼”就等于政治捐献，这对于克林顿总统是十分不利的。

记者：我是中国中央电视台的记者。近来，国外对中国的经济发展和改革开放有些议论。请问总理，你对中国的经济现状和发展前景有何看法？你认为中国的经济发展对亚洲以及对世界的经济发展将会有什么影响？

朱镕基：中国的经济在去年遭遇到极大的困难。一个是亚洲的金融危机，另一个是中国历史上特大的洪水灾害。但是我们克服了这些困难，仍然取得了 7.8% 的发展速度的成绩；而且，我们的人民币没有贬值，我们的物价不但稳定还略有下降。至于中国今年的经济情况，很多外国人都预言中国将是下一个发生经济危机的国家，那我可以明确地说，完全不是这样。

第一，中国经济今年的发展速度预期是 7%，今年第一季度是

8.3%。我预期中国今年的经济状况一定会比去年好，倒不是单纯地讲发展速度，而是讲经济效益，一定会比去年好。

第二，很多外国人认为中国的经济改革已经停顿了，我现在在这里明确地回答，中国的经济改革在去年不但没有停顿，而且比预期的计划还有更大的进展。首先，政府机构的改革，我原来说中央政府机构要在 3 年以内精简一半，也就是从 3.3 万人减到 1.6 万人，这一任务在去年一年就已经完成。除了 4000 人去学习以外，其他的都分流到企业里去了，这是一个很大的成就。今年地方政府也要进行这种改革，也要减一半人，也就是说，500 万人中减掉 250 万人。当然，我给他们的目标是 3 年完成。

第三，有的外国人说，中国现在有大量的国有企业失业人口，引起了社会的不稳定。我想，去过中国的人都会认为这是不真实的。确实，中国去年年初的时候，国有企业约有 1000 万人失业，或者说是下岗了，但经过我们去年的努力，建立了社会保障体系，使得所有的失业工人都能够得到基本的生活保障。大量的人得以再就业，现在待业的工人只剩下 600 万人了。这样的机制的建立，更有利于我们在国有大型企业实行股份化，对中小型企业采用各种形式，包括私有制，来把国有企业搞活。

最后一条，中国的银行正在进行史无前例的改革，我们将要参照美国 RTC（处置信托公司）的经验，来成立中国的银行金融资产管理公司，分离不良贷款，处理不良贷款。我相信，这一改革有利于中国的商业银行变成真正的商业银行，中央银行加强它的监管能力，符合国际的规范。这样，中国的人民币就不会贬值，而会是稳定的。

我愿意在此向美国的企业家呼吁，请你们到中国去投资，绝对不会有人民币贬值的风险。不相信的话，我可以采纳你们芝加哥大学米勒先生的建议，让我做一个 put option（卖方期权），人民币不贬值的期权，你们谁愿意做，我就跟你们做。

记者：我有几个问题。首先，总理先生你已经知道了，美国国务院最近出了一个关于贵国侵犯人权方面的报告，美国也准备在联合国人权会议上提出谴责中国侵犯人权案。你觉得美国这样做，你们是完全冤枉的，是完全不公平的，抑或中国还是有一些问题应该得到纠正？

朱镕基：首先，我坚决反对美国提出有关中国人权问题的提案。我认为这是不公正的，而且是对中国内政的干涉。我想说明三点：

第一，中国的人权事业在中国解放后这几十年，已经取得了史无前例的进步。我们认为，中国人民享受了前所未有的、很大的民主政治的权利，人民群众完全可以通过中国的法制来批评、来监督他们的政府，可以畅所欲言。我觉得，我们现在的新闻和言论自由比起过去，已经有了相当大的、足够的进步了。

第二，我认为关于人权的观念也应该历史地来看待，同时，每个国家也有不同的理解。关于人权的概念，中国的孟子讲过："民为贵，社稷次之，君为轻。"他讲人权，比法国的卢梭和美国的《人权宣言》要早得多了。我想，不但人权的概念有历史的发展，而且每个国家也有不同的情况。像我们跟美国，人均的国民收入差了20倍，美国大学生的比例比中国文盲加小学生的比例还要大，这样不同的文化程度、不同的国民收入，我想他们对人权概念的理解也是不一样的。如果跟很贫困的人民来谈什么直接选举，恐怕他们更关心人权的其他方面，比如说受教育的权利、生存和发展的权利和享受文化娱乐、卫生的权利。我们讲的人权应该包括这些方面。

每个国家都会用自己的办法来改善人权状况，着急是不行的。说老实话，怎么改善中国的人权状况，我比你们还着急得多啊。

第三，我承认我们的人权工作是有缺点。你们要考虑到中国有几千年封建制度的影响，人民的观念是很难改变的，我们的法制队伍的受教育程度和他们判案的能力也是有限的。在这种情况下，要把人权工作做得十分完美是不现实的。所以，我们很愿意听取你们的意见，我们愿意有一个渠道来对话，我们不要对抗。

当有些外国人访问中国的时候，常常有人给我一个名单，让我释放所谓的“持不同政见者”。我们对你们的意见都是认真地对待、仔细地查考的，如果这个人没有刑事犯罪，我们就把他释放了。这次我来美国前，我有很多的美国朋友也寄给我很多材料，指出美国的人权存在很多问题，要我把这些信件递交给克林顿总统。我没有带来，我不想交给他，因为你们能够自己解决问题。

克林顿：说实话，有时我们也可以请外面的人来解决问题。《纽约时报》说的问题我也看过了。至于具体的情报，因为政策的原因，我不能加以评论。但是，那篇文章说那些国家实验室和这个间谍活动到底有什么关系呢，实际上也没说清楚。我希望有关方面的人士去调查这个问题，并尽快解决这些悬而未决的问题，也希望执法机构和单位能够加快调查。长久以来，国家实验室就是有这么一个安全措施搞得不足的问题。因为这些国家实验室长期以来有一种双重身份：一方面，它们是科学研究、学习的中心，搞能源的发展，搞软件的开发；但与此同时，它们也承担了核科学方面的责任。所以对我来讲，最重要的问题是，要把我们的安全搞好。我在1998年签署了行政命令，能源部理查森部长也采取了有关措施，吩咐一个咨询委员会——一个不分党派的双党的咨询委员会去调查这个问题，看我们有哪些不足之处。因为长年来，这些国家实验室真正面临的都是安全措施搞得不够严密的问题。我认为，对这个问题我们应该加以调查；而且我觉得，应该以正确的方式做调查，并尽快把它做完。

朱镕基：Thank you.（谢谢你们。）

接受美国公共广播电视公司（PBS）记者莱雷尔采访*

（1999 年 4 月 9 日）

莱雷尔：欢迎你，朱总理。

朱镕基：谢谢。很高兴和你会见。1990 年我作为上海市长访美的时候，曾接受“新闻一小时”节目的主持人麦克尼尔的采访。很高兴 9 年之后又回来接受你的采访，这是很有意义的。我知道你们这个节目收视率很高，我希望通过这个节目转达我对美国人民的问候。

我到你们的国家这几天以来，到处看到美国人民对我的理解和支持，特别是这里的新老朋友对我表现出很大的支持。通过这些，我感到中美关系有着光明的前景，因此我很高兴有机会接受这个节目的采访。

莱雷尔：非常感谢你。中国对北约轰炸科索沃持强烈的批评态度，你们为什么反对？

朱镕基：关于这个问题，我们的江泽民主席已经反复表明了中国的立场，即我们反对在南斯拉夫采取军事行动，因为这是对他们内政

* 访问美国期间，朱镕基总理在下榻的华盛顿布莱尔国宾馆接受美国公共广播电视公司（PBS）记者吉姆·莱雷尔采访。

的干涉。我们强烈地感到，只有回到政治谈判才是唯一正确的方法，因为只有政治谈判才能解决这个问题。我们不希望更多的人死亡和受到重大损失，不管是哪方面的人。

莱雷尔：中国支持米洛舍维奇总统和南斯拉夫政府的行动吗？

朱镕基：我们的声明完全没有触及这个问题，我们只是在评论这次行动。

莱雷尔：几天前，《华尔街日报》在一篇社论中说，与美国和其他北约民主国家相比，中国共产党政府与米洛舍维奇的独裁统治有更多的共同点。这种说法对不对？

朱镕基：首先，把中国政府称为共产党政府是错误的，至少是不准确的，因为我们不是从意识形态角度看这个问题，我们是从是否正确和从国际标准来看这个问题。

莱雷尔：总理先生，如你所知，对于北约来说，当地发生了种族清洗和屠杀无辜平民，这实际上就是开始轰炸的理由。你相信那些来自科索沃的报道吗？

朱镕基：我还没有读到这些报道，但是，根据我们自己的经验，我们知道当发生种族纠纷时往往是很野蛮、很残酷的。我们有处理不同民族之间关系的经验，我们认为最好的办法是从团结的大局出发，各民族通过友好、平等协商解决问题。任何一方使用武力都不可能解决问题。

莱雷尔：具体就这个问题来说，你是否认为北约和美国使用武力毫无道理？

朱镕基：我不知道你们的根据是什么，但我们认为，使用武力干涉其他国家的内政是不正确的，而民族纠纷属于内政范畴。

莱雷尔：所以，当这种事情发生时，全世界都无权管吗？

朱镕基：我并不了解那里到底发生了什么事。

莱雷尔：如果有传闻和至少已有证据显示无辜平民被赶离家园、被屠杀，虽然这不过是一个国家内部的种族冲突，难道这个世界在任何情况下，都不能通过诸如联合国、北约等各种组织进行军事干预吗？

朱镕基：我看到两种报道，一种报道说在这场种族纠纷中双方都使用了武力，另一种报道说是南斯拉夫的军队在对阿尔巴尼亚少数民族采取行动，但我无法说哪种报道更真实。奥尔布赖特国务卿说，她会给我一些有关的材料，我现在还没收到。因此，我没有作出判断的依据。

莱雷尔：但是现在美国人民正在努力处理这个问题，世界其他国家也在考虑像美国这样的国家在这样的问题上应扮演怎样的适当角色。你对美国人民和领导人有什么建议，比如说在这个新世界上应如何使用武力？

朱镕基：基于历史经验，我仍然认为武力不能解决这些问题，特别是在巴尔干地区，这里被认为是欧洲的“火药桶”。我们认为，只有通过政治谈判才能达成可接受的解决办法；我们也认为，这对南斯拉夫人民、对美国人民和全世界人民来说，都是最好的办法。我们反对种族清洗，也反对种族纠纷以及两个民族之间的武装纠纷，只有谈判才是出路。

莱雷尔：因此，把中国的立场理解为支持南斯拉夫的米洛舍维奇反对北约，这是错误的。这种说法对不对？

朱镕基：我们只是就事论事。

莱雷尔：你昨天说中美未能在贸易问题上达成协议，是由于美国国内存在反华的政治气氛。你认为是什么原因导致了这种气氛的产生？

朱镕基：你应该比我更清楚。我认为，你比我处于更好的位置来看是什么原因使美国产生反华情绪。因为实际上讨论中国加入世贸组织，以及我们双边贸易谈判，已经非常接近于达成一项协议，几乎要签字了。但由于当前的政治气氛，我的理解是克林顿总统感到不是完成谈判的时机。我们还在尽最大努力，我们希望至少达成某种形式的协议。

莱雷尔：是有一些政治气氛问题，诸如人权问题。你感觉到美国的政治领导人和其他人对中国人权政策的批评占据了这里全部的政治舞台，共和党、民主党，保守派、自由派在这个问题上都用一个声音说话。你以前意识到这个问题了吗？你能理解这种状况吗？

朱镕基：我完全感觉得到。我认为，应该承认中国在处理人权问题上还有很多缺点；但同时我也认为，你们也要承认，我们在人权方面取得了进展，中国人民的人权状况有了极大的改善，享有着前所未有的人权。我认为，问题是你们没有看到中国人权状况日益改善的事实，由于一些对中国不怎么了解的人勾勒出一幅中国人权状况一天不如一天的图画，你们被误导了。

莱雷尔：但是有具体事件显示，中国公民因为试图组织政党，因为用因特网表达对政府的反对，或试图进行宗教活动而被逮捕。而且，那些事件在美国这里被非常详细地报道，你对此是否了解？

朱镕基：我当然了解这个情况，但我认为这些事件被极大地夸大了。昨天，我会见了 4 位美国宗教领袖，我们谈到宗教信仰自由问题。他们向我指出，天主教和一些基督教派在中国发展了一两个世纪，然而在 1949 年中华人民共和国成立时只有 80 万教徒，而现在增加到了 1000 万教徒。中国近 20 年来共印刷了《圣经》2000 万本。如果没有宗教信仰自由，这一切又怎么可能发生呢？

莱雷尔：你被问到这个问题和被美国人批评时，你会生气吗？

朱镕基：我的工作是到美国来向美国人民讲解中国的情况，使他们去掉胸中的反华情绪，因此，我对人们向我提出的任何问题都不感到生气。真正使我感到关切的是，由于时间太短，我不可能讲清真实的和全面的情况。

莱雷尔：谈到理解，你能理解为什么这类问题对很多美国人非常重要吗？

朱镕基：我认为这种关切是好事。我昨天说，美国人民是热爱自由的人民，他们很开放、向前看、充满活力。我认为他们关心中国是好事。不幸的是很少有人真正听到我们的声音。我感谢你给我这次机会直接向美国人民讲话，但不知道我做得好不好。

莱雷尔：关于另外与美中之间政治气氛有关的问题，也就是有关核技术间谍的传闻、非法向民主党竞选提供捐款等问题。昨天，你告诉克林顿总统，中国将在这些调查中提供合作。这是否表明，你将允许美国调查人员询问中国政府成员？

朱镕基：那么，我需要提一个问题。现在美国有许多问题涉及中国，美国会允许中国调查人员到美国询问证人吗？

莱雷尔：显然，这个问题要由其他人来回答。

朱镕基：如果他们对我们说“可以”，我们也会说“可以”。如果他们对我们说“不”，我们也会说“不”。

莱雷尔：因此，你会允许调查那些为你工作的人。因为你昨天说过对此一无所知，但你将帮助美国确定中国政府内是否有人实际做了这些事情。

朱镕基：当然了，因为我们的目的是想彻底查清事实。但为了决定如何进行调查，我们需要在平等的基础上进行政治讨论。

莱雷尔：这些问题对你重要吗？尤其在政治方面，它们对你会像对许多美国人一样重要吗?

朱镕基：如你想问我的真实想法，我说这不算个大问题。

莱雷尔：你能理解为什么在这里这是件大事情吗?

朱镕基：正如我刚才所说的，美国人在许多问题上对中国不满，但你知道，人们在不高兴的时候对许多事情经常考虑得不会那么周到。

莱雷尔：你说许多美国人对中国不满。中国人对美国人也有不满吗?你愿意举例谈一谈吗?

朱镕基：可能我们对美国不满的事情更多，尤其是由于科索沃问题，很多中国人反对我来美国。

莱雷尔：他们认为如果你来了的话，这将被看成是对美国政策的一种支持吗?

朱镕基：是的。

莱雷尔：你是怎么说的?你为什么不管怎样还是决定来了?

朱镕基：我告诉他们，我应该如期访美。

莱雷尔：你与克林顿总统谈科索沃问题了吗?

朱镕基：在我会见克林顿总统前，奥尔布赖特国务卿到这栋楼来，与我就这一问题谈了一个多小时。

莱雷尔：她想知道你的想法，还是想让你知道她的想法?

朱镕基：她要我说，我同意她做的是对的。

莱雷尔：你说了吗?

朱镕基：没有。我对她说，请拿出材料来。她还没有给我有关材料。

莱雷尔：我懂了，我懂了。就像你刚才对我表明的一样，你向她表明过为什么中国在科索沃问题上采取这种立场，为什么中国反对北约现在的行动吗?

朱镕基：江泽民主席已就这个问题讲了4次，他讲的内容与我刚才讲的一样。

莱雷尔：你回去见到江主席时，是否会转达关于在科索沃发生的情况的信息？通过这次访问，是否会重新考虑中国的立场？

朱镕基：如果能向我提供文件，证明存在民族屠杀，我当然要带给江主席看。但不管有无民族屠杀，我认为用外来军事行动干涉一国内政以试图解决问题是错误的办法。

莱雷尔：讲得泛一些，如何帮助美国人民理解中国要与美国建立什么样的关系，我们应该是朋友吗？我们应该是盟国吗？我们应该是竞争者吗？中国愿意与美国保持什么样的关系？为什么？

朱镕基：至于中美两国寻求建立的是哪种关系，我认为在江泽民主席和克林顿总统互访时已经讲得很清楚了，就是建设性战略伙伴关系。

莱雷尔：但是如你所知，很多美国人相信有些东西使美国对中国感到害怕。你对他们有什么话要说？

朱镕基：我要告诉他们，你们怕什么？克林顿总统说美国有6000多个核弹头，中国有20或30个。实际上，我真的不知道中国有多少核弹头，但我想克林顿总统对这个数字可能会比我更清楚。所以，我问你们怕什么？中国不可能构成威胁。如果你们担心中国在经济上是个竞争者，我说你们的经济总量是我们的10倍，你们的人均收入比我们的人均收入多不止10倍，需要很长很长时间，中国才能成为相对的经济大国。此外，就算中国将来成为经济大国，中国越强大对美国的市场就越大，为什么美国要怕呢？你们应看到这样一个事实，在白宫的欢迎仪式上，我讲到美国人民热爱自由，中国人民热爱和平。我们一直是侵略的受害者，中国人民没有侵略他国的历史。当然，在任何情况下，都不要认为我是说美国人民不热爱和平或中国人民不热爱自由。我只是想强调某些事情。

莱雷尔：因此，美中之间的问题是暂时的、不严重的，而且不会恶化，对吗？你抵达美国时曾称这是个非常困难的时期，你现在对美中关系如何下定义？

朱镕基：目前在美国确实存在反华逆流，对江主席和克林顿总统所说的发展友好合作关系构成了严重障碍，不仅仅是障碍，也存在使这种关系倒退的危险。因此，这当然是一个严重的问题。但另一方面，在历史长河中，你会发现不管是什么样的障碍，在众多事物发展过程中不过是微不足道的小事。当我们抵达洛杉矶时，下着瓢泼大雨，但到华盛顿时，却是阳光灿烂。我认为和这场风雨一样，这些问题也是会过去的。

莱雷尔：非常感谢你。

朱镕基：谢谢你。

接受美国有线电视新闻网（CNN）记者伍德拉夫采访*

（1999年4月13日）

伍德拉夫：朱总理，感谢你接受我们的采访。在你访问美国之前，你说自己是一个普通的中国人，但脾气不好。我的第一个问题是，这次就世贸组织问题没有达成协议，你现在是不是想发脾气？

朱镕基：我在美国不但没有发脾气，而且还始终保持着笑脸。我不认为关于中国加入世贸组织的会谈是不成功的。克林顿总统和我签署了一个联合声明。在联合声明中，美国明确表示坚决支持中国在1999年加入世界贸易组织。我认为我们的工作现在处于最后阶段，通过我们的共同努力一定能够达成协议。

伍德拉夫：你是否怀疑今年年底之前可以达成协议？

朱镕基：根据我从一些美国国会议员和其他方面得到的消息，他们说可能还要两到三个月才能达成协议。当然，我希望最好能在两周内完成。

伍德拉夫：在过去几天里，你说克林顿总统缺乏勇气，认为他屈服于美国国内的政治气候。是不是你认为总统比你想象的在政治上更

* 访问美国期间，朱镕基总理在下榻的纽约华尔道夫饭店接受美国有线电视新闻网（CNN）记者朱迪·伍德拉夫采访。

软弱？

朱镕基：我想，这不是一个有没有勇气的问题，而是一个对机会的判断问题，反映了他对美国国内政治气候的估价。我认为他还是应该下决心，在考虑国会意见和国内舆论后作出决断。我认为他会作出正确的决定。这次访美——我已去了包括纽约在内的5个城市，明天还要去波士顿——我有机会接触到美国各界的许多人士，其中有国会议员、工商界人士和新闻界的朋友。我发现我接触的人对中国都很友好，我想这预示着中美关系要继续不断发展。我觉得，我们见到的人都会支持中国加入世贸组织。今天下午两点，克林顿总统打电话给我，我告诉他我的这个感觉，他说他也有同样的感觉，所以我想，我们不用很久就会达成协议。

伍德拉夫：在这个问题上，克林顿总统谈到同中国保持接触的重要性。你是否认为两国保持接触是重要的？

朱镕基：你说的“接触”，我们称之为中美“友好合作关系”。我认为，同中国建立友好合作关系，是贵国共和党和民主党两党的一贯政策。自从尼克松总统第一个打开了中美交往的大门以后，这个政策在美国就受到了两党一致的支持。尼克松是共和党人。在民主党人的卡特总统任期内，我们两国建立了正式外交关系。后来，同为共和党人的里根总统和布什总统继续推动两国关系向前发展。现在的民主党人克林顿总统和我们的江主席已宣布，两国要建立建设性的战略伙伴关系。

这一系列事件表明，这一政策一直受到两党共同的支持。我感到，我们现在正进入一个新的阶段，这一阶段不仅符合我们两国的利益，而且符合全世界的利益。从中方来说，如果我们回头看，毛主席、周总理、邓小平先生和现在的江泽民主席，三代领导人都支持这一政策。

所以，我认为你们所说的“接触”是正确的途径；所谓的“遏制”，甚至某些人所称的“软遏制”，是错误的途径。

伍德拉夫：这已成为大家的共识，同时，大家也都知道，美中在具体问题上会有分歧。这些具体问题之一当然是人权。克林顿总统和其他一些人已谈到这一点。就在最近，你们的政府逮捕了持不同政见者，这些人想成立一个政治上的反对党。总理先生，你认为当经济上更强大以后，中国能否容忍更多的不同政见？

朱镕基：就人权来说，常常是中美双方在有共同的概念的同时，在如何实施上有分歧，因为归根结底，各国的情况不同；而且我认为，中国正在不断地改善人权状况。但同时，我们仍有很长的路要走；并且，我们必须继续在这个方面改进。所以，我们愿意听取外国朋友的意见。我们必须看到，我们有着2000年传统观念的负担，这影响着我们人民的思想。而且，我们人民的教育水平是不能同美国相比的。

近来，中国全国人大修改了我们的宪法，增加了一项修正案，要依法治国。这表明中国想建立一个完整的司法制度，建立一个法治的国家，但这不是容易办成的事情。我们缺少大量合格的人才。目前，我们非常缺乏法官和律师。你们美国有这么多律师，我们却很少。

伍德拉夫：我们派一些人给你们。

朱镕基：我们正在培养这些方面的人才，但这需要时间，不可能一夜之间就培养出来。所以，当你们表示对中国改善人权状况的关切时，要知道，在希望改善人权状况方面，我们比你们要着急得多。经济改革肯定要带来政治改革，你应该看到我们已经在进行一些政治改革了，比如我刚才提到的宪法修正案，它正指导我们依法治国。我们的宪法规定，人民有言论和集会的自由。这说明，这些权利是被考虑过的。当然，一个大前提是，不能做任何损害公共财物和公共利益的事情。我们将继续朝这个方向努力。

我们承认，我们在人权领域有不足；但同时我们也要说，中国人民正在享受历史上最好的人权。

伍德拉夫：在美国，很多人承认这一点；事实上，美国政府也承认这一点。有个问题是关于你自己的经历。你曾两次被下放，我知道你在养猪场干了很多年，从事的是重体力劳动。你的经历是否告诉你，中国不怕不同政见？

朱镕基：我不认为我个人经历的细节值得在这里讨论，我不想在这里谈论这个枝节问题。但我认为，如果你注意观察，你会发现，我们的领导人都有类似的个人经历。我们年轻时都为民主而斗争，为我们国家的自由、独立和解放而斗争。不可想象，我们这些毕生为改善中国人民的人权状况而斗争的人会去侵犯中国人民的人权。问题是我们的工作做得好不好。我们只能努力工作，把工作做得更好。

伍德拉夫：你曾说过不想访问美国的原因之一，是因为美国出现有关中国偷窃美国最先进的核弹头设计及中子弹秘密的报道。但是，贵国的国家安全部长直接受你领导，如果确有此事，你难道不知道，或未听说过吗？

朱镕基：正如我以前所说，我的确不愿意现在来美国访问。是现在不来，并非永远不来。我只是感到这次访问如果晚些时候进行，可能会更好些，原因是我担心目前的气氛不太好，很多问题上存在反华情绪，而且这种情绪相当普遍。这与具体的间谍案无关。我认为，间谍案是美国国内的一个问题。

我在华盛顿已经说过，我从未听说过此事。我不相信中国会通过间谍手段获取美国的军事机密。来美国之前，我就这件事问过江泽民主席。他亲口告诉我，他不知此事。江主席和我又去询问军方有关领导人，他们也说不知道此事；我也问过我们的国家安全部长，他的回答也是“不知道”。如果你们要调查，我们愿意协助。

伍德拉夫：如果此事确实发生过，美国今后坚持在对华涉及安全性的高技术转让方面采取一些核查措施，这样做对吗？

朱镕基：我认为，目前美国对华出口限制，已经过于严格了，很多算不上所谓“高技术”的产品，也不许向中国出口。你知道，我们需要计算机用于天气预报，但是连这类计算机美国也不出口给我们。我感到，这是中美间贸易逆差的一个重要原因。

伍德拉夫：友好国家之间进行间谍活动是合适的吗？

朱镕基：对我来说，你提的像是一个哲学问题。我只能回答，我不知道间谍案。

伍德拉夫：我想知道你的看法，你认为这是适当的吗？

朱镕基：我不知道有针对美国的间谍活动。

伍德拉夫：我想问你几个敏感领域的问题。一个是有关战区导弹防御系统的问题。美国已同日本讨论过这个问题。有一种猜测说，如果部署这一系统，台湾有可能应邀加入。如果这样，贵国将会做些什么？

朱镕基：我们认为，TMD（战区导弹防御系统）违背了有关导弹的国际协定，不利于军备控制。搞不搞TMD是你们的事情，但如果你们把中国台湾地区纳入TMD，中国的立场将是坚决反对，因为这是干涉中国内政，也是对中国主权的侵犯。

伍德拉夫：你能说说中国将做些什么吗？

朱镕基：我们能做什么？我们将反对，希望美国人能够考虑我们的意见。

伍德拉夫：美中之间的另一个问题是非法捐款问题。你或是其他人是否问过中国军队情报部门首脑姬将军，他是否给了钟约翰一些钱，转给美国民主党？

朱镕基：我已经说过，如果我们认为捐款有效而搞竞选捐款，我们肯定不会愚蠢到只捐区区30万美元。我不认识你所提到的姬将军，我从未见过他，也不知道他是否做过此事，或者他做此事的意图。但我的确答应过克林顿总统，我们愿同美国一道调查此事。我还要补充一句，此事我也问过江主席，他说他也不知道此事。

伍德拉夫：关于科索沃问题。贵国政府反对北约空袭的立场非常清楚。贵国政府支持米洛舍维奇政府吗？

朱镕基：我们的立场建立在正义的基础上，建立在国际法准则基础上。我们反对的，是对一个国家的内部事务和主权进行干涉，而民族争端属于内部事务。我们完全不是从意识形态角度来看待这件事，也不是把自己同某个个人联系在一起，我们采取这样的立场更不是出于私利。

正如你们现在看到的，军事干预已经造成了大量的伤亡和经济损失，这也包括 3 个被抓起来的美国人。我们对此深感关切。

巴尔干地区是欧洲的“火药桶”，巴尔干地区发生战火非常危险。这就是为什么我们希望停止这种干预，重新开始政治谈判，因为只有政治谈判才是解决问题的真正出路。这对全世界人民有利，对美国人民、南斯拉夫人民和科索沃人民都有利。

伍德拉夫：你刚才说，不管出现什么种族暴行都应该政治解决。我想问清楚，你是否说，不管发生什么种族暴行，不管死了多少人，它仍然是一国的内部事务，别人不得卷入吗？

朱镕基：我们反对任何形式的种族屠杀，不管是谁干的。根据我们的经验，我们认为，许多种族问题是历史遗留下来的，种族冲突中发生的相互残杀特别残酷。但是，解决的办法是，有关国家的政府把不同的种族叫到一起，坐下来，在平等和友好的基础上谈判。任何形式的外部干预只会增加伤亡，解决不了问题。

伍德拉夫：在任何情况下都是这样？

朱镕基：我们不想看到更多的人失去生命。

伍德拉夫：提个关于贵国的问题。你希望中国发展成什么样子？你认为 40 年、50 年、60 年之后，中国会是什么样的国家？仍然是社会主义国家吗？会有些民主吗？你看中国在政治上和经济上会如何发展？

朱镕基：我认为，再过四五十年甚至60年以后，中国将会发展起来。但即便在那时，中国也不会超过美国，更不可能对美国构成什么威胁。中国只会成为美国的朋友，很可能是美国的大市场。

中国的政治体制改革将继续下去，但我们仍将保持社会主义。我们的经济体制将继续是社会主义市场经济体制，因为只有社会主义市场经济体制才能使我们避免经济危机。当然，美国有许多东西值得我们学习，你们现在的经济增长期是美国历史上最长的。

伍德拉夫：永远是社会主义？

朱镕基：永远是，但我说的社会主义带有中国特色。

伍德拉夫：不久就是北京民主示威10周年了。你在离京前夕接受《华尔街日报》采访时说："这些事情，我们都不希望它们再发生。"你这么说是什么意思？

朱镕基：你说的是1989年"六四"事件吧。在中国，我们对此已经作出了非常明确的结论。直到今天，我们没有改变这个结论。但是我确信，这种事情不会再发生了，因为我们现在有了这方面的经验。

伍德拉夫：你认为不会再发生的事情指的是民主示威呢，还是政府处理的手段？

朱镕基：因为我们相信，中国现在有了足够的民主，所以我们认为，这种事情不会再发生了。

伍德拉夫：中国对民主有什么害怕的吗？

朱镕基：我为民主奋斗了一辈子，因此，我觉得民主没有什么可怕的。我们要民主，我们也要法制，所以，在要求民主时不能违法。民主与法制应该同时发展。1989年发生的那场政治风波是因为他们要民主，不要法制。当然，我现在还不能说他们要的民主是不是真正的民主，或者他们要的是什么形式的民主。

伍德拉夫：最后，朱总理，再问你一个问题。你将带给世界人民什么样的信息？或者是帮助人们了解他们所不了解的中国的哪些地方？你愿意让美国人民、欧洲人民、非洲人民或世界其他地方的人们了解中国什么？

朱镕基：我认为在美国当前出现的反华情绪中，调门最高的、最不了解中国的，经常是那些从未去过中国的人。所以我想，推动和改善中美关系的最好办法，就是在中美间进行更多的来往和访问，让人民之间更好地交流。这次访美期间，我有机会会见各行各业的美国人民包括美国普通老百姓，我发现，他们都对中国表达了友好的感情。在一些问题上，包括国会议员提出的人权和西藏问题，他们听了我的解释后，也表示理解为什么我们要这样做。因此我认为，如果我们能更好地促进中美两国人民相互之间的了解，中美两国关系就一定会得到改善。

伍德拉夫：朱总理，我们CNN（美国有线电视新闻网）非常感谢你，谢谢你接受我们的采访。

朱镕基：如果可以的话，我想借此机会通过CNN讲几句话：这次访问中，克林顿总统和美国政府给予我们热情款待，也给我们机会，使此次访问成为一次非常有建设性和富有成果的访问。我们访问了你们6个大城市，与各界许多人士会面。通过此次访问，我们深深感受到，美国人民对中国人民怀有强烈的友好感情。因此，我借此机会向克林顿总统、美国政府和美国人民表示最衷心的感谢，也感谢你。

伍德拉夫：我还没有问你此次访问中你最喜欢哪个城市，以免在它们之间引起竞争。

朱镕基：我喜欢所有的城市。

伍德拉夫：你说话很像一位外交家。谢谢。

朱镕基：谢谢。

接受西班牙埃菲社社长贡萨洛采访*

（2000 年 6 月 21 日）

贡萨洛：总理阁下，我们埃菲社能够有机会采访你，感到非常高兴和荣幸。通过你，我们将可以第一手了解中国这个大国。

朱镕基：欢迎你来到中国。很高兴通过埃菲社转达我对西班牙人民最友好的感情。

贡萨洛：阿斯纳尔[1]首相即将访华。他很重视发展同中国的关系。你怎样评价目前的西中关系？你认为在哪些方面能够进一步改善这种双边关系？

朱镕基：中国和西班牙两国在政治、经济、文化等各个领域的合作关系进展得很快，我们很重视发展同西班牙的友好合作关系。我同阿斯纳尔首相在 1998 年见过面，我们正在准备热烈欢迎阿斯纳尔首相访问中国。我相信，他这次访华一定能够促进中西两国关系进一步发展。我还可以告诉你一个消息，我欢迎外国的政府首脑也好、元首也好，最多也就是参加会谈和宴请，从来不参加文艺活动。不是我不

* 2000 年 6 月 21 日，朱镕基总理在中南海紫光阁就中西双边关系等问题，接受西班牙埃菲社社长米格尔·安赫尔·贡萨洛采访。

[1] 阿斯纳尔，即何塞·玛丽亚·阿斯纳尔，当时任西班牙首相。

2000 年 6 月 26 日晚，朱镕基与夫人劳安陪同来访的西班牙首相阿斯纳尔及夫人，在北京世纪剧院观看西班牙霍金·科尔特斯舞蹈团的专场演出《灵魂》。

（新华社记者刘建生摄）

喜欢文艺活动，实在是没有时间。我在国内参加文艺活动，一年也就是一两次，最多也就是三次。但这次应你们首相的邀请，6 月 26 日，我要陪他观看西班牙艺术家表演的芭蕾舞[1]。我对芭蕾舞一窍不通，但是我的夫人懂一点，她年轻时能够跳芭蕾舞。欣赏完芭蕾舞后的第二天，我们就将出国去欧洲访问。这样做，是希望阿斯纳尔首相对中国有一个亲切的感情。中国人民是非常热情好客的，我们将给阿斯纳

[1] 指 2000 年 6 月 26 日晚，朱镕基总理和夫人劳安陪同来访的西班牙首相阿斯纳尔及夫人，在北京世纪剧院观看西班牙霍金·科尔特斯舞蹈团的专场演出《灵魂》。

尔首相热情友好的接待。

贡萨洛：你去西班牙访问过两次。对于普通的中国人来说，他们熟悉西班牙吗？

朱镕基：中国人民还是非常熟悉西班牙的，至少我在当学生时就熟悉了西班牙，尽管那时没去过。我学英文时，课本上说，西班牙国王派哥伦布[1]发现了新大陆。我当时就感到很奇怪，哥伦布是意大利热那亚人，怎么是西班牙国王派他去呢？后来到青年时代，我读了塞万提斯[2]的《堂吉诃德》。这部小说在中国流传得非常广。我相信，不仅是我们这一代人读过《堂吉诃德》，现在许多年轻人也读过。年轻人知道最多的就是你们的斗牛。没有一个人不称赞你们西班牙的斗牛士，真是勇敢。

贡萨洛：你看过斗牛表演吗？

朱镕基：在电影里看过无数次。

贡萨洛：哥伦布发现了美洲大陆。美洲有 4 亿人讲西班牙语。当然，这个数字没有中国的人口数字大。你认为西班牙可以发挥中国与拉美交往的桥梁作用吗？

朱镕基：在拉美，除巴西外，多数国家都讲西班牙语。因为西班牙具有这种特殊地位，所以，西班牙不仅可以为中国与欧盟加强关系作出贡献，在中国与拉美的交往方面，西班牙也可以做很多工作。我们愿意与西班牙这样一个具有广泛国际影响的国家建立良好的合作关系。

[1] 哥伦布，即克里斯托弗·哥伦布（1451—1506），意大利航海家，在西班牙国王支持下，于 1492 至 1504 年四次出海远航，到达了美洲大陆，开辟了横渡大西洋到美洲的航路。

[2] 塞万提斯，即米格尔·德·塞万提斯·萨维德拉（1547—1616），文艺复兴时期西班牙小说家、剧作家、诗人。他创作的小说《堂吉诃德》，被称为世界文学史上第一部现代小说。书中的堂吉诃德及仆从桑丘，是西方古典文学中的两个典型形象。

2000年6月21日，朱镕基在中南海紫光阁接受西班牙埃菲社社长贡萨洛采访。
（新华社记者刘建国摄）

贡萨洛：你提到堂吉诃德，他的对立面是桑丘。堂吉诃德代表理想主义，桑丘代表现实主义。你认为随着现代化的发展，中国的年轻人有丧失传统价值观的危险吗？

朱镕基：对年轻人的教育是个很大的问题。特别是随着互联网的发展，年轻人所受到的教育是国际性的，他们得到的信息有好有坏。一部分年轻人，越来越不太喜欢中国传统的文化，而是喜欢“现代”的。我们主张文化的开放性，一种文明只有吸收全世界最优秀的东西，才能得到传承和发展。但是现在有的年轻人吸收的不是优秀的文化，而是庸俗的东西。因此，加强对年轻人进行民族文化传统和世界优秀文化的教育，并使这种教育更有吸引力、更有说服力、更有感染力，是一个严肃的课题。希望你们的芭蕾舞表演，能够使中国人民了解到西班牙的高雅艺术。

我在你们国家也看过民族舞蹈。那是你们西班牙民族的、大众的艺术。

贡萨洛：你认为在中国进行经济改革和对外开放过程中，共产主义能够生存吗？你怎样看待共产主义在21世纪中国的前途？

朱镕基：共产主义是一个思想体系，是一种理想，也是一种运动。共产党人认为，实现共产主义是一个很长很长的历史过程。现在中国搞的是共产主义的低级阶段，就是社会主义，而且还只是社会主义的初级阶段。中国共产党人坚持把马克思列宁主义的普遍真理与中国实际结合起来，我们要建设的是有中国特色的社会主义。尽管国际共产主义运动的发展已经有100多年的历史，但真正在一个大国里与本国实际成功地结合，中国是一个创举。中国共产党已经选择并走上了正确的道路。当然，在别的国家也有这种实践，有成功也有失败。别的国家的事情我不好说，我始终认为，社会主义在中国是能够取得胜利的。我们现在的目标是建设繁荣富强、具有社会主义民主与法制的国家，这个目标我们是能够实现的。

但我们做的一切并不是跟原来所主张的完全一样，或者说不是教条主义的，而是根据实际情况不断地修正、完善我们的政策。

贡萨洛：那么，这种对道路的不断修正，是否会导致完全的市场化，以满足人们的意识形态的需要，包括大选、多元化？

朱镕基：我们应该把政治和经济分开。你提到的市场是另外一个概念。社会主义不排斥市场。社会主义并没有说只能实行苏联那种计划经济，没有这种规定。社会主义也没有说一定要实行企业的国有制，它只讲公有制。实行公有制有很多形式。新中国成立后，我们一开始学习苏联的计划经济、国营企业那一套东西。现在对那套东西有很大的修正，我们现在实行的是社会主义市场经济，对国有企业也可以实行股份制，也就是说，实行公有制的另外一种形式。实行市场经济与社会主义没有什么矛盾。

贡萨洛：我们在西班牙都熟知邓小平的名言，即不管白猫黑猫，抓住老鼠就是好猫。现在在中国，公有经济、私有经济都在发展，然而，公有经济缺乏私有经济的经营观念。中国国有企业的私有化进程将会进行下去吗？

朱镕基：我们对私有经济的认识也有发展。改革开放之初，我们认为私有经济是社会主义经济的必要补充，现在认为它是社会主义市场经济的重要组成部分，在政策上鼓励和支持私有企业发展。如果现在把外国在中国所办的独资企业和中外合资企业也看做私有经济，那么它在中国经济中占的比重很大，接近40%。中国是不是在进行私有化呢？我们不认为是这样。私有化在别的社会主义国家已经产生了灾难性后果，你也看见了。要是实行私有化，中国国民经济就会崩溃。我们仍然主张实行以公有制为主体的国民经济。实现公有制有多种形式，我们现在对国有企业进行重组，然后通过发行股票上市，是把它作为公有制的一种实现形式。对极少数国有企业，我们要实行国家控股。对绝大多数国有企业，不需要国家控股，而是面向公众，发行股票，提高它的公开性、透明度，接受群众的监督。我们相信，这种股份制企业在社会主义市场经济中，也能像在资本主义市场经济中一样得到发展。

贡萨洛：西班牙密切关注台湾海峡的局势。你是否认为如果中国与台湾的谈判失败了，中国就会对台湾使用武力，使之与大陆统一？你怎样看待日前陈水扁的言论？他说，朝鲜和韩国首脑成功地举行了峰会，讨论了朝鲜半岛的统一问题，中国和台湾也应用同样方式解决分歧。

朱镕基：我们和台湾当局没有进行谈判，所以谈不上什么谈判破裂。我们的原则是，只要承认一个中国原则，什么都可以谈，他们可以来，我们也可以去。我们的政策就是“和平统一、一国两制”。我们的政策是非常宽松的。统一后，我们绝对不会干涉台湾的政治、经济制度，台湾的领导人可以到中央政府来任副职，我们也不派军队去台湾，这比我们对香港、澳门的政策宽松得多，应该说是够宽松的了。台湾问题与朝鲜问题完全不同。第二次世界大战结束后，就是 1945 年后，所有的国际条约都明确承认台湾是中国的一部分，而且事实上台湾已经归还给中国了。而根据有关国际条约，朝鲜和韩国是两个国家。现在朝鲜和韩国的首脑会谈很成功，他们希望统一，这种情况与台湾不一样。现在，台湾当局领导人不承认一个中国原则，连他自己是中国人也不敢说。朝鲜半岛上两个国家要求统一成一个朝鲜；而台湾在法理上本来就是中国的一个部分，但台湾当局领导人不承认。Very big difference（差别很大）！现在台湾当局领导人，言行不一，正在蒙蔽或者说是糊弄全世界。美国的一些政治家被陈水扁蒙蔽，觉得他比李登辉好。我希望西班牙人不要被蒙蔽。现在台湾当局领导人还没有站稳脚跟，摇摇晃晃，对他的讲话不要相信。我们现在只是在听其言、观其行。台湾当然是一定要与大陆统一的。

贡萨洛：关于西藏问题，中国政府是否正在考虑进行某种形式的对话，以寻求政治解决西藏问题？

朱镕基：我们同达赖喇嘛对话的渠道始终是畅通的，但达赖喇嘛不是普通的宗教界人士，他是一个政客。他的目的就是要分裂中国，搞“西藏独立”。只有达赖喇嘛公开承认西藏是中国不可分割的一部分，承认台湾是中国的一个省，中华人民共和国政府是代表全中国的唯一合法政府，不再进行分裂活动，这样，我们同他的对话才有意义。

贡萨洛：在 21 世纪，统一的中国是否会恢复往日的世界大国地位？

朱镕基：我们想到的就是要为中国人民谋福利，把中国建设成为繁荣富强、民主法治的国家，不去想什么在世界上的地位。中国人民被帝国主义压迫了100多年，压迫我们的国家中没有西班牙。我们绝对不会像某些国家那样搞霸权主义、强权政治，因为我们曾经深受其害。欺负别人、压迫别的国家，对自己有什么好处？中国人民靠自己的努力，能够富强起来，我们不会欺负别的国家。所以，叫我们世界大国也好，叫我们世界小国也好，我们毫不在意。反正在最近10年里必须承认中国是世界上人口最多的国家，人多是不好欺负的。10年后不敢说，印度的人口有可能会超过中国。

贡萨洛：作为总理，你很忙，但想必也有一些自由活动的时间。在这些时间里，你做什么？你有孙子、外孙吗？我们都知道你有一个女儿、一个儿子，也知道你过去打网球，现在还打吗？

朱镕基：我每天工作12个小时以上，睡觉的时间都不充足，根本没有时间从事体育运动和文娱活动。几年以前，我偶尔还打打网球，现在没时间了。平时我就是在自己的院子里散步、转圈。院子太小，转起圈来头晕，但我必须保证每天散步一个小时。我爱好文学，也爱好音乐，但现在既没有时间读小说，也没有时间听音乐。所以，我的生活很简单。

贡萨洛：你在小院子里散步时肯定在考虑经济问题，是否也考虑反腐败问题？

朱镕基：是的。在散步时，许多工作中的问题都萦绕在我的脑际，包括反腐败的问题，也包括经济体制改革的问题。为了让脑子休息一下，我近两年发明了一个办法，就是与我的夫人散步时，一起背诵过去所念过的中国古诗。最近我们在背《长恨歌》[1]，描写的是唐玄宗和杨贵妃的故事，现在可以全部背下来了。

[1] 《长恨歌》，是中国唐代诗人白居易创作的脍炙人口的叙事长诗，被称为千古绝唱。“在天愿作比翼鸟，在地愿为连理枝”等是其中的名句。

接受日本经济学家宫崎勇和日本广播协会（NHK）主持人国谷裕子采访*

（2000 年 9 月 21 日）

宫崎勇：今天你能拨冗接受采访，我们感到非常高兴和荣幸。你即将对日本的访问，将加深日中友好并为亚洲的和平作出很大贡献。日本国民都期待并欢迎你的来访。NHK 希望通过对阁下的采访，营造一个良好的环境迎接阁下的到来。你爽快地答应接受采访，我们感到惶恐。我冒昧地向你提三个技术性的请求：第一，由于这个采访将向日本全国播出，希望你每次讲话尽量短一些；第二，本来我应该称你"朱镕基阁下"，但由于日本全体国民都将收看这个节目，为使这个节目显得不是那么生硬，请允许我称呼你"朱镕基总理"；第三，我们对你的采访是想表达普通日本国民对你来访的欢迎之心，所以我们将尽量避免提一些你来日本后会在官方场合谈论的话题，同时尽量避免提一些令你不愉快的或者不礼貌的问题，但万一在我们交谈过程中无意间出现了这些问题，请你原谅。

* 应日本国内阁总理大臣森喜朗邀请，朱镕基总理于 2000 年 10 月 12 日至 17 日对日本进行正式访问。访问前夕，朱镕基在中南海紫光阁接受宫崎勇（日本著名经济学家、曾任日本经济企划厅长官）和日本广播协会（NHK）主持人国谷裕子采访。

朱镕基：我保证按你的三点要求去做。我可以保证，我回答问题比你刚才提问题的时间要短。我也绝对不会怪你们不讲礼貌，因为你是我的老朋友。这位女士[1]呢，非常漂亮。我相信你们都很有礼貌。好，请你讲吧。

宫崎勇：朱镕基先生在80年代曾经三次访日。90年代，你曾经作为副总理访问过一次日本。但是，每一次访问时间都很短，话题也仅限于经济领域。这次是你就任总理后的首次访日，而且时近21世纪，访问的时机非常好。同时，你将作为日本政府的贵宾在日本停留较长时间，所以我们都期待你的来访。现在，你是什么样的心情？

朱镕基：我很高兴接受森喜朗首相的邀请，使我有机会访问日本，并和他进行会谈，也使我有机会去看望日本人民和我在日本的许多好朋友。我渴望和他们见面。当然，我也很高兴能够看看日本人民在经济建设上的成就，并且看看我们能够借鉴到哪一些东西。在当前中日两国和两国人民友好合作关系总的趋势非常好的基础上，双方存在着一些误会或者在一些敏感问题上存在着一些意见，我希望我这一次能够当面向日本人民和日本朋友们做一些解释的工作，即所谓增信释疑的工作，以加深我们的相互了解和相互信任。所以，我这一次访问日本的任务比过去几次都要重，因此我比过去紧张得多。

国谷裕子：总理即将到访的日本正在积极进行改革。听说朱总理是中国的改革旗手，很好地推动着中国的改革。在你就任总理以来的两年半时间里，你感到改革的最大障碍是什么？

朱镕基：我绝对不敢称自己是改革的旗手。这个旗手应该是邓小

[1] 指日本广播协会（NHK）主持人国谷裕子。

平先生，他是中国改革开放的总设计师。我在经济改革中所做的工作，是在以江泽民主席为核心的中央领导集体的领导下做一些具体的工作。当然，开创经济改革新局面这个工作是很难的，我做的一些具体工作还是比较轻松一点的。尽管我碰到了很多困难，但是在中央领导集体的领导下，在全国人民的支持下，总的来讲，改革的进行还是比较顺利的。

宫崎勇：在日本，人们经常说总理大臣是孤独的。朱镕基先生，你在做工作时是否有时感到只有自己在辛苦地工作，也感到痛苦或孤独？

朱镕基：我一点也不感到孤独，找我的人太多了。每天要看无数的人民来信，每天有无数的人打电话要来见我，我不能全看，也不能都见。我一年所批出去的文件包括人民来信接近一万件。差不多每天都有人，在我的办公室等着我一个一个地见他们。所以，我只有在我8小时睡眠的时候才感到是真正的孤独。

宫崎勇：总理在1998年3月就任总理后的记者招待会上说，中国搞社会主义市场经济要做三件事，就是“一个确保”、“三个到位”、“五项改革”。我们看了各种统计资料，认为这三件事都进行得比较顺利。我们经济学家总是多个心眼，有时觉得“能搞得那么好啊，真是那样的吗”？你认为今后的改革中会遇到哪些困难？

朱镕基：当然困难很多。本届政府一成立就遇上了亚洲金融危机，这是我们从来没有想到的，中国的经济发展因此经历了挫折，但是确实很快就得到了恢复。现在我的任期已经过去了差不多一半多了，我可以说，本届政府原来所提出的目标，已经可以保证在本届政府任期内完成，或者说现在就已经基本上完成了。我提出的目标看起来很高，但实际上我们都加了限制词，比方说国有企业，我是说在3年的时间里，使大多数国有大中型亏损企业能够转亏为盈，或者说摆脱困境。这个任务，今年年底3年到期，保证一定能够完成，而且有些行业像纺织行业和一些基础设施的行业，现在基本上都已经做到了。我并没有说使国有企业从根本上改变它的机制，实现公有制的多种形式，或者说把国有企业股份化，以及建立国有企业的现代企业制度。这些都是不可能在3年的时间内完成的，而是需要更长的时间。但是应该说，在这方面我们也取得了不小的进展。

国谷裕子：朱总理，如果改革开放的设计师、你刚才称之为改革旗手的已故最高领导人邓小平先生在此，你觉得他会称赞你吗？

朱镕基：按照他的性格，也许会批评我，认为我做得不够。

国谷裕子：是吗？批评你做得还不够？

朱镕基：Yes（是的）。

国谷裕子：那是指改革的速度吗？还是指人们意识的转变还不够？

朱镕基：我想，你对于邓小平先生的思想了解得很深刻。他要批评我的就是你刚才讲的那两个方面。

国谷裕子：是吗？是吗？

朱镕基：他总是希望搞得快一点。

国谷裕子：不过我想，推进改革会给许多人带来很多痛苦。很多人会失掉原有的地位，断了财源；还有很多人甚至失去了对未来的希望。你是否担心这些人增加不满情绪，增加对现在体制的不满或者不愿意改革的情绪？

朱镕基：当然，改革是一场人们在思想上、组织上和社会生活方面的极大的变革，所以不能不产生矛盾，也不可能不遇到阻力，有时候也会引起一些并不很了解前景的人的一些不满。比方说，1998年亚洲金融危机影响最大的时候，中国曾经有1000万国有企业职工下岗或者说失业。这当然引起了社会不稳定，一直到现在，这些下岗职工也不可能完全都能就业，这仍然是我们的一个问题。又比方说，由于我们采取的农业政策的成功，中国人解决了吃饭的问题，粮食不是不够，而是超过了需求。在供过于求的情况下，粮食价格不断下降，农民收入减少，引起了农民的不满。我们现在解决这个问题也有一定的困难。我们希望日本人民帮助我们一下，多吃一点中国的大米和多进口一点中国的玉米，帮助我们解决这方面的问题，好不好？所有这些问题，我们在江泽民主席的领导下，一个一个地解决了；还没有解决的问题，我相信也一定能够解决。

宫崎勇： 我提一个我想到的日本的问题。日本经受了很长时间的不景气，最近终于步入了复苏的轨道。今后日本必须进行各种真正的改革，与中国一样，要进行金融系统的改革、结构改革、财政改革等等。刚才朱镕基先生讲的经验，请你一定告诉给日本政府和经济界，鼓励一下日本。

朱镕基： 我们很高兴地看到，日本经济今年已经走上了一条强劲复苏的道路，很有希望。其实，中国很多改革的做法，比方说积极的财政政策，是从日本的政策受到启发的。所以我想，与其说我去向你们介绍经验，不如说我去向你们学习经验。

国谷裕子： 你刚才说必须进一步加快改革，预计中国在今年或者明年早些时候实现加入 WTO，你认为这会加快中国的改革吗？加入 WTO 会给中国带来什么样的影响？

朱镕基： 我们从来认为参加 WTO 有利也有弊，但是经过我们自己的努力，可能使利大于弊。参加 WTO 以后，有利于中国增加出口或者促进中国的经济改革，有这个有利的一面；可是由于中国的国有企业还不能够完全适应国际竞争的环境，也可能有一些会倒闭，甚至造成我们经济上一定的困难。我们要努力克服这些困难，但是再困难也不会像有些人讲的那样："中国一参加 WTO，国有企业都会破产。"大概还不至于吧。

宫崎勇：日本的贸易自由化开始于 60 年代，随后开始了资本的自由化。那时和现在的中国一样，有争论，认为实行贸易自由化会使日本的农业破产，或者使日本的中小企业全部倒闭。现在回过头看，虽然我们当时遇到了各种困难，但最终使市场扩大到了世界范围，得到了很多好处。所以，日本在世界上最先支持中国加入 WTO。不过不能否认，中国加入 WTO，扩大贸易范围后，日本经济也会受到一些负面影响。我们认为，虽然中国加入 WTO 对日中两国都各有利弊，但总的看，还是有很大的好处。所以，我们期待中国尽快加入 WTO，以迎接新世纪。

朱镕基：我完全同意宫崎勇先生的意见。中国加入 WTO 以后，对中国来说，是正面的影响大于负面的影响。对日本来说，也应该是正面的影响大于负面的影响。让我们共同努力。

宫崎勇：我换一个话题，请问总理如何看 21 世纪？ 20 世纪就要结束了，在 20 世纪，由于产业革命，人们的物质生活丰富了，但各国的经济政策反而变得以本国为本位，或者走上了保护主义的道路，调整汇率搞倾销，搞殖民主义，最后导致了不幸的战争。21 世纪必须避免这种事态。21 世纪的中国，将加入 WTO，进一步推进国家的统一，在国内将开发中西部地区。请问你如何看 21 世纪中国的态势及其对日中关系的影响？

朱镕基：我想，无论是对中国也好，对日本也好，或者对世界也好，21 世纪将会比 20 世纪更好，因为人类更加聪明了。

国谷裕子：关于日本与中国的关系，开始时朱总理讲了，两国关系基本上是良好的，不过目前也有一些龃龉。其一是中国的调查船或者是中国的舰艇在日本近海出现，中国的军费最近 12 年一直保持两位数的增长，日本人对中国的不信任感在扩大，也有人感到中国是威胁。对日本国民的心情，担忧的心情，该作如何回答呢？

朱镕基：中日两国的关系总的说来，是在《中日联合声明》、《中日和平友好条约》、《中日联合宣言》的基础上向前发展，总的趋势是好的。特别是1998年江泽民主席访问日本以后，取得了建立中日两国致力于和平与发展的友好合作伙伴关系这样一个基调。在这个基础上，我认为两国关系的发展是很好的。当然刚才也讲到，中日之间存在一些问题，这些问题往往是由于双方互相没有完全了解，产生了一些误会，对一些敏感问题的感受不完全一样。比方说，你刚才提到的军舰问题或者海洋调查船问题，中国的高层领导并不了解。这完全是一种日常的业务活动，对日本人民毫无敌意，而且也不违反国际法。但是如果日本人民对此反应比较强烈，我们可以不要进行那么多活动，一定要进行活动的时候，事先相互通报一下，这不就可以避免误会、增加信任了嘛！日本方面有些举动也引起了中国人民感情上强烈的反应。比方说参拜靖国神社，你们也许认为这不违反宪法，但是靖国神社里面供奉着甲级战犯，这是伤害中国人民感情的。又比如说你们的教科书，最近据外电报道，里面都淡化了关于第二次世界大战和中日战争的许多史实。当然这是你们自己的内政，但是我们觉得还是应该以史为鉴，面向未来。

国谷裕子：这次你来日本，有什么话要向日本国民说？

朱镕基：我这一次去，主要是想做一些中日两国之间增信释疑的工作。至少我不希望再增加误会，我希望有助于中日两国和两国人民相互了解、相互信任，从而达到中日两国世世代代友好下去的目的。当然，我是搞经济的，我也希望借此机会，能够推动中日两国之间经济贸易各个领域友好合作关系的进一步发展。我想，这是有利于我们地区的和平与合作，也有利于国际和平与合作的。

宫崎勇：就要到时间了，我想换一个话题。对不起，这是关于你个人的一个问题，不知你能否回答？朱镕基先生的政治活动的能量从哪里来？你有没有可靠的保持健康的方法？

朱镕基：你的年纪比我大 5 岁，但是你看起来比我年轻得多。我应该向你请教健身法，而不是你来向我请教健身法。希望到你这个年龄的时候，我能够像你就很好了，可惜恐怕做不到，没有你这么好。

宫崎勇：对不起，总理的生日是 10 月 23 日，我是 28 日，不讲年份，还是我比你年轻。我所尊敬的联邦德国前总理施密特先生抽烟很凶，还喝咖啡，我担心他的身体。听施密特讲，他的主治医生无奈地对他说，你要保持健康就请抽烟吧，喝咖啡吧，工作吧！我对朱总理献身于工作深受感动，但是你的身体不只是你自己的，而是全体中国人民的，请你多加保重！

朱镕基：谢谢，谢谢你非常诚恳的谈话。

国谷裕子：听说朱总理自幼失去了双亲，在 1958 年到 1978 年，即 30 岁到 40 岁期间被剥夺党籍，经历了非常坎坷的人生，过了 50 岁才顺利，直到今天。你是如何克服那种困难的？在你人生经验的基础上，现在你以什么样的信念带领中国前进？最后，你还有两年半的任期，作为总理，你准备留给人们何种记忆？

朱镕基：我的经历非常平常，不值得一谈。是的，我经过差不多 20 年的挫折。但是我想，这种挫折对我也许是必要的。如果没有这种磨炼，我也许今天不可能当总理。我只有一点，就是从小以来不管受到什么磨炼，特别是我参加共产党以后，我始终没有动摇自己的信念，一直在全心全意地为人民服务。今后还要继续地鞠躬尽瘁，死而后已。

最后，我请你们转达我对森喜朗首相、我在日本的朋友和日本人民的亲切问候，我渴望跟他们在不久的将来在日本见面。我也希望你们统计一下刚才讲话的时间，是你们两位讲得长还是我讲得长。如果我讲得长，你们放映的时候可以把我的话删掉一点，不能超过你们提问的时间。

宫崎勇：我们不会这样做，我们就想你讲得长一点。不过整个采访时间略长，我们想修正一下。我们同中方商量后再编辑一下。

朱镕基：请你大胆地删，删得使日本人民能够更好地接受。

国谷裕子：对总理有一个请求：如果你有座右铭的话，能否请你写一下，我们准备向日本国民做介绍。我们准备了笔和板。

（朱镕基书写“清正廉明”——编者注）

国谷裕子：谢谢。这是你的座右铭？

朱镕基：对，我总是以这个标准来要求自己，但是我还做得不够。

国谷裕子：我们将把它介绍给日本国民。

宫崎勇：谢谢朱总理。

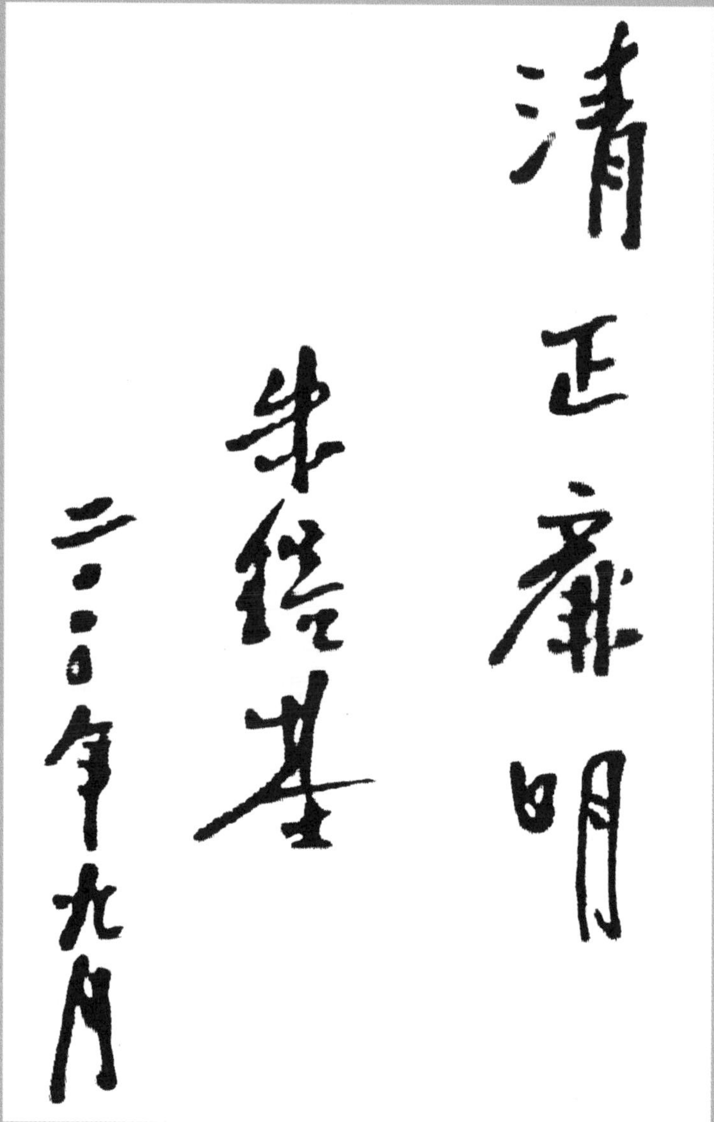

2000 年 9 月 21 日，朱镕基在接受宫崎勇和国谷裕子采访时当场书写的“清正廉明”。

接受韩国中央日报社会长洪锡炫采访*

（2000 年 9 月 21 日）

洪锡炫：朱总理在即将对韩国进行历史性访问之前，能够接受我们《中央日报》的单独采访，这对我们报纸来说是一个无限的荣幸。明天是《中央日报》创刊 35 周年纪念日，这个时候能够采访朱总理，使得我们的采访活动变得更加有意义。朱总理在韩国非常受欢迎、非常受尊敬，能通过《中央日报》介绍朱总理，我们感到非常荣幸。

朱镕基：首先，我要祝贺《中央日报》创刊 35 周年，请转达我对金大中总统的问候，请转达我对韩国人民的问候，我很高兴应金大中总统的邀请访问贵国。我和金大中总统是老朋友，在他当总统之前，我们就见过，我很钦佩他的为人。他年龄比我大，经验比我丰富，我要向他学习。在克服亚洲金融危机过程中，韩国是恢复最快的一个国家，我很高兴有这个机会去看看你们在经济上所获得的成就。

* 应大韩民国总统金大中邀请，朱镕基总理于 2000 年 10 月 17 日至 22 日对韩国进行正式访问，并在汉城出席第三届亚欧首脑会议。访问前夕，朱镕基在中南海紫光阁接受韩国中央日报社会长洪锡炫采访。

洪锡炫：访问韩国之前，不知你做了哪些准备工作，有什么样的政策构想？

朱镕基：我这次访问韩国，任务很重，但工作很轻松，因为江泽民主席和金大中总统在1998年已经确定了中韩两国面向21世纪的合作伙伴关系，我们两国之间确实存在着非常好的关系。我这次去就是要在这种友好合作的基础上，按照这个指导思想，进一步加强我们相互间的了解和信任。

洪锡炫：中国是韩国第二大海外投资国，你这次访问韩国，不知在更多地吸引韩国企业对华投资方面有什么想法？

朱镕基：中国从1978年开始实行改革开放政策以来，对外开放程度不断提高，近几年吸引的外资每年都达到400亿美元。中国加入WTO后，开放程度将进一步提高。特别是中国的西部大开发需要大量资金，需要外国企业的合作。韩国是中国的近邻，韩国人对中国情况比较熟悉，因此中韩两国可以在这方面进行更好的合作。

洪锡炫：中国的西部大开发为韩国企业带来很大机遇，韩国企业可以通过参与中国西部大开发建设，进一步促进韩中两国人民的友谊。不知总理阁下在吸引韩国企业家投资西部大开发方面有什么具体措施？

朱镕基：西部大开发的主要内容：一个是加强基础设施的建设，像铁路、公路等，中国第十个五年计划的投资要向西部倾斜；第二是生态环境的改善，要大力开展植树造林、种草；第三是科技、教育也要有一个大的发展。在这些方面跟韩国合作的机会很多。中国政府已经制定了一些政策，来鼓励外国人投资与合作。

洪锡炫：中韩建交已经8年了，去年两国的贸易额超过230亿美元。在两国贸易中，出现了一些小的摩擦，例如今年6月出现了大蒜纠纷。我想今后两国的贸易量将不断扩大，为避免贸易中的摩擦，两国政府应做些什么?

朱镕基:在世界贸易的过程中发生一些纠纷是不可避免的,我们高层领导有时不知道这些情况。希望今后中韩双方从大局出发,从长期的合作伙伴关系出发,互相谅解,互相了解对方的观点,做到互谅互让,尽量减少矛盾的发生。这样,纠纷发生后,就能够很快得到解决。大蒜纠纷的迅速解决就证明了这一点。

洪锡炫:现在,朝鲜半岛正出现由紧张走向缓和的大趋势,在此过程中,中国发挥了很大作用。请问,在今后半岛实现更高层次的缓和中,中国将作出什么样的贡献?这种变化将对东北亚局势有何影响?

朱镕基:朝鲜半岛自实现南北首脑会晤后发生了积极的变化,出现了可喜的进展,这是一件很好的事情。半岛南北双方既有诚意又有热情,在很多方面的问题都解决得比较好,我们感到很高兴。像此次悉尼奥运会上双方运动员站在同一面旗帜下,我们看了感到很激动,我们为你们感到高兴。当然,我们并不认为双方和平统一进程不会有波折,因为毕竟双方的社会制度还是有所不同,但是我们认为和平统一的进程不会中断,困难最终将会得到克服,我们真心诚意地希望这个过程将最终达到和平统一。这将有利于实现朝鲜半岛的和平和本地区的和平,对于全世界的和平、安全与发展也意义深远。中国政府将坚决地支持和促进这一过程的进行。

洪锡炫:今年5月金正日访华时,朱总理曾建议金正日将工业园区地点从中朝边境的新义州移到离南北边境较近的地方,不知你当时出于什么考虑提出这样的建议?

朱镕基:这次中国领导人与金正日的会见效果很好。1988年,我曾作为上海的市长参加过朝鲜的国庆,见过金日成和金正日。这次在北京,我与金正日进行了一次比较长时间的谈话,对他的了解大大加深了。我觉得他为人坦率、诚恳，思想很敏锐，知识很广博，信息也很广泛。我们讨论了很多东西，包括经济问题，包括中国的改革开放问题，其中也谈到你所说的设立开发区问题。我的印象是，他思想很开放，看得很远，同时也很虚心听取别人的意见。

洪锡炫：最近韩国举行了京义铁路开工仪式，金大中总统也参加了。朝鲜过几天可能也会搞这个仪式。南北之间的这条铁路从汉城通过新义州可到达中国的丹东，也可到达北京，这件事情非常有意义，不知总理对此有何评价？

朱镕基：我们很高兴看到京义铁路的复工，这是一件很好的事情。这不仅能够促进韩国与朝鲜的和平及友好合作，同时也有利于朝鲜半岛与中国的联结。

洪锡炫：1997 年发生亚洲金融危机后，中国保持了人民币不贬值，这使韩国等国家在恢复经济过程中得到很大帮助。最近世界油价出现暴涨，亚洲一些国家出现金融危机的征兆。如果再次发生金融危机，中国是否还会保持人民币不贬值？

朱镕基：在亚洲金融危机期间，中国坚持了人民币不贬值的政策，这一政策获得了很大成功，不仅有利于亚洲国家经济的恢复，也有利于中国自己的发展。中国实行的汇率制度是面向市场，以市场为依据的有管理的浮动汇率政策，也就是允许汇率根据市场的变动在一定幅度内进行变动。中国近几年国际收支一直是平衡的，外汇储备不断增加，现在已超过了 1600 亿美元。同时，中国的银行里也有大量的个人和企业的外汇存款，现在已超过了 1100 亿美元。因此，中国在目前国际收支有余的情况下，没有人民币贬值的压力。当然，当前国际油价的上涨对中国的经济有一定影响，但是因为中国自己能够生产 1.6 亿吨原油，今年是进口最多的一年，也只达到 7000 万吨，所以油价上涨对中国的影响不是很大。因此我认为，中国的汇率近几年不会有很大的变动。

洪锡炫：祝贺美国通过了PNTR[1]。中国经过十几年努力，终于要加入WTO了，朱总理为此作出了巨大的贡献。现在有人担心中国加入WTO后在保障自由贸易方面仍会存在很多问题，总理如何看待这一个问题？

朱镕基：对于美国国会参议院通过给予中国PNTR地位，我们感到高兴。加入WTO对中国来说是有利有弊，只有经过我们的努力，才能使利大于弊。正如克林顿总统所说的那样，加入WTO可以促使中国国有企业的破产和中国制度的改变，这对我们来讲不就是弊吗？但也未必像他所说的这样严重。对于中国加入WTO之后是不是会履行承诺，遵守WTO的一切规定，我想中国是说话算话的。中国的历史纪录证明，中国是最信守国际条约的。当然，我也不能保证中国实行完全的自由贸易，因为美国和其他国家从未给予中国完全的自由贸易地位。我们能保证的是，我们将坚决履行已经签订的双边和多边协议以及WTO的规定。

洪锡炫：中国从明年起将实施第十个五年计划，"十五"计划的目标是什么？你此次访问韩国，将怎样号召韩国企业参与中国的"十五"计划建设？

朱镕基：中国的"十五"计划，主要是为实现中国的第三个战略目标开好局。最主要的内容是产业结构的调整，这是最重要的。产业结构的调整一定要通过经济体制的深化改革和先进科技的发展来实现。中国不进行产业结构的调整，不发展以信息技术为中心的高科技，中国的经济发展就走到尽头了。在此方面，我们与韩国合作的机

[1] PNTR，是英文Permanent Normal Trade Relations的缩写，即永久性正常贸易关系。

会很多。金大中总统曾写信给我，表示愿意和中国发展CDMA（码分多址的数字通信技术），在发展移动电话方面进行合作。中国原来考虑是现在发展第二代的CDMA，还是直接发展第三代的移动电话。经过考虑之后，我们决定还是先引进第二代的CDMA的技术，在此基础上，再向第三代移动电话技术发展。在这方面，我们愿意与美国合作，也愿意与韩国合作。

洪锡炫：现在外国人将清华大学叫做中国的“硅谷”，那里网络经济发达，有很多高新技术，不知总理在发展网络经济方面有何构想？

朱镕基：中国确实有很多像清华大学这样的科技园区，都达到一定水平。我们鼓励这种园区，因为它代表了中国以发展信息技术为中心的高新技术的趋势。

洪锡炫：朱总理是中国改革开放的先锋，你在改革中一定遇到很多令你头痛的事情，比如说在反腐败方面。我们听说，你曾指示有关人员，准备好自己的棺材。你有座右铭吗？你每天以什么样的觉悟从事工作？

朱镕基：我称不上改革的先锋，我不过是在邓小平理论的指导下，在以江泽民主席为核心的中央领导集体的领导下，做一点具体工作。每天不断地开会，不断地批文件，工作非常枯燥，但我干得很起劲。还要加一点，就是要到下面去调查，不然就变成官僚主义了。

洪锡炫：韩国的金大中总统上任后倡导了四大改革。你此次访问韩国，如果与金大中总统就改革的经验问题进行交流的话，可能对双方都有所帮助。

朱镕基：我向他学习。

洪锡炫：刚才，你谈到金正日其人反应敏捷，信息量大，有远见。那么，你认为朝鲜会进行中国式的改革开放吗？会以中国模式建立经济特区吗？

朱镕基：我们从来不认为中国的改革开放是一种模式，因为每个国家都有自己不同的具体情况，都应该根据自己的特色来进行自己的改革，当然并不是说，不能互相借鉴。我们也向韩国借鉴了很多经验。中国报刊上就有关于韩国经济建设的文章。

洪锡炫：你认为美国是把中国当成假想敌吗？中国经常讲反对强权政治和霸权主义，这是指美国吗？

朱镕基：我们说反对强权政治和霸权主义，是指的这种现象，包括所有国家。美国如果有这种现象，当然也包括在内。根据美国的民意调查，大多数美国人并没有把中国当做他们的假想敌人，但也确实有少数人包括一些根本不了解中国的人，把中国视为美国的敌人，进行一些反华活动，这种现象也是有的。

洪锡炫：你认为美国总统选举的结果将对中美关系产生怎样的影响？

朱镕基：根据我们初步的看法，他们民主、共和两党在对待中国的政策方面没有本质的区别。

洪锡炫：最近在中国，韩国的电影、电视剧和一些演唱小组很受欢迎，有人称之为“韩流”。不知总理是否看过韩国电影？是否听过韩国歌曲？

朱镕基：由于时间有限，我连中国电影看得都不多，韩国电影也看得不多。我觉得不应该叫“韩流”，这容易让人想起“寒流”，应该叫“韩热”。

洪锡炫：最近，韩国一些宗教团体正四处活动推动达赖访问韩国。在这个问题上，韩国政府的立场有保留，民间团体批评政府更多地在看中国的眼色行事。朱总理对此有何看法？

朱镕基：达赖喇嘛问题并不是一个宗教信仰的问题，这是一个政治问题，因为达赖喇嘛是披着宗教的外衣，从事图谋“西藏独立”分裂中国的活动。因此我认为，任何一个与中国建交的国家，也就是承认中华人民共和国是中国唯一合法政府的国家，就不应该接待这样一个以分裂中国为目的的人士。我认为，这不是一个是否看中国眼色行事的问题，而是一个尊重和遵守自己与中国建交时的承诺，保持自己国家信誉的问题。

洪锡炫：请朱总理给韩国的青少年讲几句鼓励的话。

朱镕基：我出生后就未见过自己的父亲，很小的时候母亲就去世了。那时又正值日本侵略中国，所以那段日子是很艰苦的。就像孟子讲的那样：“天将降大任于是人也，必先苦其心志，劳其筋骨，饿其体肤……”，也许是这种挫折与磨炼有助于自己的成长。我不管受到什么挫折和磨炼，从加入中国共产党那天起，就立志全心全意为人民服务。也许没有小时候那些挫折和磨炼，我今天就当不上总理，就不会有更好地为人民服务的机会了。今后我也将继续“鞠躬尽瘁，死而后已”，全心全意为人民服务。

接受日本记者代表联合采访*

（2000 年 10 月 8 日）

森保裕（共同社记者）：今天承蒙总理在访日前紧张的日程中挤出时间接受我们的采访，我代表日本媒体表示衷心的感谢。由于中方的调查船等事件，最近的日中关系出现了一些波折，请问总理对日中关系的基本认识是什么？此次是你出任总理后的第一次访日，你最想对日本国民说些什么？

朱镕基：当前的中日关系总体上是好的，是朝着友好合作的方向发展的。当然，我们之间也有些问题，如军舰的问题、海洋调查船的事情等。在我们看来，这些都不是大问题。我们对此事在日本引起那么大的情绪感到惊奇。所以我上一次讲过，这确实是关系我们中日两国和两国人民之间相互了解、相互信任的问题。如果不了解、不信任，那么，一些小问题也会变成大问题。比如说海洋调查船问题，本来中日两国间的专属经济区就没有完成划界，是有争议的地区，那么，我们的调查船有时候到敏感地区去进行海洋调查，这在我们看来没有什么不对的地方，也没有什么其他的意思，但你们认为是大问

* 访问日本前夕，朱镕基总理在中南海紫光阁接受日本各主要媒体驻北京记者代表联合采访。

题。所以，最近我们提出，如果你们感到非常敏感，那我们就少到那些有争议的地区去。如果要去的话，我们建议建立事先通报制度。在8月底前后，中日两国外交部门就这个问题谈得不错。但9月5日又有一艘海洋调查船去了敏感的地方，这艘船出去并不是我们有意的，我们高层领导谁也不知道，主管部门——国家海洋局也不知道。这艘船以前去搞调查的时候放了浮标，现在需要收回，根本不知道我们已经在谈判建立事先通报制度。这件事情是一种巧合，但也引起你们方面非常大的反感。因此，我就更加感到确实需要相互了解、相互信任。我想，在我们建立了相互通报制度以后会好得多。但是我认为，也不见得这样的事今后一件也不发生，因为我们双方对专属经济区划界问题有不同意见，总是可能会发生这样或那样的问题。这就需要相互信赖、相互理解，不要把小事情变成大事情。对有争议的海域或者领土，我们历来主张“搁置争议、共同开发”，这是有利于中日两国及两国人民利益的。至于我们的军舰在比较靠近日本的公海或者国际海域航行这件事情，你们也是看得很重，但是我可以讲，这件事情连江主席也不知道，我更不知道。我们认为这件事情没有任何的恶意，也无意去冒犯我们的邻国，不过如果你们看得那么重，那我们以后可以少去。

我很高兴马上就有机会访问贵国，能够当面向贵国的政要和人民做一些解释，来增进相互的信任，共同维护中日世世代代友好下去这个大局。这次到日本去，我的任务是，根据目前中日关系的现状，在政治上要增信释疑，增进相互信任，解释我们之间的怀疑，在经济上推进合作。那么，我要对日本人民说什么呢？我想说，中日作为一衣带水的邻邦，有两千年友好交往的关系，中日两国和两国人民应该而且必须世世代代友好下去。

森保裕：关于调查船的相互通报制度什么时候可以建立？你访日

2000 年 10 月 13 日，朱镕基在东京首相官邸会见日本首相森喜朗。
（新华社记者王新庆摄）

前双方能够达成一致吗?

朱镕基：据我所知，中日双方没有什么不同的意见。至于用一个什么形式把它定下来，那就要问主管—— 王毅[1]，你回答他什么时候能够谈成?

王毅：我们将尽快谈成。

森保裕：下一个问题是关于经济合作问题。据我们所知，中国西

[1] 王毅，当时任外交部部长助理。

部大开发的具体计划近日将出台，具体什么时间出台？有哪些具体内容？对日本有什么期待？

朱镕基：中国的西部地区大开发，是一个战略任务，也是一个长期任务，完成这个任务需要好几代人的努力。在即将召开的中共十五届五中全会上，会通过对第十个五年计划的建议，这个建议对西部地区大开发将作出若干规定。西部地区大开发的主要内容包括：第一个方面是基础设施的建设。有好多的大项目，比方说“西气东输”、“西电东送”等，都是很大的工程；第二个方面是生态环境的改善；第三个方面是科技、教育的大发展。这些方面都为中日两国的经济合作提供了广阔的前景，也为日本企业到中国来竞争提供了广阔的商机。目前，日本各界人士对中国西部大开发表现出浓厚的兴趣，很多日本企业界人士到中国西部进行考察。9月上旬，我在新疆还会见了日中经济协会组织的各界人士特别是企业界人士视察团。我想，中日两国的友好合作一定会借这个机会推进到一个新的高度。

森保裕：据说，中国第十个五年计划中包括京沪高速铁路项目。已故的日本前首相小渊惠三生前曾有个愿望，就是在北京和上海之间建设使用日本技术的京沪高速铁路，将这个项目作为日中友好的象征。这方面的进展情况如何？

朱镕基：在中国的交通运输方面，铁路还是主要的产业。目前，中国的铁路普遍进行了提速的技术改造，把时速由原来不到100公里提到150或160公里。但是中国幅员广阔，一定要建高速铁路，不仅要建京沪高速铁路，而且还要有从北京到西藏的高速铁路。至于建什么样的高速铁路，我们一定要采用国外的先进技术，跟外国企业合作，包括日本。日本和法国都拥有成熟的轮轨式高速铁路的运行技术，德国和日本都在进行磁悬浮高速铁路的试验。我们究竟采用什么样的技术，要根据中国的具体条件，同时也要考虑技术的成熟程度，来比较、选择，经过比较来选择。我们决定在上海修建一条磁悬浮式的示范线路，就是为了便于进行比较。我这一次到日本去，也要亲自坐坐你们的新干线，我已经坐了不止一次了，恐怕有三四次了；同时，也要去参观你们的磁悬浮试验线路。我希望亲自来考察一下日本的高速铁路的技术。如果有可能的话，日本也可以在中国建一条试验线路，比方说在北京，假如你们有兴趣的话。总之，在没有决定技术、路线以前，大家都可以参加竞争，我们也欢迎日本来参加竞争。

森保裕：如果日本在中国搞试验线路的话，你是希望搞新干线还是希望搞磁悬浮？

朱镕基：那就要由中日双方来商量了。

森保裕：最近围绕 ODA[1] 的问题，日本国内有一些议论，就是到底有没有必要对经济高速增长的中国继续提供高额的政府开发援助？

朱镕基：关于日本政府对中国的日元贷款、赠款和技术合作，迄今为止 20 年了，已经承诺提供 240 多亿美元，达到了这么大一个数字。这些贷款或者赠款对于中国的经济建设起了很大的作用，我们对此给予高度评价，同时，对日本政府和人民表示感谢。过去我们宣传得不够，我们今后要加强这方面的宣传。最近，我们举行了中日经济合作 20 周年招待会、座谈会，日本执政三党的干事长都来参加了招待会，等一会儿我还要会见他们，我希望这件事情能够得到广泛的、正确的理解。但是也要看到，日元贷款 ODA 本身是有它的特殊历史背景的，是日本作为对中国人民友好的标志而建

[1] ODA，是英文 Official Development Assistance 的缩写，即政府开发援助。

立的，而且它不是只有利于中国一方，而是有利于中日两国的经济发展。也可以说，没有ODA，也就没有今天中日的经济合作，中国也不可能成为日本的第二大贸易伙伴。如果有人利用这个事情作为一张牌对中国施加压力，我认为这是不讲道理的，是不了解中日两国的友好历史的。

森保裕：关于历史认识问题，日中双方之间有过各种各样的摩擦和意见不一致，你认为应采取一个什么具体办法来解决这个问题？

朱镕基：关于对待历史问题，中国一贯的态度是“以史为鉴，面向未来”。我们从来不认为在历史上日本军国主义对中国的侵略要由日本人民负责，我们从来不这样认为。不但是现在的日本人民不能对此负责，当时的日本人民也不能对此负责。同时，我们也认为不应该忘记这段历史，还是应该“以史为鉴”。这样才能够使中日两国彼此增加好感，世世代代友好下去。你问应该采取什么措施来解决这个问题，来改进这个状况。我认为从中国来讲，我们不会用历史来刺激日本人民；但是我觉得从日本来说，不应该让人民忘记这一段历史，因为反对军国主义是中日两国人民的共同利益，我们是站在一起的。

森保裕：与历史问题相联系的，有一个劳工问题。最近不管是在日本还是在美国，都有一些当年被强制抓到日本的劳工对日本提出了诉讼，请谈谈你的想法。

朱镕基：我认为，这是一个历史遗留问题。日本政府应该对此以负责任的态度来妥善解决。

森保裕：请你谈谈，日中两国是否能够就朝鲜半岛局势在内的东亚地区安全保障问题进行建设性的对话？

朱镕基：朝鲜半岛的局势出现了重大转机，双方坐在一起谈了。双方首脑会晤以后，总的趋势是令人乐观的。中国很高兴看到这个形势的出现。我们欢迎这种缓和的趋势能够继续得到发展，甚至于朝鲜半岛问题能够得到和平解决，使整个朝鲜半岛和亚洲的形势能够缓和下来。这样，某些国家就没有什么借口要在这个地区扩军备战了。

森保裕：你怎么看《日美安全保障条约》和TMD（战区导弹防御系统）？

朱镕基：我想，《日美安全保障条约》本身是一种双边的安排，因此它的范围不应该超过双边的范围，也不应该针对第三国。部署TMD完全超过了自卫的需要，甚至也把中国台湾地区包括到TMD里去，这是我们坚决反对的。我认为，在亚洲部署TMD不但违背了以前一切裁减军备的条约，而且势必会引起亚洲地区的军备竞赛，导致这一地区的不安定。现在克林顿表示要搁置NMD（国家导弹防御系统）计划，但是搁置并不表示不要搞了。我们仍然应该提高警惕，反对部署TMD。

森保裕：日本的一部分企业因为一些中国的信托投资公司或者租赁企业不履行债务非常不满，由此影响了日本企业对中国的投资环境的评价。你认为今后是否有必要对中国的投资环境做一些改善？

朱镕基：我国大多数国际信托投资公司是在1993年中国经济过热时成立的。经过后来的治理整顿，现在大部分是可以保留或是合并的。这些保留或者合并的公司应该依法承担和偿还它们的债务。少数资不抵债的国际信托投资公司已经没有能力完全偿还债务，就应该和它们的债权人共同协商来确定如何偿还债务。如果它们的减债要求得不到债权人的同意，它们就只有经中国人民银行批准以后向法院申请破产。中国的法院和中国政府将依法保障债权人的合法利益。

清水美和（《东京新闻》记者）：日本国民对中国国内形势发展非常关心。江泽民主席最近提出了“三个代表”的思想，请问朱总理对此怎么看？“三个代表”的思想在经济领域怎样得到运用？

朱镕基：江主席提出的“三个代表”重要思想是对中国共产党党建理论的新发展，自从提出之后，受到全国各界广大人民的拥护。中国共产党是中国的执政党，中国政府也一定会根据“三个代表”的要求，做好政府工作。

中泽克二（《日本经济新闻》记者）：第十个五年计划中除了西部大开发项目以外，还有一些什么内容？

朱镕基：第十个五年计划关键的问题是产业结构的调整，对中国的产业结构进行战略性的调整，如果不做这种调整，经济的发展就到头了。这种调整的范围很广泛，包括第一、二、三产业的调整，包括地区发展规划的调整，也包括科学技术的调整。就是说，中国的发展、产业的发展，要在高新技术的基础上发展。你稍微耐心地等待几天，我们开完这次中共十五届五中全会，马上就会公布了。

森保裕：有什么人事变动吗？曾庆红先生会成为中共中央政治局委员吗？

朱镕基：我的消息确实没有你灵通，我还不知道有什么人事变动。

森保裕：谢谢。

接受东京广播公司（TBS）采访*

（2000 年 10 月 14 日）

筑紫哲也（TBS 新闻节目主持人）：今天出席我们对话节目的嘉宾是来自邻国的朱镕基总理。这样的节目在两年前第一次尝试，出席嘉宾是美国的克林顿总统。这回是第二次。首先请总理讲话。

朱镕基：我应邀访问日本的背景是，1998 年江泽民主席访问了日本，同已故的小渊惠三首相发表了《中日联合宣言》，确定了中日两国面向 21 世纪，建立致力于和平与发展的友好合作伙伴关系。从那个时候以来，中日两国关系的主流是非常好的，但是也不是说没有问题。在日本国内，有一些对中国的疑虑、担心，甚至于认为中国构成了对日本的“威胁”。同时在中国，觉得在历史问题、台湾问题和安全问题等方面，日本有一些言论伤害了中国人民的感情。我就是在这个时候来到日本，希望能够做一些增信释疑、推动合作的工作。当然，这种工作不仅是两国政府的事情，而且需要两国人民的直接对话。所以，我非常珍视今天晚上和日本人民的直接对话。我想，中日双方都很重视这次对话。不久前，日本执政三党的干事长访问中国。

* 访问日本期间，朱镕基总理在东京接受东京广播公司（TBS）采访，并在该台与 100 名日本民众举行电视对谈，大阪有 20 名市民通过通信卫星参加了对谈。

自民党干事长野中广务向我提出忠告："届时你无论如何要保持满脸笑容，越是对你提尖锐的问题，你越是要笑。"这对我来说有点难度。我平常讲话的时候，表情都是比较严肃的。今天我要努力去做，尽量保持笑容。希望朋友们不要觉得我笑得太勉强，更不要觉得我笑得太可怕。请多多关照。

筑紫哲也：按节目的惯例，请朱镕基总理先简洁地回答几个简短的问题。下面是来自因特网和传真的问题。

（画外音：千叶县一位小学五年级学生问："我们班只有20名同学，但把大家的意见统一起来不太容易，请问中国是怎样把近13亿人团结在一起的？"）

朱镕基：我想，第一种方式就是法制的方式，中国有各级人民代表大会，他们的任务之一就是反映民意，监督政府；第二是中国除了中国共产党以外，还有8个民主党派，它们联系不同的阶层，经常反映来自民间的意见，也起到了监督政府的作用；第三，还有舆论的作用。我想，中国的舆论，特别是中国的电视台在反映民意方面起了很好的作用。当然，我觉得我们还有做得不够的地方，我们要继续不断地完善社会主义的民主和法制，要进一步反映民意、全心全意为人民服务。

筑紫哲也：一位小学五年级学生问："为什么中国每个家庭只能有一个小孩？会不会寂寞？"

朱镕基：中国鼓励每一个家庭只生一个孩子，但是在农村，这个限制是比较宽的；特别是在少数民族地区，我们尊重他们的民族习惯，他们生养孩子是不受限制的。在城市里面，一个家庭只有一个孩子，我是有体会的。我只有一个外孙女，13岁，我觉得她确实感到很寂寞。可是我们也要想，如果一个12.5亿人口的国家再无限制地生下去的话，那全球不都是中国人了吗？

筑紫哲也：听说你讲过日本人太客套，不想会见日本人，太浪费时间。

朱镕基：不，我从来没有讲过这样的话。我愿意借此机会说清楚，我没有讲过这样的话。我们中华民族是一个好客的民族，我认为会见客人的时候必要的寒暄和客套话，是起码的礼貌，也是有情有义的表现。但是最近几年我会见外宾，包括日本的政要和朋友们，是比较少了，这是因为我的工作太忙了，我忙不过来。比较起来，我会见日本人还是比会见其他国家的外宾要多得多。可是，我不能够做到有求必应，所以请日本的朋友们、我的老朋友们，请你们谅解我。

筑紫哲也：听说朱总理只怕劳安，她什么地方可怕？

朱镕基：我根本不觉得她可怕，我觉得她可爱。

筑紫哲也：假如劳安不在演播厅，你是否会做同样的回答？

朱镕基：当然，表里如一嘛。

筑紫哲也：演播厅现场有100人，大阪分会场也有20人，欢迎提任何问题，直接提问，现在开始。

一位年轻男子：总理讲到自己的脸可怕，过去是否有吃过亏的地方？

朱镕基：我吃了很多亏。我的一生中经受过很多的挫折，你很难想象。

一位年轻女士：我喜欢京剧，正在学习。听说朱总理也喜欢京剧，你喜欢京剧里的什么角色？

朱镕基：我很高兴你和我有同样的爱好，我喜欢京剧里面所有的行当，但是我自己是学着唱“须生”。同时，我也喜欢拉胡琴。什么时候你去北京，我可以给你伴奏。

一位男子：来日本的第一印象是什么？

朱镕基：我这次已经是第六次访问日本，还不包括我访问别的国家从日本过境。我上一次访日是在 1994 年，时隔 6 年，我感到日本有很大的变化。当然，东京的交通还是很繁忙，东京也很繁荣，特别是我看到还有一些新的建筑出现，感到很高兴。

穿和服的妇女：北京和大阪都在申办 2008 年奥运会，是竞争对手。如果总理到大阪，我们会热情款待，能否把机会让给大阪？

朱镕基：我过去每一次访问日本都要到大阪，这一次访问我也提出要访问大阪，但是由于时间的限制，在日程的安排上，日方还是建议我不要访问大阪了。我愿意借此机会通过你们向大阪人民问好，我很想念你们。大阪和上海是友好城市，我曾经是上海的市长，我向我们的友好城市的人民问好。至于 2008 年举办奥运会，我想不论是中国能够举办，或者是大阪能够举办，对于亚洲都是好的，我们能够争取到这个权利，对亚洲人民都是一件好事情。但是作为大阪的友好城市上海的前市长，我希望你们支持北京，谢谢！

穿和服的妇女：这让我们为难，谢谢，欢迎你到大阪。

筑紫哲也：中国和日本的关系并非没有问题，现在讲中日关系。

佐古忠彦（TBS 主持人）：TBS 最近关于"中国如何看日本"和"日本如何看中国"的舆论调查显示：日本人最先想到的中国人是毛泽东、周恩来、邓小平，中国人最先想到的日本人是山口百惠、东条英机、田中角荣。在问到相互的好感时，中国有 48% 的人对日本没有好感，日本对中国没有好感的人只有 9%。

朱镕基：当然，民意调查在一定的程度上是反映了一些人的意愿，但也不一定是很准确的，关键在于你所选择的对象。人们在回答这个问题时又是从不同的角度，比方说对山口百惠，大家都很熟悉，因为她演的电影、电视剧在中国非常受欢迎；至于东条英机，当然我们中国人不能够忘记战争所带来的伤害；那么田中先生对于中日的邦交正常化作出了很大的贡献，中国人民确实不会忘记他。总之，我觉得我们现在应该以史为鉴，面向未来。不管过去发生了哪些令人遗憾的事情，或者令人悲痛的事情，我们都应该正视历史，面向未来，为中日两国人民今后世世代代友好下去尽我们这一代人的努力。

一位中年妇女：今年4月，东京都知事石原慎太郎在讲中国人时用了“三国人”[1]的提法，总理如何看？对日本政府的回应如何看？

朱镕基：我刚才讲过，中日关系的主流目前是好的，但是也确实存在一些言论，伤害了中国人民的感情。我们希望所有日本国内的舆论都应该考虑维护中日友好的大局，不要做刺激或者伤害中国人民感情的事情。这样，我们的友好合作关系才能够继续不断地发展下去。

一位男子：是指将来日本和中国的自由贸易会签订吗？

朱镕基：你讲的是中日两国的自由贸易协定，还是讲中国参加世界贸易组织？对不起，我没有听得很清楚。

那位男子：是指中国加入世贸组织和两国之间的自由贸易协定。

朱镕基：中国为加入WTO进行了很长时间的谈判，目前我认为进程是非常好的。我们应该进行谈判签订双边协议的37个国家中，已经有36个都签字了，最后剩下一个墨西哥，我想也不会有太大的问题。今年年底以前，我估计中国参加WTO还是大有希望的。中国参加了WTO以后，一定会遵守WTO的协议，履行它应尽的义务，更好地把中国向全世界开放。中日两国是一衣带水的近邻，我想，我们在贸易方面一定会有更大的发展。目前，中国已经是日本的第二大

[1] “三国人”，是日本在第二次世界大战战败后，对于它曾经统治过的朝鲜半岛和中国台湾岛人民的蔑称，意指他们是三等公民。这个词在20世纪50年代已于日本成为死语。

贸易国，而日本是中国的第一大贸易国，我们两国的经济发展是息息相关的。我也希望中国加入 WTO 以后，我们两国的经济贸易合作关系会有更大的发展。

筑紫哲也：有没有从事中国贸易的先生？你有什么问题？

另一位男子：我是生产蘑菇的，现在蘑菇的生产对日本十分重要。中国的农户也为难，蘑菇供过于求。中国是否应该扩大内需，限制出口？

朱镕基：在贸易方面，我想不同的产品总是会有不同的问题产生，我们两国的政府当然有责任来引导两国的进出口有正确的产业方向。但是，这种问题也难免时常会发生。我认为，需要双方的政府、双方的企业来进行协调。

筑紫哲也：中国加入 WTO，盗版问题如何面对？

朱镕基：中国在打击盗版方面尽了最大的努力，包括世界知识产权组织也称赞中国在打击盗版方面是非常得力的国家，也是非常有效的国家。中国将继续保持这样的压力，完善法律，保护知识产权，这是我们应尽的义务。

筑紫哲也：还有哪些和中国有关的问题？

一位年轻女士：去年我家被盗，尚未破案，警察说罪犯可能是中国人。你知道在日本的外国人中哪国人犯罪最多吗？是在日本的中国人。

朱镕基：这我第一次听说。这需要我们两国的刑事组织加强合作，共同来打击犯罪。

一位男子：在中国青少年中，怎样看拜金主义？

朱镕基：我想，在这方面对青少年确实是一个很严重的问题。为什么会造成这种现象呢？我认为在思想道德的教育方面，宣传和媒介也负有很大的责任。我希望大家都重视这个问题，加强对青少年的正面教育，来共同引导青少年走正确的道路。

一位女学生：我叫大泽，正在学习汉语。想到历史问题，有一个中国朋友说过，中国人要努力忘记历史，日本人要努力不忘记历史。你对此有何看法？

朱镕基：任何人都不应该忘记历史，忘记历史就是背叛。大家应该正视历史，当然也应该面向未来。吸取历史的教训，避免错误的重犯，这对中日两国人民尤其重要。对于当前出现的这样一种倾向，就是要隐瞒或者是淡化，甚至于篡改历史的倾向，我们认为是不正确的。这没有一点好处，不能够使人民从历史里吸取教训，来更好地创造未来。所以我们要做一些提醒，这些提醒绝对不是要伤害某国人民的感情，而是我们希望大家共同地吸取历史的教训，使中日两国人民能够世世代代友好下去。

筑紫哲也：我们为这个节目从全国搜集意见，包括历史问题。一个 51 岁男子对过去战争中的残酷有赎罪感，但中国一再要求日本道歉，到底要道歉到什么时候？

朱镕基：我这一次就没有要求日本人民道歉。我想提醒一点，就是在日本的所有的正式文件里面，从来没有向中国人民道歉过。当然在 1995 年，村山富市先生，当时的首相，笼统地向亚洲人民表示过歉意。但是，日本在所有的正式文件里面都没有向中国人民道过歉。因此，不能说中国没完没了地要求日本道歉，没有！道歉不道歉是你们自己的事情，但是我们希望你们考虑这个问题。

（画外音：关于日本是否进行了充分的道歉，舆论调查表明，日本人当中有 20% 认为已经充分道歉了，但中国人当中只有 2% 认为日本道歉充分，87% 的人认为没有充分道歉。差距大。这个问题如何处理，总理怎么想？上次的战争赔偿中国放弃了，如何克服历史的问题？）

朱镕基：我们所提出来的就是“以史为鉴，面向未来”，中日两国人民世世代代友好下去。

筑紫哲也：让大阪提问。

一位中年男子：我出生在大连，在哈尔滨长大。关于遗留在中国的化学弹问题，以及日本有人说南京大屠杀根本没有发生过，请问总理对此有何看法？

朱镕基：关于日本战时在中国遗留了一些废弃的化学武器问题，双方已经达成了协议，正在共同进行挖掘、包装和销毁。目前的工作进展还是好的，但是仅限于挖掘、包装，还没有进行销毁，我们希望双方共同努力把这个工作进行下去。南京大屠杀是不可否认的事实，有充分的证据。我不愿意提这个事，你要提这个事我就告诉你，那完全是事实。

一位男子：我叫佐高，现在在上海有一家合资厂。我关心人民币的走势，它会不会贬值？

朱镕基：中国的人民币在亚洲金融危机中间，有充分的理由可以贬值，但是我们始终在维护亚洲地区的金融稳定，也包括中国的金融稳定，我们始终坚持了人民币不贬值。我们从现在来看，中国已经完全摆脱了亚洲金融危机的影响，目前外汇储备已经增加到 1600 亿美元以上，现在没有要贬值的任何的根据。

草野满代（TBS 主持人）：全国的意见搜集到 2000 多条，重点的问题是台湾、战争经济赔偿。

一位中年男子：我从长崎来，是渔民。中国和日本的自然资源遭到破坏，请你谈谈看法。

朱镕基：你讲得很对，中国在它发展的过程中间曾经忽视过环境保护的问题、生态环境改善的问题，这对我们是一个教训。但是，中国目前已经充分认识到经济的可持续发展问题，已经下了非常大的力量来重视和进行环境的保护、生态环境的治理。今天我和日本几位政党领导人谈话的时候，他们都承认北京的空气质量有了很大的改善。我们在西部地区大开发里面特别提出来要改善生态环境，在这一方面我们确实已经重视了，目前正在努力。

筑紫哲也：刚才有位17岁的女观众提出问题，台湾人希望维持现状，为什么中国一定要统一？

朱镕基：台湾历来是中国的领土，而且第二次世界大战以后，国际上也公认台湾回归中国，并且中国已经确实行使了对台湾的主权，后来只是因为内战的问题，才造成目前分裂的状况。所以，台湾应该回归中国是毫无疑问的。我们主张一个中国的原则，和平统一台湾，我们有最大的耐心。这种统一不会改变台湾目前的制度，对台湾人民只有好处，没有坏处。全中国人民都希望看到这种统一，我想这是没有任何问题的。

筑紫哲也：总理大刀阔斧地推行改革，被人威胁。据说，你有过四次险遭暗杀的经历，祖先的坟墓也被炸了。你自己也说过走在“地雷阵”上，听说还准备了棺材，要与恶人一起下地狱。是吗？

朱镕基：关于我有种种传闻，或者说传奇。我知道目前为止，至少有11本关于我的书，我没有时间去看。它们究竟说了一些什么，我不知道，我也不想去看这些东西。关于这个问题，我觉得不值得一谈。

筑紫哲也：你认为自己踩了“地雷阵”吗？

朱镕基：我在就任总理的时候，曾在记者招待会上面讲过这样的话：“不管前面是地雷阵还是万丈深渊，我都将一往无前……”。我没有说我已经踩在“地雷”上，没有。这是表示一种决心。

一位中年男子：我想问关于日美安全保障体制的问题，亚太地区安全是不是需要这个安全保障体制？

朱镕基：日美安保体制问题是日本和美国之间的问题，需要不需要日美安保体制，也是日本和美国自己的事情，但是我觉得这个体制不应该针对第三国，不应该超出日本和美国的范围。为了增进中日两国之间的信任，消除疑虑，我已经向森喜朗首相提出，我们应该加强中日两国军方的相互交流和沟通，包括舰队的互相访问。我想，这样能够更好地促进中日两国友好合作关系的发展。

筑紫哲也：每次西方人都提到中国的人权问题，这公平吗？

朱镕基：我想，这是由于中国和外国的价值观念不一样，对人权的观念也有分歧，所以，他们提出这种问题是很自然的。我们的答复就是：我们认为中国的人权状况是历史上最好的时期，而且我们在不断地改善我们的人权状况。我们很愿意听取外国的意见，因此我们和很多国家都进行了人权方面的对话，但是要使人权的观念完全达到一样，我相信是不可能的。我们很愿意听取外国的朋友们对于中国人权状况的意见，使我们能够更好地改进自己的工作。

筑紫哲也：大阪还有问题吗？

一位女大学生：我正在学中文，听说中国人都喜欢唱歌。总理最喜欢什么歌？能不能唱一段？

朱镕基：我最喜欢的是中国的国歌。如果我现在要唱的话，你们都得起立，我想我还是不唱了。

筑紫哲也：听说总理是一位京胡名家。这是京胡，你也会拉？

朱镕基：略知一二。

筑紫哲也：可以表演吗？

朱镕基：我如果要拉的话，那一位女士就应该唱。我想，如果你们不喜欢京剧的话，你听我拉胡琴一定觉得很难听的，好像杀猪一样。但是应你们的要求，我就献丑了。

（朱镕基总理现场拉了一段京剧的过门儿，全场鼓掌——编者注）

筑紫哲也：今天本没有计划让总理表演京胡，十分高兴。已经超过了一些时间，最后一个问题是，和市民对话与和官员对话有什么不同？

朱镕基：这是两种不同的对话。比方说跟政府官员的对话是唱京剧，那么和市民的对话就是演歌舞伎，我很难说哪个更有趣，但是我很愿意跟日本人民直接地接触和对话。我很感谢今天诸位对我非常礼貌，非常客气，谢谢大家。

筑紫哲也：最后，请总理对日本电视观众讲几句。

朱镕基：我愿借此机会，向电视观众们、向日本的朋友们表达衷心的问候和敬意。我希望我们两国和两国人民，在1972年的《中日联合声明》、1978年的《中日和平友好条约》，以及1998年江泽民主席和贵国首相共同发表的《中日联合宣言》这三个文件的基础上，大家共同努力，发展中日两国之间的长期友好合作伙伴关系，让我们两国人民世世代代地友好下去。这不单是中日两国人民之福，也是亚洲人民之福，更是全世界人民之福。谢谢大家。

在东京记者招待会上回答记者提问*

（2000 年 10 月 16 日）

主持人：今天，我们很荣幸地邀请中国国务院总理朱镕基来到这里举行记者招待会。招待会将进行 50 分钟。下面请朱总理作 10 分钟的发言，然后回答各位的提问。

朱镕基：各位朋友，感谢森喜朗首相的邀请，我应邀访问日本，此行是富有成果的。

首先，我与森喜朗首相进行了坦率、友好和富有建设性的会谈。在会谈中，双方充分肯定了指导中日两国关系的三个历史性文件，即 1972 年的《中日联合声明》、1978 年的《中日和平友好条约》和 1998 年的《中日联合宣言》。同时，又肯定了要在 1998 年所确定的建立“面向 21 世纪，致力于和平与发展的友好合作伙伴关系”基础上，继续发展中日两国之间的友好合作关系。双方肯定，目前中日两国关系的主流是好的，但是也存在着不少的疑虑和担心。我们双方坦率地阐述了各自的立场，提出了一些消除疑虑、增进相互信任的办法，在

* 访问日本期间，朱镕基总理在东京日本记者俱乐部新闻厅举行记者招待会，就访日成果、中日关系、经贸合作和台湾问题等回答提问。招待会进行了一个多小时，包括其他国家及港台地区的约 350 名记者出席。

很多问题上取得了共识。我们对 1998 年江泽民主席访日时提出的 33 项合作项目取得的成就感到高兴，同时也对继续落实这些项目提出了具体的建议。我还向日本政府和森喜朗首相对我们这次访问所给予的热情接待和周到的安排表示感谢，并且邀请森喜朗首相明年对中国进行正式访问。

2000 年 10 月 16 日，朱镕基在东京日本记者俱乐部新闻厅举行记者招待会。
（新华社记者陈建力摄）

第二，在短短的访问期间，我与日本各政党党首进行了诚恳的会见和坦率的交谈。我们在许多问题上都有共识，同时愿意共同加强交流和沟通，共同为中日两国友好关系的发展继续努力。

第三，在日本友好团体的安排下，我与经济界的许多老朋友，特别是与我有 20 多年交往的老朋友见了面，这使我感到非常高兴。

第四，我有幸接受TBS（东京广播公司）的邀请，在电视台与日本各界群众、普通市民见了面，进行了对话，这是我人生中一次非常难得的经历。这次因为访问时间、对话时间比较短，很多问题我不能够畅所欲言，胡琴也拉得很难听，但我相信，我还是与日本人民沟通了彼此的感情，加强了中日两国人民的理解。

《产经新闻》记者：在发展日中两国友好合作伙伴关系方面，我认为日中两国人民对于对方国家的感情不是很好。为了改善这一现状，此次朱总理特地在TBS电视台与日本市民见面，为化解两国人民之间的情绪做了很好的努力，我对此表示敬意。今后，为增进两国人民的理解，你希望日方作什么样的努力？中方对于日方在历史问题上会不会继续提出要求？

朱镕基：进一步发展中日两国之间的友好合作关系，需要双方的共同努力。关于历史问题，我们从来主张“以史为鉴，面向未来”，我想日本政府也有这样一个共识。也就是说，对于过去的历史不应该淡化，更不要隐瞒，应该正视。只有正视历史，才能更好地面向未来，才能从历史中吸取教训，避免重犯历史的错误。“以史为鉴，面向未来”这个原则，不但是对日本人民的，也是对中国人民的。希望我们两国人民在这个原则的基础上，互相了解，互相信任，共同创造世世代代友好的明天。

《读卖新闻》记者：朱总理在北京曾对日本记者谈过，我们不要在历史问题上刺激日本人民，同时日本不应该忘记历史，你能否在此再对日本人民重复一遍？同时，在TBS电视台的市民对话中，你提到日本从来没有在正式的文件中向中国道过歉。中国今后是否继续要求日本在正式文件中就历史问题向中国道歉？

朱镕基：是的，我曾经说过我们双方都要避免做刺激对方人民感情的事情，但我想，对于那些想淡化、想隐瞒，甚至想篡改历史的事情进行一些提醒，并不是刺激日本人民的感情，因为我们把日本人民和日本军国主义是完全分开的。中国一贯认为，从毛泽东到江泽民都这样认为：日本人民和中国人民一样，也是日本军国主义的受害者，当然不应该对过去的侵略战争负责。

我在 TBS 电视台的采访中确实指出过，在任何的中日历史上的正式文件中，日本没有对侵略中国的战争正式道过歉，这是事实。但我也指出，中国一贯高度评价 1995 年村山富市首相面对亚洲人民作出的正式声明。“道歉”不是我们的目的，我们的目的是“以史为鉴，面向未来”。我们只是希望大家都要以史为鉴，创造世世代代友好的明天，这就是我们的目的。

《每日新闻》记者：朱总理在与森喜朗首相的会谈中，就扩大两国的安全对话达成了一致。朱总理认为两国在东亚地区安全问题上有无可能进行具体合作？如有可能，那是什么样的合作？特别是现在朝鲜半岛形势变化很快，两国在东亚地区安全方面会发挥怎样的作用？

朱镕基：1998 年江泽民主席访问日本的时候，曾经与贵方共同提出了 33 个合作项目，其中就包括我们之间可以在安全方面进行交流。当时就提出中日两国的军方应该加强交流和沟通，包括双方舰队可以互访。这次，我又重新向森喜朗首相提出了这个建议，双方在这个问题上已取得了共识。我们双方就安全问题，无论是在联合国范围内，还是在双边范围内，都应该加强协调，加强协商与沟通，共同维护本地区、亚洲以及世界的和平。

《时报》记者：去年年底，北京电视台播放了一部中国留学生在日本留学生活的多集纪录片《我们的留学生活》，据说在北京引起空前轰动。今年 5 月，这部片子中的一集在日本富士电视台播出后，同样引起了轰动，反响也很好。我想请问朱总理三个问题：一、这部片子在北京播放时你是否看过？二、面向 21 世纪，中国政府对增进中日年轻一代的相互了解和往来有何实质性的打算与举措？三、你的孙女如果想出国留学，作为爷爷，你会希望她去美国、欧洲还是日本？

朱镕基：第一，这部纪录片是否在北京引起空前轰动我不知道，但是我确实看过，而且很受感动。第二，中国完全赞成中日两国年轻一代包括留学生的互相交流，并改善他们的处境。我在与诸位政党领袖谈话的时候都谈到了这个课题，就是中日两国世世代代的友好，希望寄托在年轻一代的身上。因此，我非常希望民间的友好团体能够组织两国的年轻人互相访问、互相学习、互相了解，特别是对于双方的留学生都要给予照顾，让他们能够更好地学习、生活下去。第三，我的外孙女，不是孙女，我的儿子还没有结婚。我的外孙女将来愿意到哪个地方求学，是在国内求学，还是到国外求学，完全由她决定，她不会听我的。

日本广播协会（NHK）记者：我想请教总理有关IT（信息技术）方面的问题。听说中国已经制定了一个关于发展信息产业的国家战略，我想知道，到2005年或者2010年，中国在这方面有什么具体的蓝图？在西部大开发中，中国对信息产业发展的定位是什么？另外，海外一些有伦理方面内容的网站在中国无法接收，请问中国的民众在什么时候能够看到这些网站？

朱镕基：关于中国的信息技术，最近几年发展非常快。特别是在电信方面，目前固定程控电话数量已达到1.3亿部；移动电话发展尤其快，已经接近7000万部，并且正在以每两三年翻一番的速度发展。中国的“十五”计划，确定以高新技术的发展来带动整个经济的发展，特别是要利用信息技术、高新技术来改造传统产业，调整产业结构。在中国西部地区的大开发过程中，我们很重视高新技术，要在一个高的起点上来进行开发。在信息技术方面，我们很愿意和日本合作，而且已经在进行很好的合作。目前中国的移动电话采用GSM（全球移动通信系统）体系，为更好地过渡到第三代，我们也准备采用CDMA（码分多址的数字通信技术）技术，这一技术在美国、韩国和日本都有一部分人采用。据我所知，日本使用CDMA技术的手机用户有625万户。在这方面，中国不但愿意与美国合作，也愿意与韩国和日本合作。关于第三个问题，我没有听清楚，是不是关于因特网上一些黄色、暴力的内容？这些内容对青少年是十分有害的，我们当然不希望出现。

香港凤凰卫视记者：*在这次访问中，日本有没有提到台湾问题？假如李登辉访问日本的话，是否会严重破坏中日关系？*

朱镕基：在我和森喜朗首相的会谈中，以及和各位政党首脑的会谈中，都谈到台湾问题。我看到这几天的新闻报道，都表达了我所讲过的内容。如果需要我再讲的话，那就是，中国坚持一个中国的原则，我们有最大的耐心采用和平的方式统一中国，但是，也不能让台湾问题无限期地拖延下去。关于李登辉访问日本问题，因为他不是一个一般人物，所产生的后果，我想中日双方都已充分意识到了。

日本广播协会（NHK）记者：*中国在加入WTO之后，国内的信息产业会受到比较大的冲击，因此有一些反对的声音。中国加入WTO后，会采取什么样的对策来解决这方面的冲击？*

朱镕基：我们从来认为，中国加入WTO是有利有弊的，既可以更好地融入国际市场，又要面对来自外部严重的竞争和挑战，但是中国可以尽自己的最大努力来使它利大于弊。因此，我们在与37个国家进行双边谈判的时候，都坚持中国的开放应该是逐步的，需要有一个时间表，这一点我们与这些国家都已经达成了协议。在IT产业方面，在基本的电信业方面，中国加入WTO第一年的时候，我们限制外资参与电信业的参股比例不能超过25%，经过一段时间后，才能达到49%。

《日本经济新闻》前编辑委员：*我是朱总理的崇拜者，对于总理*

的领导能力和果断的实施能力十分钦佩。朱总理在TBS电视台与市民对话的节目，我收看了，觉得很好。刚才来这里时，我问出租车司机，你看了TBS的节目吗？他说，看了，朱镕基真是一个好人，日本人不爱听的话，他都没有提到。其实我想问的是有关中国西部大开发的问题，请总理介绍有关西部大开发的情况，以及关于中国的国际租赁公司和国际信托投资公司拖欠债务的问题。

朱镕基：感谢你对我的称赞，但愧不敢当。我觉得你是很真诚的，我也对你表示感谢。关于西部大开发，我可以讲一个小时，但没有时间。我们的第十个五年计划纲要很快就要发表，我们关于西部大开发的政策已经正式或者正要发表。我相信，中国西部大开发可以为日本的企业家提供巨大的商机，希望我们共同努力为西部大开发作出贡献。

关于中国的投资环境问题，基本上是好的，如果不好的话，中国怎么可能每年吸收外商的直接投资达400亿美元以上？最近几年基本上保持了这个水平。但是，我们的投资环境、涉外法律法规确实还不够完善，我们正在不断地总结经验，逐步地改善，我认为每年都在进步。

我知道，日本的经济界关心的是两个问题：一个是中国的国际租赁公司问题，另一个是中国的国际信托投资公司问题。这两个问题是在一定的历史条件下产生的，在中国经济过热的时候产生的，这些问题确实到现在还没有完全解决。我从1995年开始就应日本朋友的要求，介入了这些问题的解决。我作过多次的批示，虽然问题一直没有完全解决，但我认为还是解决了一大部分问题。为什么至今还有遗留问题没有解决呢？我想，日本的企业选择合作伙伴没有选好，他们老是拖延不决，我们政府想使劲儿也使不上。我回去以后，会对这些问题加以了解，加以推动，但同时，我也要奉劝日本的企业家，在选择伙伴的时候要慎重些。

关于国际信托投资公司，主要是在1993年中国经济过热的时候一下子发展了很多，经过这几年治理整顿以后，大部分经过合并、整顿后还是好的，但确实也还有少数资不抵债的，欠了外国的债务，包括日本的债务，无力偿还。这些公司都是地方的。中国政府的立场是，要让包括日本在内的外国公司债权人与这些公司协商，来减债、偿还。如果确实不能还债，这些公司只有经中国人民银行批准，然后向法院提出破产申请。中国政府将依法保护包括日本在内的外国债权人的法律权益。最近，我听说海南省的国际信托投资公司所发行的武士债牵涉到一部分日本国民的债务。我们认为这个问题是比较严重的，因为它不是拖欠了一般的债权人的债务，而是拖欠了日本国民的债务。我回去以后会督促海南省政府，他们搞出来的问题他们要负责，至少应该对日本国民负责。欢迎你多提批评意见，谢谢。

主持人：我们记者招待会的时间已经大大超过了，让我们再次向朱总理表示感谢！

接受哈萨克通讯社记者采访*

（2001 年 8 月 30 日）

记者：尊敬的总理先生，你如何评价哈中两国经济合作现状及前景？今年上半年两国贸易额，尤其是中方对哈的出口额呈下降趋势，其原因是什么？

朱镕基：中哈建交以来，两国经贸关系发展迅速，成果显著。1992 年，双边贸易总额只有 3.7 亿美元，到 1999 年就达到 11.4 亿美元，实现了江泽民主席与纳扎尔巴耶夫总统共同制定的双边贸易总额突破 10 亿美元的目标。去年，这一数字继续攀升，达到 15.5 亿美元，再创历史新高。目前，哈萨克斯坦已成为中国在独联体地区仅次于俄罗斯的第二大贸易伙伴。与此同时，两国在经济技术合作方面也迈出了较大步伐，成功地开展了一些大项目合作，不仅给双方带来了效益，也为两国在各领域进行更深入的合作树立了典范。上述事实充分显示出，中哈经贸合作潜力巨大，前景光明。只要双方勇于开拓，共

* 应哈萨克斯坦共和国总理卡·克·托卡耶夫邀请，朱镕基总理于 2001 年 9 月 12 日至 15 日对哈萨克斯坦进行正式访问，并在哈萨克斯坦首都阿拉木图出席上海合作组织成员国总理首次会晤。访问前夕，朱镕基在中南海紫光阁接受哈萨克通讯社驻北京记者采访，就中哈双边关系、国内和国际等问题回答提问。

同努力，充分利用两国地缘相邻、经济互补的优势，积极探索新的合作途径和有效的合作形式，就一定能为中哈经贸合作开辟更广阔的空间。

今年1到6月，两国贸易额同比下降0.7%，这并不能完全反映两国贸易水平呈下降趋势。近年来，中方自哈萨克斯坦进口了大量钢材、铜材和铝材，而哈萨克斯坦从中国进口商品的数量却不多，使中国对哈出口下降。同时，这也使中方贸易逆差问题更加突出。据统计，目前中国对哈贸易逆差已接近20亿美元，占两国9年来贸易总额的30%。这些年，中国在通信、家电、石油开采设备、制药、轻纺工业、农产品加工等领域发展迅速，希望哈方采取积极政策，扩大从中国的商品进口，使双边贸易在大致平衡的基础上保持长期、稳定的发展。

记者：石油开采是哈中投资合作最为活跃的领域。你如何评价两国在该领域的合作现状及前景？哈西部至中国西部输油管道项目是否实施，何时实施？是否可能建设从土库曼斯坦经哈萨克斯坦至中国的输气管线？

朱镕基：自1997年以来，中哈双方在石油、天然气领域的合作取得了很大进展，并日益显示出巨大的发展潜力。中国在哈萨克斯坦最大的投资项目——阿克纠宾油气股份公司，在两国政府的大力支持下，经过双方员工的共同努力，经营状况良好，并取得了令人满意的效益。2000年，该公司原油产量259万吨，创公司成立以来最好业绩。今年预计生产原油320万吨。中国政府支持中国石油天然气集团公司在哈拓展业务，希望哈政府能继续予以支持。我相信，在双方的共同努力下，两国在石油领域的合作将具有更广阔的发展前景。

根据1997年签署的协议，双方就铺设中哈输油管道进行了可行性研究，结果表明，贵国目前的原油产量尚不足以支持建设该条管道。据悉，贵国最近在里海地区发现了大油田，希望这会对中哈管道项目起到积极推动作用。

2001 年 9 月 14 日，朱镕基在阿拉木图会见哈萨克斯坦总统纳扎尔巴耶夫。

（新华社记者齐铁砚摄）

关于建设从土库曼斯坦经哈萨克斯坦至中国的输气管道，中土两国专家有过一些接触。

记者：两国间就共同利用跨界河水资源问题已谈判多年。你认为，两国今后将就哈国人关切的这一问题达成协议的基本原则是什么？这一文件何时能签署？

朱镕基：中方一贯高度重视跨界河流的公平合理利用及水资源保护问题，实行开发与保护并举的政策，并本着积极务实的原则与哈方进行合作。我们认为，双方在跨界河流方面进行对话与合作符合两国人民的根本利益，有助于维护和发展两国人民之间的传统友谊。

中哈两国跨界河流专家已进行了 5 轮磋商，双方就一系列问题广泛交换了意见，并在一些重要问题上取得了共识。在 8 月 17 日结束的第五轮专家磋商中，双方商定并草签了《中华人民共和国政府和哈萨克斯坦共和国政府关于利用和保护跨界河流的合作协定》。双方很快将正式签署该协定。

中方高度评价双方所取得的这一重要成果，希望进一步加强同哈方在跨界河流领域的合作。

记者：你认为上海合作组织[1]框架内的交通运输和能源等领域的多边经济合作的主要内容与方向是什么？非上海合作组织成员国能否共同参与合作项目？

朱镕基：上海合作组织成员国开展多边经济合作的目的，是发挥成员国的经济互补性，实现资源的最佳配置，促进成员国经济的共同发展。为此，成员国应采取措施，简化投资手续，消除贸易壁垒，大力发展交通、运输、能源、电信、农业、旅游、银行、环保等领域的

[1] 上海合作组织：中国、俄罗斯、哈萨克斯坦、吉尔吉斯斯坦、塔吉克斯坦 5 国的元首，于 1996 年 4 月在上海举行首次会晤，签署了《关于在边境地区加强军事领域信任的协定》。1997 年 4 月，5 国元首在俄罗斯莫斯科举行第二次会晤并签署了《关于在边境地区相互裁缩军事力量的协定》，确立了 5 国元首定期会晤机制。此后，5 国元首每年轮流在各国举行会晤。2000 年 7 月在塔吉克斯坦杜尚别举行的 5 国元首会晤是第五次会晤，乌兹别克斯坦总统以观察员身份参加。2001 年 6 月在上海举行的会议上，5 国元首和乌兹别克斯坦总统共同签署了《上海合作组织成立宣言》，在“上海五国”基础上正式建立上海合作组织。

合作。今年9月在哈萨克斯坦举行上海合作组织成员国首次总理会晤时，将宣布启动多边经贸合作进程并签署相关文件。此后，各方将成立由成员国有关部门代表组成的工作小组，讨论在交通、运输和能源等领域开展多边合作的具体方向和优先项目。

上海合作组织作为一个开放的区域合作组织，欢迎非该组织成员国参与上海合作组织框架内的有关区域经济合作项目。

记者：江泽民主席在“上海五国”塔吉克斯坦杜尚别元首会晤上，向其他成员国建议参与中国西部大开发。你如何看待上海合作组织成员国参与这一战略计划？在阿拉木图会晤上，你是否会就此提出具体方案？

朱镕基：为进一步扩大改革开放，加快中西部地区的经济发展，中国政府正在积极实施西部大开发战略。在当前和今后一个时期，中国将重点加强西部地区的能源、交通等基础设施建设，调整产业结构，加强生态环境保护，大力发展科技、教育。

中国政府对外国企业参与西部大开发持积极鼓励的态度，为此，我们在投资、税收等方面出台了许多优惠政策，以吸引更多的外商。上海合作组织成员国参与西部大开发有独特的地缘优势，我们衷心欢迎这些国家参与中国的西部大开发。我们始终认为，中国西部地区的发展，不仅会为中国经济的持续增长和地区经济的协调发展创造条件，也将给各国投资者带来崭新的投资机会，甚至带动参与国自身的经济发展。所以，这是一件共赢的好事。目前，上海合作组织成员国正在积极探讨区域内多边经济合作框架，相信随着这一构想的逐步实施，西部大开发无疑将融入到这一进程中来，为本地区经济的共同繁荣作出积极贡献。

接受爱尔兰《爱尔兰时报》记者唐纳荷采访*

（2001 年 8 月 30 日）

唐纳荷：你此次爱尔兰之行希望取得什么成果？

朱镕基：我很高兴应埃亨总理的邀请对爱尔兰进行正式访问。我此行是在近年来中爱关系良好发展的形势下进行的。两国高层领导人都十分重视双边关系的发展，并保持着经常性的往来。1998 年埃亨总理访华后，爱尔兰政府制定了“亚洲战略”，促进了两国在经贸、科技、教育等领域的交流与合作。去年，双边贸易额超过 7 亿美元，比 3 年前增长了近 3 倍。双方还签署了一系列相关合作协定。目前，两国各界人士进一步加强合作的愿望很强烈。中爱都是联合国安理会现任理事国，在世界和平与发展问题上有许多共同点，应进一步加强磋商与协作。我希望通过此次访问，增进两国之间的相互了解，推动两国友好合作关系发展。我期待着同埃亨总理及爱尔兰其他领导人会晤，就今后两国在各个领域的合作与共同关心的国际和地区问题深入交换意见。我相信，在双方的共同努力下，此次访问一定能达到预期

* 应爱尔兰总理伯蒂·埃亨邀请，朱镕基总理于 2001 年 9 月 2 日至 5 日对爱尔兰进行正式访问。访问前夕，朱镕基在中南海紫光阁接受爱尔兰《爱尔兰时报》驻北京记者唐纳荷采访，就中爱双边关系、国内和国际等问题回答提问。

2001 年 9 月 2 日，朱镕基与夫人劳安乘专机抵达都柏林，开始对爱尔兰进行正式访问。爱尔兰总理埃亨到机场迎接。（新华社记者饶爱民摄）

目的，取得圆满成功。

唐纳荷：你认为中国能否从爱尔兰近年来的经济成功经验中获益？

朱镕基：近年来，爱尔兰经济发展取得了令人瞩目的成就，我们对此表示钦佩。爱尔兰的成功经验在于重教育、兴科技。它表明，随着经济全球化和世界科技的迅猛发展，一个国家要取得经济发展，必须顺应潮流，抓住机遇，制定正确的发展战略。中国改革开放20多年来取得的巨大成就也证明了这一点。中国正在实施科教兴国战略，争取早日实现国家的现代化。我们愿与爱方相互学习和借鉴，在发展中求合作，在合作中促发展。

唐纳荷：你访问爱尔兰时，正值北爱和平进程处于微妙阶段。中国西藏也存在领土问题。爱尔兰总理在1998年访华时曾建议，中国可以利用使北爱不脱离英国并解决冲突的“贝尔法斯特模式”解决西藏问题。你对此有何看法？

朱镕基：应当指出，中国西藏不存在领土问题。西藏自13世纪以来就是中国领土不可分割的一部分，这是不容辩驳的历史事实，并得到了包括爱尔兰在内的世界各国政府的承认。西藏事务纯属中国内政，这与北爱问题是有本质区别的。我们希望通过对话与交流，增加爱尔兰公众对西藏的客观、公正的了解。

唐纳荷：你此访是否将同爱尔兰总理讨论北爱问题？

朱镕基：我和埃亨总理在会谈中，将就共同关心的国际和地区问题广泛、深入地交换意见。中国支持爱尔兰政府为推动北爱和平进程所做的努力。

唐纳荷：人权活动人士并不欢迎北京获得2008年奥运会举办权。你是否有信心，在奥运会前中国的人权状况将会改善？

朱镕基：国际奥委会决定2008年夏季奥运会在北京举行，这是对中国体育事业和改革开放20多年来经济、社会全面发展的肯定，也是对北京和中国人民的信任。我们对支持北京申奥的国内外朋友表示感谢。举办2008年奥运会必将进一步推动中国各项事业的发展，有利于世界更多地了解中国，也有利于中国以更加豪迈的步伐走向世界。我们有能力、有信心把2008年奥运会办好。

唐纳荷：“法轮功”一直在中国驻爱使馆前抗议，要求释放已被关押一年的三一学院研究生赵明。中国是否会把反对“法轮功”的运动持续下去？有人指责数千名“法轮功”成员在中国的劳教所遭到虐待，你对此有何评论？

朱镕基：“法轮功”是被中国政府依法取缔的反人类、反社会、反科学的邪教组织。它对修炼者实施精神控制，残害生命，破坏家庭。对于“法轮功”这样的邪教组织，任何一个负责任的政府都不会放任不管。中国政府依法取缔和打击“法轮功”组织，正是为了保护公民的基本人权和自由，维护中国的宪法和法律。

赵明被处以劳动教养是因其从事“法轮功”邪教组织非法活动，抗拒国家法律实施，妨害社会公共秩序。赵明在劳教期间从未受到“体罚”及“虐待”，包括赵明在内的接受劳教人员的合法权益得到了充分保障。有人对我国政府处理“法轮功”问题进行无端指责，这是毫无道理的；借“法轮功”问题对我们说三道四，干涉我国内政，更是我们完全不能接受的。中方希望爱尔兰政府能够理解中国政府在处理“法轮功”问题上的立场。

唐纳荷：你如何评价撞机事件和《反导条约》争端后的中美关系？

朱镕基：中美关系在经历前一段时期的困难后，近来出现了积极进展。7月5日，江泽民主席应约与布什总统通了电话，就发展中美关系达成重要共识。7月底，美国国务卿鲍威尔对中国进行了成功的访问。今年10月，江泽民主席和布什总统将在上海出席亚太经合组织会议期间举行会晤，江主席还将在北京接待布什总统访华。当前，中美双方正在为此进行积极准备。两国关系面临良好发展机遇。我们认为，中美关系的改善和发展符合中美两国的共同利益，也有助于地区和世界的和平、稳定与发展。我们愿与美方一道努力，共同发展中美建设性合作关系。

当然，两国关系中也仍然存在一些需要妥善处理的问题，其中最重要的是台湾问题。但从长远看，我对中美关系的发展前景是乐观的。我相信，只要中美三个联合公报和国际关系基本准则得到遵守，只要两国间的问题特别是台湾问题得到妥善处理，中美关系就能不断改善和发展。

唐纳荷：有评论认为中国最近与俄罗斯签署的条约说明中俄两国联手对抗美国，是这样吗?

朱镕基：7月中旬，江泽民主席应邀访俄，与普京总统签署了《中俄睦邻友好合作条约》。《条约》总结了中俄两国元首近10年来所发表的10多个联合声明和宣言的主要原则和精神，将两国和两国人民"世代友好、永不为敌"的和平思想用法律形式固定下来，核心思想是在不结盟、不对抗、不针对第三国的基础上，发展两国长期睦邻友好和互利合作关系。《条约》是指导新世纪中俄关系发展的纲领性文件，具有划时代意义。

《条约》最突出的特点，就是它彻底摒弃了国家关系不是结盟就是对抗的冷战思维，强调相互理解、信任与合作，重申彼此间的分歧应在遵循《联合国宪章》的规定及其他公认的国际法原则和准则的基础上以和平方式解决。《条约》确立了以互信求安全、以互利求合作的新型国家关系模式，为当前国际形势下处理国与国关系树立了良好范例。将中俄签署这样一个通篇贯穿和平思想的友好条约说成是联手对抗其他国家，是完全不符合事实的。

我们坚信，《条约》的签署不仅对推动21世纪中俄关系长期、稳定、健康发展具有重要历史意义，而且对维护世界和平与稳定和建立国际政治、经济新秩序具有深远的积极影响。

唐纳荷：在今后几年里，我们是否能看到中国向更加民主的方向发展？

朱镕基：把我国建设成为富强、民主、文明的社会主义现代化国家，是我们既定的宏伟目标。发展社会主义民主政治，是这个目标的重要组成部分。没有民主就没有社会主义，就没有社会主义现代化。多年来，我们始终不渝地坚持发展民主，健全法制，取得了举世公认的进步。西方世界普遍注意到我们在基层广泛开展的直接的民主选举和基层社会生活的群众自治。今后几年，随着经济体制改革和现代化建设的发展，中国社会主义民主政治建设将会不断加强，这是毫无疑问的。

社会主义民主的本质是人民当家做主，真正享有各项公民权利，享有管理国家和社会的权利。我们进行政治体制改革，就是要进一步发展社会主义民主和法制。我们将进一步完善社会主义民主的具体制度，保障人民充分行使民主选举、民主决策、民主管理和民主监督的权利，保证人民依法享有广泛的权利和自由，尊重和保障人权。同时，坚持把发展民主同健全法制紧密结合起来，逐步实现民主的制度化、法律化。

我国与西方国家的社会制度、发展历史、文化背景有很大差异，民主的性质、内容和实现形式也必然不同。我们不能照搬照抄别国的政治制度。我们的民主政治建设，要充分考虑我国的历史背景、经济发展水平和文化教育水平，要有利于维护国家统一、民族团结、社会稳定。

唐纳荷：中国仍是一个发展中国家，但已出现了许多发达国家中存在的趋势——贫富分化。这是否使你感到担心？

朱镕基：我要澄清一个事实，即中国目前存在收入分配差距拉大的问题，但并没有出现贫富两极分化。收入差距拉大问题，确实值得我们高度重视。据国家统计局计算，目前中国的基尼系数已经接近 0.4。一些国家和学者认为，0.4 是一个警戒线。但中国的国情有其特殊性，收入差距问题不像基尼系数反映的那么严重。第一，由于历史和自然条件等各种因素影响，中国的城乡收入差距一直比较大，城乡收入差距是导致中国基尼系数偏大的重要原因。近几年，由于粮食供给相对过剩，粮价下跌，农民收入增长缓慢。中国政府对此非常重视，正在积极采取措施来逐步解决这一问题。第二，中国目前正处于经济结构加快调整过程中，国有企业改革还没有完成，下岗和失业的人员还比较多。因此，城市居民之间收入差距扩大也是难以避免的。我们将通过完善社会保障体系、多渠道增加就业等措施逐步加以解决。第三，目前一些行业和企业仍处于垄断地位，并因此获得过高的收入，这也是造成收入差距扩大的重要因素。我们将加快电力、电信、铁路、民航等行业的改革，最大限度地引入竞争机制，逐步消除垄断和不合理的垄断性收入。第四，收入分配秩序混乱，再分配调节力度不够，也影响到收入差距扩大的趋势。我们正在全国开展声势浩大的整顿和规范市场经济秩序活动，通过打击制售假冒伪劣产品、走私贩私、偷税骗税等违法行为，也将有利于规范收入分配秩序，缩小收入差距。我们将完善个人所得税制，加强税收征管，更好地发挥税收对收入分配的调节作用。同时，实施西部大开发战略和城镇化战略，将有利于缩小地区差距和城乡差距。总之，对于收入分配差距拉大的问题，我们十分重视，并正在采取措施努力加以解决。我们对于最终解决这一问题，进一步理顺收入分配关系，是充满信心的。

唐纳荷：中国的经济增长速度超出了人们的预料。你是否认为中国经济将持续增长？如果持续增长，对中国可能会产生什么副作用？

朱镕基：面对错综复杂的国际、国内环境，中国政府坚持用发展的办法解决前进中的问题，实行扩大内需的方针，实施积极的财政政策和稳健的货币政策，成功地克服了亚洲金融危机和国内有效需求不足带来的困难，国民经济保持了持续、快速、健康发展的好势头。今年在世界经济和贸易增长放慢、国际经济环境趋于严峻的情况下，通过继续扩大国内需求，加快经济结构调整，积极稳妥地推进各项改革和进一步扩大对外开放，中国经济保持较快增长，上半年国内生产总值比去年同期增长 7.9%，经济增长的质量和效益进一步提高。

当前，中国正在实施第十个五年计划，无论是解决经济社会生活中存在的突出矛盾和问题，还是不断提高人民生活水平，进一步增强综合国力，逐步缩小我们与发达国家之间的差距，都要求我们必须抓住机遇，加快发展。“十五”计划明确把发展作为主题，发展是解决中国所有问题的关键。从加快发展的条件看，中国拥有巨大的国内市场，保持经济持续较快增长有着广阔的市场前景；中国即将加入世贸组织，更加深入和广泛地参与国际交流与合作将为我们提供新的机遇；通过改革开放以来宏观调控的实践，我们积累了治理通货膨胀和扩大国内需求、抑制通货紧缩趋势的多方面宝贵经验。这些都为经济的进一步稳定发展提供了保证。我们相信，通过认真落实“十五”计划提出的各项方针政策，中国经济将沿着持续、快速、健康发展的轨道继续前进。

唐纳荷：中国即将加入世贸组织。中国加入世贸组织是否可能弊大于利？是否可能有数十万人从国有企业下岗？

朱镕基：中国在申请恢复关贸总协定缔约国地位和加入 WTO 时，就对此做了充分的评估和论证。中国与其他加入的成员一样，加入 WTO 肯定是有利有弊的，但我们分析，总体上说是利大于弊。否则，中国就不会申请加入了。

当然，我们也分析了中国加入后可能面对的挑战。但中国已经进行了20多年的改革开放，社会主义市场经济体制已经基本建立并趋于完善，中国有能力面对挑战。从总体上说，中国加入WTO不会对中国经济造成重大冲击，当然对每个行业的影响程度是有所不同的。对那些竞争力弱、生产成本高、管理水平低的企业来说，冲击就大一些，比如说农业。因此，我们在多边谈判时坚持一定要享受发展中成员国的待遇，保证加入WTO后，我国9亿多农业人口的生活水平不降低，中国农业要有能力参与国际竞争。

唐纳荷：近来因人权问题，都柏林有人反对都柏林和北京结为友好城市。你愿意看到这种事发生吗?

朱镕基：某些人经常对中国的人权状况说三道四，其实他们对中国的情况并不了解。现在任何不带偏见的人都会承认，中国的人权状况处于历史上最好的时期。由于各国国情不同，在人权问题上有些不同看法，这是正常的。最好的解决方法是在平等和相互尊重的基础上，通过对话与交流加强了解，扩大共识，而不应影响两国在其他领域的合作。北京和都柏林两市加强往来与合作，对双方都有利。

唐纳荷：就你个人而言，北京申奥成功对你意味着什么?

朱镕基：北京申办2008年奥运会获得成功，实现了中华民族100多年的奥运梦想。喜讯传来，北京和全国各地一片欢腾。我也十分高兴，感慨万千。

我作为国家总理，北京申奥成功意味着我多了一份责任。申奥期间，中国政府向国际奥委会和国际社会作出了一系列的庄重承诺。中国人守信用，重言诺，我们一定会兑现这些承诺。我有责任帮助和督促北京市政府和有关方面，努力做好各项准备工作，向全世界人民奉献一届出色的奥运会。

接受比利时《自由比利时报》记者巴盖采访*

（2001年9月6日）

巴盖：人们的印象是，对中国来说，只有美国才是重要的。请问欧洲对中国的重要性何在？

朱镕基：中国一贯主张在和平共处五项原则的基础上，发展同世界上一切国家的友好往来和互利合作。中国重视与美国的关系，也重视与欧洲国家的关系。欧洲在历史上曾是文艺复兴的摇篮和两次工业革命的发祥地，为人类文明进步作出过重要贡献。欧洲也是当今世界上一支重要的政治和经济力量，在国际上有着重要的影响力，对维护世界和平、促进人类共同发展负有重要的责任。中国和欧洲之间没有直接的利害冲突，在重大国际问题上有着相同或相似的立场，经济上互补性很强。当前双方正处于各自内部发展的重要阶段，都有进一步加强合作的愿望和需要。中国一直从战略高度看待和处理同欧洲国家

* 应欧盟理事会轮值主席、比利时王国首相伏思达和欧盟委员会主席罗马诺·普罗迪邀请，朱镕基总理于2001年9月5日至7日，对比利时进行正式访问，并在比利时首都布鲁塞尔出席中国—欧盟领导人第四次会晤。访问期间，朱镕基在下榻的布鲁塞尔喜来登饭店接受比利时《自由比利时报》记者菲利普·巴盖采访。

2001年9月6日，朱镕基在布鲁塞尔会见比利时国王阿尔贝二世。
（新华社记者齐铁砚摄）

的关系。在世界走向多极化和国际社会面临各种新挑战的形势下，双方有着广泛的共同利益。一个致力于改革开放和迈向现代化的中国，与日益强大的欧洲加强和发展全面伙伴关系，不仅对双方有利，而且有助于世界的和平、稳定与发展。

巴盖：中比今年庆祝建交30周年，请你对中比关系作一总结，并指出今后还应在哪些方面取得进展？

朱镕基：中比建交30年来，两国关系取得了巨大发展，各个领域的合作都硕果累累。双方领导人及各界人士往来日益密切，相互了解不断加深。两国贸易额从建交初期的2000万美元增至去年的36亿美元。比利时成为中国在欧洲的第六大贸易伙伴。比在华投资项目则从无到有，至今年 6 月已达 358 个，实际投入 4.3 亿美元。中比科技合作富有成效，迄今已执行了 200 多个合作项目。文化交流日益活跃，双方文艺团体的互访和精美的文物、书画展览为两国人民提供了丰富多彩的艺术享受。教育领域的合作日益扩大，双方互派留学生人数逐年增多，迄今中国留比学生已超过 1000 人。省际友好合作关系也取得了可喜的进展。回顾 30 年来中比关系的巨大发展，我们感到由衷的高兴。

与此同时，我们也感到中比关系还有巨大发展潜力，中方愿与比方一道，将中比关系不断推进到更高水平。对今后两国关系的发展，我有以下几点想法：

第一，进一步加强人员交往。尽管现代化信息技术越来越先进，但它代替不了人与人之间的感情交流和沟通。双方应加强接触、加深了解，增进信任、减少误解，扩大共识、推动合作。第二，进一步挖掘经贸合作的潜力。中比经济互补性强，前景十分广阔。中国正在实施“十五”计划和西部大开发战略，欢迎更多的比利时企业家参与中国的经济建设，特别是在信息、生化等比利时拥有优势的高新技术产业加强对华合作。第三，进一步加强文化交流对增进两国人民了解和友谊的桥梁作用。中比、中欧两种不同文明相互补充和借鉴，可以为世界的持久和平和普遍繁荣作出有益的贡献。第四，深化在国际事务中的磋商与合作。中比之间没有直接的利害冲突，在维护和平、促进发展方面有共同利益和立场。我们愿就联合国事务以及军控、环保、跨国犯罪等人类共同关心的问题经常与比方交换意见，加强协调与合作。

我相信，通过双方的共同努力，中比关系一定会取得更加丰硕的成果。

巴盖：中国的改革造成了诸如失业等严重的社会问题，你准备如何解决这些问题？

朱镕基：失业问题是当今世界各国政府普遍面临的一个世界性难题。当前，中国就业压力很大，下岗职工增多。第二季度城镇登记失业率为3.3%，失业人员约620万人，国有企业下岗职工达630万人。另外，农村有富余劳动力1.5亿人。“十五”期间，中国面临新一轮就业高峰，新增劳动力将达到4600万人，就业压力进一步增加。随着科学技术的快速发展、加入WTO、产业结构调整和企业改革步伐的加快，结构性失业问题也会更加突出。

中国的失业问题不是改革造成的。它是人口众多、劳动力长期供大于求的反映，是计划经济条件下实行的就业体制和就业政策在经济转轨过程中的反映，也是长期以来重复建设、盲目建设以及企业经营机制深层次矛盾多年积累的结果。目前，中国政府正在采取以下一系列积极政策措施解决上述问题：

一是实行有利于增加就业岗位的积极的就业政策，广开就业门路，拓宽就业渠道。保持较快的经济增长速度，大力发展吸收就业容量大的第三产业，发展具有比较优势的劳动密集型产业，鼓励发展集体、个体和私营等多种经济，以及吸纳就业能力比较强的小企业和劳动就业服务企业；在城市中重点发展社区服务业，促进下岗职工和失业人员再就业；实行非全日制就业、季节性就业等灵活多样的就业形式，增加就业岗位。

二是发展劳动力市场，完善就业服务体系，逐步形成市场导向的就业机制。在巩固“两个确保”[1]的同时，推动国有企业下岗职工基

[1] “两个确保”：1998年，中国政府决定实行的关于社会保障工作的两项基本原则，一是确保企业离退休人员基本养老金按时足额发放，二是确保国有企业下岗职工基本生活。

本生活保障制度向失业保险制度的并轨，形成市场竞争就业新机制。为帮助市场竞争中的弱势群体实现再就业，由政府组织开展“再就业援助行动”，通过上门指导、贴近服务、专项扶持、接续社会保险等援助措施，对弱势群体提供及时有效的服务和帮助。发展公共就业服务，提高劳动力市场的科学化、规范化、现代化水平，将就业信息及时、快捷地送到下岗失业人员面前。完善就业服务体系，将就业服务网络延伸到街道、社区，把下岗失业人员管理、服务纳入社会化轨道。

三是妥善解决经济结构调整期间的下岗失业问题，建立再就业服务中心，完善失业保险制度。为妥善解决经济结构调整期间的下岗失业问题，中国政府自 1998 年起在国有企业普遍建立了再就业服务中心，为下岗职工发放基本生活费，代缴社会保险费，并提供再就业服务。3 年来，共有 2300 万名下岗职工进入再就业服务中心，其中的 1500 多万人实现了再就业，目前在中心的下岗职工还有 630 万人。建立再就业服务中心是在社会保障制度不完善的情况下，采取的过渡性措施。为尽快建立健全社会保障体系，我们对原有的失业保险制度进行了改革，扩大了覆盖范围，增强了基金的支付能力，提高了管理和服务水平。目前，有 1.02 亿名职工参加了失业保险，每月领取失业保险金的人数达到 240 万人。城市居民家庭生活困难的，还可以享受城市居民最低生活保障。这是中国政府为人均收入偏低的城市居民提供物质帮助的一种制度。去年，有 400 万城市居民进入了保障范围。这三项保障制度，我们称之为基本生活的“三条保障线”，它们对促进经济改革和维护社会稳定发挥了积极作用。

四是实施城镇化战略，多渠道解决农村剩余劳动力的就业问题。结合西部大开发战略，加快城市化步伐，进一步引导农村劳动力向城市和发达地区合理有序流动。形成外出就业和返乡创业双向流动的就业机制，继续开展农村劳动力开发就业试点工作，探索统筹城乡就业和发展小城镇扩大就业的途径。

五是加强职业培训，提高劳动者就业能力和适应职业变化能力。积极推动对青年劳动者就业前的劳动预备制培训，继续搞好对下岗失业人员再就业培训，大力推动创业培训，全面推行职业资格证书制度，逐步形成“市场引导培训、培训促进就业”机制，鼓励和支持社会各方面力量开展多层次、多形式培训，注重应用远程培训手段扩展培训，提高劳动者就业能力。

巴盖：台湾问题是中国非常关注的问题。两岸在什么条件下才能开始对话？

朱镕基：我们一贯主张，通过对话与谈判的方式解决与台湾方面的分歧，实现和平统一，并为此作出了不懈的努力。去年3月20日，台湾地区选举刚刚结束，江泽民主席就公开表示：“台湾不管谁当权，我们都欢迎他来大陆谈，同时，我们也可以到台湾去。但是，对话谈判要有个基础，就是首先必须承认一个中国的原则。在这个前提下，什么都可以谈。”同年5月20日，中共中央台办、国务院台办受权发表声明指出：“只要台湾当局明确承诺不搞‘两国论’，明确承诺坚持海协与台湾海基会1992年达成的各自以口头方式表述‘海峡两岸均坚持一个中国原则’的共识，我们愿意授权海协与台湾方面授权的团体或人士接触对话。”但是一年多来，台湾当局领导人不但拒不接受一个中国原则，不承认1992年“两会”共识，不放弃分裂主张，而且一再恶化两岸关系，破坏了两岸对话的基础。在此，我可以重申，我们在一个中国原则基础上推动两岸对话与谈判的主张和诚意是一贯的。台湾当局如果真有重开对话与谈判的诚意，就应该明确表示坚持一个中国原则，明确承诺坚持1992年“两会”共识，并为重开两岸对话拿出自己的实际行动来。

接受德国电视一台等三家媒体记者联合采访*

（2001年10月22日）

记者：总理先生，德国总理施罗德将于下周第三次访华，这表明两国的关系发展良好。你认为，德国在世界政治范围内应起什么样的作用？德国是否应该在联合国安理会获得常任理事国席位？

朱镕基：中德两国的友好合作关系最近几年发展得非常好。我和施罗德总理也是很好的朋友，我们多次见面，在很多问题上有共同的认识。这是他第三次访华，我们表示热烈欢迎，我们会很好地接待。我认为，德国在当今世界的政治和经济活动中发挥着非常重要的作用。中德两国的关系是非常重要的关系，我们非常重视。我们希望德国在今后国际政治、经济格局中能够发挥更大的作用，我们乐于看到这一点。

记者：总理先生，你和施罗德总理推动一项备受瞩目的中德法律交流与合作项目以来，成立了很多研究和工作小组，从事法学方面的

* 应国务院总理朱镕基邀请，德意志联邦共和国总理格哈德·施罗德于2001年10月31日至11月2日对中国进行正式访问。施罗德访华前夕，朱镕基在北京人民大会堂接受德国电视一台、《明星》周刊和《商报》三家媒体驻北京记者联合采访，就中德双边关系、国内和国际等问题回答提问。

研究。但是一些法学家在中国经常看到的情况是权力高于法律，如果政治体制不进行彻底改革，那么法律什么时候才会高于权力？

朱镕基：中国与德国在司法方面的合作是独一无二的，我们迄今为止只跟德国签订了这样的协议。德国的法律比较健全、严密，这方面有很多值得我们借鉴的地方。现在这一合作进行得很好，双方政府都对此十分肯定。德方能够在中国看到我们实行法治过程中的一些问题，这很好，我们感到高兴，这样能够针对我们存在的问题进行交流。中国正在建设并实行有中国特色的社会主义民主和法制。我们实行的是依法治国。我们的宪法和法律都规定，法律面前人人平等。迄今为止，全国人大制定的法律已经有390多部，国务院制定的行政法规也有几百个，各个地方制定的法规有好几千个。我们不能说中国的法律已经十分完备了，但我们吸收和借鉴了各国的立法经验，来建立适合中国的法律体系，这个体系已经基本形成了。

我们制定了严格的工作制度和领导干部监督制度。我们各级监督和审计机关对发生的腐败现象从不姑息，一律移交司法机关处理。对于行政渎职的现象，我们进行严肃的处理。你们也看到最近的一些安全事故，如煤矿爆炸，我们一直处分到省长一级，现在已经有好几个省长受到了记过处分。

记者：过一段时间，德国总理施罗德将要来中国访问。在德国，如果谁对施罗德总理不满意或者对他的政策不满意，可以上街组织游行，举一个大牌子，上面写着“施罗德，你下台吧”，或者也可以组织反对党使他落选。现在中国老百姓是不能这样做的，那么他们如何发泄不满呢？

朱镕基：中国人民有游行、示威的自由，在许多城市经常有这种情况。现在最令我头痛的是他们阻断交通，在铁路上卧轨。不过打出牌子来要我下台的还很少，群众主要是对政府的某些政策不满。现在有一个现代化的工具叫 Internet（国际互联网）。Internet 上骂我们的言论有的是，天天都可以看到骂我的话。

记者：总理先生，在德国许多人对中国抱有负面的印象，认为中国每年对数以千计的政治反对者施以死刑，并且追捕“法轮功”成员。中国政府为什么要采取如此激烈的手段？什么时候，中国才会成为一个尊重人权的国家？

朱镕基：我相信，你们自己也认为中国是一个讲人权的国家。我们有侵犯人权的现象，但在哪个国家没有呢？我们始终在加强立法，并且严格执法，在改进这方面的状况。我认为我们是有进步的，中国的人权状况正在不断改善。

至于“法轮功”，我亲自跟“法轮功”分子谈过话。他们当面向我承认，“法轮功”不是宗教，也不是气功。中国的气功还是有一些科学性的，“法轮功”只是骗人的邪教。可是，它为什么能发展到有那么多人呢？是我们过去没有注意到这个问题。这个问题发生在一些低层次的人身上，当然一些高层次的人也相信，其中各有各的原因，但是绝大部分是比较低层次的人，他们没有受到很多教育，收入比较少，对社会有不满的情绪，因此他们容易相信“法轮功”。绝大部分“法轮功”的痴迷者是群众，对于他们，我们采取的完全是教育的手段，对他们进行科学的教育。只是对那些极少数与国外“法轮功”分子，比如和“法轮功”头目李洪志有直接联系的人，我们是要把他们抓起来的。即使对于这些顽固不化的“法轮功”分子，我们还是很少采取判刑的手段，而是采取教育的办法。如果没有国外的反华势力支持这些人，给他们提供经费，支持他们在国内闹事，那么应该说“法轮功”问题在中国早就解决了。

记者：总理先生，我们记得，你刚刚当选为总理的时候，表示要在任期之内进行经济和政治改革，当时不仅是中国国内，包括一些德国人都很高兴看到你当选为总理，大家认为中国的政治改革将会有希望。但是现在，我所认识的一些朋友对政治改革的现状却比较悲观、失望。你当时说过，你在政治改革方面是耐心最少的人，你要尽快推进中国的民主化和中国的自由化，现在你个人也有些失望情绪吗？你现在仅仅是一个经济改革者吗？

朱镕基：对中国经济改革的成就，全世界有目共睹。我在本届政府就职时提出的经济改革目标，现在已经基本实现了。当然，我说的基本实现是指我提出的阶段性目标已经实现了，但整体的中国经济改革还没有完成，要走的路还很远。

至于你所提的政治改革，我认为，在我的任期内，中国的政治体制改革也取得了很大进步。西方国家所认为的政治改革和我们理解的政治改革是不一样的。我们的政治改革是建立社会主义的民主和法制，是有中国特色的、适合中国国情的民主和法制。西方国家认为的政治改革的标准是，是否实行多党制，是否实行普选，是否实行“三权分立”。按这个标准来衡量中国的政治改革，他们当然感到失望，因为中国没有按照西方的模式来进行政治改革。我们相信，中国的政治改革一定可以完成，中国的社会主义民主与法制道路一定可以走通。我们对中国的政治改革没有失望，而是满怀信心。

记者：你认为今后3年中国经济领域改革中最重要的步骤是什么？

朱镕基：今后我们的工作就好像走钢丝一样，要保持平衡。一方面，我们必须开放，必须通过竞争使经济有活力；另一方面，我们也要让开放不至于使我们的农民和大部分企业破产。有一些企业破产没有问题，这是好事，但是如果多数企业都破产，那怎么得了?!

记者：中国加入WTO后，哪些产业会因此受益，哪些会因此受损？

朱镕基：中国加入WTO的谈判已经进行了15年，恐怕可以列入

2000 年 7 月 2 日，朱镕基与夫人劳安在德国参观拉藤磁悬浮列车试验场。

（新华社记者刘建国摄）

吉尼斯世界纪录了。到现在，我不敢说中国肯定可以参加 WTO，只敢说差不多了。我们为什么要这样努力、耐心地进行谈判呢？是不是加入 WTO 就可以带给中国很大的好处呢？不是这样。我们追求的是自己的权利。中国这样一个重要的经济大国，应该有平等参加 WTO 的权利，WTO 没有中国就是不完整的。

我们认为，参加 WTO 后有利有弊。如果弊大于利，就是说开放速度过快，国内企业缺乏承受的能力，就会导致国民经济遭受很大的负面影响。这种情况我们不能不加以注意。你知道中国有 9 亿多农民，他们的生产方式比较落后，生产成本高，现在还比较贫困。如果一下子大规模开放农产品市场，中国农民便可能破产。

这里我们特别要提到德国的作用。最近几年，德国有很多跨国公司的大项目进入中国，我们积极争取，它们也很愿意来，并且也确实取得了成功。中德经济合作的前景是非常美好的。

这次施罗德总理来访的时候，我将陪同他去上海参观磁悬浮铁路的工地。我此前从来没有陪同过哪个国家的政府首脑参观过任何一个项目，只是在北京举行欢迎仪式、会谈、宴请等。

我们计划建设从北京到上海的高速铁路，这条铁路我们已经酝酿了很多年了。究竟是用法国的、日本的还是德国的技术，关键就是看这个示范段是否成功。我相信，它一定会成功。我自己在德国坐过磁悬浮列车，将来也会到上海去坐，表示它是安全的。香港特别行政区政府最近说，他们也考虑要修从深圳到香港的磁悬浮铁路。

2002 年 12 月 31 日，朱镕基和德国总理施罗德出席上海磁悬浮铁路示范运营线试运行通车剪彩仪式后，一同乘坐磁悬浮列车前往示范运营线终点站——浦东国际机场站。（新华社记者马占成摄）

请代我向德国的电视观众转达这样一句话：我访问德国的时候，在汽车里看到街上很多普通老百姓向我招手，我十分感动。请向德国人民、柏林人民问好。

接受俄罗斯俄通社—塔斯社北京分社社长基里洛夫采访*

（2002 年 8 月 21 日）

基里洛夫：你如何评价目前俄中政治关系？

朱镕基：近年来，中俄关系一直保持蓬勃发展的良好势头，双方政治关系达到前所未有的高水平。江泽民主席与普京总统在去年 7 月签署《中俄睦邻友好合作条约》，将两国和两国人民“世代友好、永不为敌”的和平思想用法律形式固定下来，为我们两国永远做好邻居、好伙伴、好朋友指明了方向。

《条约》签署一年多来，两国政府和各部门积极落实《条约》，取得了显著成果。现在，中俄双方高层互访频繁，政治互信不断加深；经贸等各领域务实合作，不断迈上新台阶；在重大国际和地区问题上的磋商与协作密切。中方对两国关系的发展水平感到满意。

普京总统在今年 12 月初将来华进行国事访问，这是今年双边关系的大事。两国元首此次会晤，必将为中俄关系持续深入发展注入新的动力。

* 应国务院总理朱镕基邀请，俄罗斯联邦政府总理米·米·卡西亚诺夫于 2002 年 8 月 21 日抵达上海访问，并出席中俄总理第七次定期会晤。卡西亚诺夫访华前夕，朱镕基在上海接受俄罗斯俄通社—塔斯社北京分社社长安德烈·基里洛夫采访。

基里洛夫：你如何评价目前俄中经贸合作水平？

朱镕基：近年来，在中俄两国政府和企业界的共同努力下，双方的经贸合作逐步进入稳定发展时期。双边贸易额已连续 4 年保持增长，尤其是在 2001 年创历史纪录的基础上，2002 年继续保持快速增长，前 7 个月双边贸易额达 66.2 亿美元，同比增长 19.4%，全年有望再创新高。

目前，双方在各领域的经济技术合作进展顺利，并不断向高科技、能源、资源开发与利用、核能、金融、运输、航空航天、环保、信息技术等领域的更深层次发展。我相信，中俄经贸合作一定会在平等信任、互利互惠的原则基础上更快地发展，为两国经济的发展和人民生活水平的提高作出更大贡献。

基里洛夫：俄中两国大项目合作，特别是能源领域合作的发展前景如何？

朱镕基：中俄两国开展能源合作，具有地缘优势和经济互补性。近几年来，在两国政府的积极支持下，双方有关企业不断探讨能源领域的各项合作。双方已确定了铺设中俄石油、天然气运输管道项目，俄罗斯天然气工业公司已与中方签署了参与中国“西气东输”工程的有关协议。

基里洛夫：你如何看待在上海合作组织框架内发展俄罗斯、中国及中亚四国间的经济合作关系问题？

朱镕基：俄罗斯和中亚四国均为中国的近邻，又同是上海合作组织的成员国。各国人口众多、地缘相近，自然、科技、人才资源丰富，经济互补性强，合作潜力巨大。在上海合作组织框架内开展区域经济合作，有利于各国的共同发展，也有利于巩固该组织合作的物质基础，增强其凝聚力，维护本地区的安全和稳定。

中方对上海合作组织框架内的经济合作持积极态度。中方愿与各

2002 年 8 月 21 日，朱镕基在上海举行仪式，欢迎来华进行正式访问的俄罗斯联邦政府总理卡西亚诺夫。
（新华社记者姚大伟摄）

方一道积极推动贸易投资便利化进程，促进相互投资与贸易合作。我相信，本区域经济合作将为中俄经贸合作的发展提供更加广阔和便利的平台。

基里洛夫：你对本届政府5年来在你的领导下所做的工作做何评价？你当初提出的精简机构等一系列目标是否已经成功实现？你认为下届政府的主要任务是什么？

朱镕基：对本届政府工作的评价，应该由人民和历史来做。我可以肯定地说，本届政府认真履行了职责，对国家和人民事业作出了最大努力。

1998年3月，我刚当选总理的时候，曾把任期内要干的几件大事概括为"一个确保"、"三个到位"和"五项改革"。这些任务和目标已经或即将成功实现。

"一个确保"，就是保持经济持续较快增长。这个目标前几年已做到了，今年也完全可以实现。1998至2001年，中国国内生产总值增长率连续4年都在7%以上；今年上半年达到7.8%，预计全年可在7.5%以上。这几年，针对亚洲金融危机的冲击和世界经济增速减缓的影响，我们及时提出扩大国内需求的方针，坚定地实施积极的财政政策和稳健的货币政策。这些方针政策是卓有成效的，不仅使这几年经济实现持续较快增长，而且为中国经济以后长远的发展打下了比较坚实的基础。我们通过实行积极的财政政策和稳健的货币政策，进行了大规模的基础设施建设、企业技术改造，并支持科技、教育事业发展。1998至2001年，加固了大江、大河、大湖堤防3万公里；建设铁路新线4000公里，复线1988公里，电气化铁路1063公里；累计建成公路通车里程2.55万公里，其中高速公路8000公里；新建、扩建机场37个；安排建设高科技产业化、重大装备制造和企业改造项目近2000个；城市供水、道路、垃圾和污水处理项目约1000个；对1895个县进行了农村电网改造；安排建设各类学校教学和学生生活设施项目9300多个。这些方面的投资力度和建成的能力，都是空前的。经济发展的条件大为改观。

“三个到位”，就是全面推进国有企业改革，实现国有大中型企业3年改革和脱困目标；深化金融体制改革；进行政府机构改革。

“五项改革”，就是粮食流通体制改革、投融资体制改革、住房制度改革、医疗制度改革和完善财税制度改革。

这些任务，有的已经提前完成了，有的已基本完成，还有的正在进行。例如，精简政府机构，我们按照精简、统一、效能的原则，以建设廉洁、勤政、务实、高效政府为目标，在本届政府第一年，将国务院组成部门由原来的40个减少到29个，机关人员编制由原来的3.2万人减少为1.67万人。去年年初，又撤销了9个国家局级机构。我们已经基本完成了从中央政府到省、市、县、乡政府的机构改革。这次政府机构改革不仅仅是精简机构，更重要的是适应发展社会主义市场经济的要求，大力推动了政府职能转变和行政体制改革，加强了政府工作作风建设。

此外，本届政府还相继提出了许多新的重要任务，包括实施西部大开发战略、完善社会保障体系、进行农村税费改革、加大生态环境保护与建设力度、整顿和规范市场经济秩序，以及加入世界贸易组织、从广度和深度扩大对外开放等。这些任务，有的已经完成，有的正在继续进行。

关于下一届政府的工作任务，根据去年3月第九届全国人民代表大会第四次会议审议通过的《中华人民共和国国民经济和社会发展第十个五年计划纲要》，应当继续实现国民经济持续较快发展，推动经济结构战略性调整，为到2010年国内生产总值比2000年翻一番奠定坚实基础。

三、在境外的演讲和答问

在香港“21 世纪中国经济发展高级研讨会”上的演讲和答问*

（1997 年 9 月 22 日）

尊敬的沃尔芬森行长，

女士们，先生们，朋友们：

刚才沃尔芬森行长讲了很多我的好话，但是我不知道我今天的发言能不能值得了每张 1250 美元的门票，我尽量地做，但恐怕你们还是不能满意。

在世界银行和国际货币基金组织 1997 年联合年会前夕，召开这样一个规模盛大的“21 世纪中国经济发展高级研讨会”，是有积极意义的。我谨向来自世界各地的各位来宾，表示热烈的欢迎！对会议的召开表示热烈的祝贺！

在今天的研讨会上，许多朋友的发言都对中国经济给予了积极的评价，并且提出了很好的建议，我对各位的卓识和好意表示真诚的感谢。

中国自 70 年代末实行改革开放以来，国家的面貌发生了巨大的变化。特别是最近几年，我们扭转了经济发展过程中一度出现的过

* 1997 年 9 月 21 日至 23 日，应世界银行行长詹姆斯·戴维·沃尔芬森邀请，朱镕基副总理专程到香港主持于 9 月 22 日举办的“21 世纪中国经济发展高级研讨会”，并在会上作主旨演讲，介绍中国的经济形势和发展前景，回答与会代表提问。

热，成功地抑制了通货膨胀，同时又保持了经济的快速增长。今年前8个月中国的物价涨幅回落到1.4%，预计今年的经济增长速度仍将达到10%左右。可以说，现在中国经济发展的好形势是多年以来没有的。

1997年9月21日，朱镕基与夫人劳安乘专机抵达香港，主持将于9月22日举办的“21世纪中国经济发展高级研讨会”。香港特别行政区行政长官董建华等人到机场迎接。

（新华社记者鞠鹏摄）

我们采取的主要政策措施有：

第一条，是加强了农业。1992到1993年工业的高速增长是以忽视农业和农民的利益为代价的，其后果是粮价的飞涨。在1994到1996年3年中，我们两次提高了粮食和棉花的收购价格，并在稳定农村的生产关系、保证化肥等农业生产资料供应和减轻农民税费负担等方面采取了一系列措施，调动了农民的生产积极性。过去两年，粮食产量每年增长都在2000万吨以上。今年夏粮又获得了丰收，虽然由于气候的原因，秋粮可能减产，但全年粮食的产量不会比大丰收的去年减少太多。粮食供应充裕，因此稳定了占居民消费较大比例的食品的价格，这是物价的涨幅迅速回落的重要因素。

第二条，是从1993年下半年开始，整顿金融秩序，实行适度从紧的财政和货币政策，有效地抑制了货币过量投放和固定资产投资过度膨胀的情况。与1993年相比，1996年的全社会固定资产投资增长率从61.8%下降到18.2%，广义货币供应量M_2增长率从37.3%下降到25.3%，从而保证了宏观经济的基本平衡。

第三条，是从1994年开始，我们果断而不失时机地对财政、税收、金融、外贸等体制，进行了根本性的改革。实行了以增值税为基础的税制改革和中央、地方分开的“分税制”，保证了财政收入连年大幅度增加，赤字逐年减少。中央银行监督的加强和政策性银行的成立，使商业银行的经营管理有所改善。汇率改革和投资环境的改善，促使外贸出口增加，外商直接投资激增，1994到1996年3年累计吸收外资1000多亿美元，相当于1994年以前10多年总和的两倍。外汇储备大量增加，从1993年年终的180亿美元增加到今年9月15日的1316亿美元。引导企业面向市场生产，调整产品结构，使商品逐步从卖方市场过渡到买方市场，现在市场上多数商品供求基本平衡或者供过于求，这就为稳定物价奠定了物质基础。

有一些外国朋友关心，中国现在经济发展的好形势能不能持久，会不会出现新的通货膨胀？我看不会。因为通过 3 年的实践，我们已经找到了防范和解决通货膨胀的办法，只要坚持这些行之有效的办法，这种好的经济形势就可以得到巩固，并且长期地保持下去。

刚刚闭幕的中国共产党第十五次全国代表大会，对中国改革开放和社会主义现代化建设跨世纪的发展，作出了全面部署。按照我们的设想，本世纪最后几年，中国经济预计平均每年增长 8%，从现在的实际情况看还可能会更高一些；下个世纪的头 10 年将保持 7% 的增长速度。这些都跟世界银行在《2020 年中国的发展》中的预测，极为相似。我们面前有很多困难，但也有很多有利的条件，特别是我们已经找到了一条符合中国国情的、逐步实现现代化的正确道路，这就是邓小平开辟的建设有中国特色社会主义的道路。在以江泽民主席为核心的党中央的领导下，我们的目标一定能够达到。

近 20 年来，中国经济发展之所以能够取得显著成就，根本原因在于实行改革开放。改革开放给中国经济发展带来了强大的生机与活力。改革开放是中国自身发展的需要，深得全国人民的拥护，已经走上了不可逆转之路。中国实行改革开放的政策是不会改变的。

当前中国经济体制改革的重点是国有企业改革。江泽民主席在中国共产党第十五次全国代表大会上，对社会主义市场经济理论做了深刻而全面的阐述，有了新的发展。改革开放以来，中国实行以公有制为主体、多种经济成分共同发展的基本方针，非公有制经济有了较快的发展，在国民经济中所占比重逐渐提高，但这并没有影响公有制经济在国民经济中的主体地位。公有制经济不仅包括国有企业和集体企业，还包括混合所有制经济，例如股份制企业中的国有成分和集体成分。国有经济为主导，主要体现在对国民经济的控制力上，而不简单地在于一定要达到一个多大比重。理论上的这个新的突破，必将使企业改革在一些重大的方面得到突破性进展。

当前，中国确实有一部分国有企业效益不好，面临比较大的困难。原因是多方面的，既有企业机制方面的原因，也有历史遗留的困难。一是多年来行政干预造成的重复建设使产品供过于求，因此国有企业无法满负荷生产；二是建设项目盲目贪大求全而又缺乏资金，因此迫使银行过量地发行货币、发放贷款，企业债务沉重；三是社会就业压力大，地方政府往往迫使企业过量地招收职工，造成了“一个人的饭三个人来吃”的局面。经过多年来的改革实践，我们已经形成了关于国有企业改革和发展的思路以及一系列对症下药的办法。当前迫切需要改革和建立新的政企分开的投资体制，改革和完善现代化的金融体系，需要建立和完善一整套社会保障体系。我们将进一步地加大这三项改革的力度，争取用3年左右的时间，使大多数国有大中型亏损企业走出困境。

在中国发展社会主义市场经济和改革国有企业体制的过程中间，金融体制改革具有十分重要的意义。最近几年，中国金融体制改革迈出了重大步伐。我们强化了中央银行职能，实行了政策性金融和商业性金融的分离，发展证券、外汇、银行间同业拆借市场，实现了汇率并轨和人民币在经常项目下的可兑换，金融领域的对外开放不断扩大。今后我们将继续按照建立社会主义市场经济体制的要求，加快金融体制改革。重点是强化中央银行货币调控职能和金融的监管体系，促进国有银行的商业化，改善商业银行资产结构和质量，积极稳步地发展并不断规范金融市场，完善金融法律法规，掌握现代金融管理技术，提高管理水平，逐步建成一个高效、安全的现代金融体系。

防范金融风险是一个非常值得注意的问题。最近，东南亚一些国家相继发生了不同程度的金融动荡，他们正在积极地采取应对措施，国际货币基金组织也在大力地组织帮助。这些国家十几年来经济发展较快，已经建立了相当雄厚的产业基础，我完全相信他们能够战胜困难，成功地进行经济结构的调整，使经济更加稳定地继续向前发展。在防范金融风险方面，各国金融机构和国际金融组织加强信息交流与合作，是必要的、有益的。

中国政府高度重视并采取积极的措施防范金融风险。我可以告诉大家，目前中国的外汇储备比较充实，人民币的币值稳定，整个金融形势是稳定的，发展是健康的。

实行对外开放是中国的一项基本国策，现在可以说是中国有史以来与世界交往、联系最密切的时期。中国将继续坚定不移地实行对外开放政策，以更加积极的姿态走向世界。

前不久，我们刚刚宣布，从今年 10 月 1 日起大幅度地降低进出口商品的关税税率，降税涉及 4800 多个税号的商品，降税面达到 73% 以上。降税以后，平均关税水平将从降税以前的 23% 降低到 17%，降税幅度为 26%。这样，我国关税水平从 1993 年以来累计降低了 60% 以上。这次降低关税，是中国根据深化改革、扩大开放的进程，以及经济发展的需要作出的决定，是逐步开放市场的重要步骤。我们还承诺到本世纪末，中国的关税税率将降低到世界发展中国家的平均水平。我在这里还要告诉朋友们，中国将对符合条件的外商投资项目的设备进口，重新实行一定的优惠政策，那就是减关税。当然，这些外商投资项目首先要符合中国的产业政策，要带来新的技术，而不是低水平的重复建设。

今后，我们还将根据改革和发展的需要，继续稳步开放市场，加快能源、交通等基础设施对外开放的步伐，有步骤地开放金融、内外贸易等服务领域；依法保护外资企业的权益，实行国民待遇，为中外企业创造平等的竞争条件；健全涉外法律法规体系，提高贸易体制的透明度，保护知识产权，改善贸易、投资环境。中国经济的发展离不开世界，中国的发展也为世界经济注入新的活力。中国有 12 亿以上的人口，又处在经济快速增长时期，稳步扩大的投资和消费需求形成了广阔的市场。我仅仅以基础设施为例，本世纪最后 5 年，中国将要新增发电装机容量 8000 万千瓦，新建铁路 1.6 万公里、高速公路 2800 公里、光纤通信线路 15 万公里，新增电话交换机 8000 万门，也许还要更多。预计 2000 年，中国进出口贸易额将达到 4000 亿美元以上。我们欢迎在座的工商界朋友积极到中国去投资，参与中国市场的竞争。

中国积极参与区域经济合作和全球多边贸易体系，为加入世界贸易组织已经作出了极大的努力。中国是一个发展中国家，对中国提出过高的要求是不合理的。我们感谢许多国家对中国加入世界贸易组织所给予的支持。中国加入世界贸易组织，不仅有利于中国经济的发展，也有利于世界经济的发展。

香港是中国和世界经济的一个重要的交会点。香港回归中国两个多月来，香港特别行政区政府运作正常、很好，“一国两制”、“港人治港”、高度自治的方针得到了认真的贯彻。保持香港的长期繁荣稳定，不仅是香港的根本利益所在，也有利于中国内地经济的发展，同时也有利于东亚和世界经济的发展。香港作为重要的国际金融、贸易、航运、旅游和信息中心，必将在发展中国同世界各国之间的经贸关系中，发挥更加积极的作用。

女士们，先生们，朋友们：

人类即将进入 21 世纪。回首百年沧桑，不禁百感交集。人类经受了巨大的痛苦和牺牲，也取得了以往难以比拟的辉煌成就。展望新的世纪，我们对世界的前途和中国的前途充满信心。21 世纪的中国，必将是一个更加开放、更加繁荣的中国，必将是一个对世界和平与发展事业作出更大贡献的中国。

谢谢大家。

问：*中国共产党第十五次全国代表大会后，中国将以股份制方式改造企业，对中国经济发展很重要。我的问题是，企业改革后得到的资金，是否会用于解决国企负担，例如工人养老金、医疗等的需要？*

朱镕基：你好像发表演说，所以我不需要比你更加具体地回答你的问题，我只需要回答 Yes or No（是或不是），我的答案是——Yes（是）！

问：*你可否详细说一下中国对外商恢复实施税收优惠政策的安排及原因为何？*

朱镕基：我知道你们对我讲话的这一部分一定是很感兴趣的。但是由于这个决定还未宣布，因此我不能说得太具体，对不起。可是，我可以给你一个希望：1996 年 4 月 1 日以前，中国对于外商投资进口的设备是采取减免关税和增值税的政策；我们在 4 月 1 日以后改变了这个政策，对进口的设备恢复征收关税及增值税。为什么？因为我们去年把关税的平均水平从前年的 35% 降低到去年的 23%，我们非常担心财政收入要受到极大的影响，财政赤字将会增加，因此我们实行了恢复征收进口税收的政策。但是经过一年多的实践，我们的财政收入有很大增加，我们的实力得到加强，而且根据外商投资者的要求，希望我们继续实行减免关税和增值税的政策，我们准备考虑这个意见，而且准备在近期恢复这种减免关税和增值税的政策。至于在什么时候，我只能说，尽快。

问：请问你有没有中国获准加入世贸组织的时间表？

朱镕基：时间表不由我决定，我看主要由世贸组织的参加国，特别是那些主要的国家来决定。至于我的意见，是愈快愈好，但是我也不着急，因为中国被排斥于世贸组织以外，是不合理的，这个问题终归是要解决的。

问：在银行体制改革上，请问你有没有一个时间表？外资银行的参与程度如何？

朱镕基：我刚才的讲话中间，对于金融系统的重要性已经做了一些阐述，这个问题对我们的改革是非常重要的，我们下一步将要极大地加快金融体系的改革，特别是中央银行监管的加强和商业银行自主经营的改制。我们现在正在进行准备，准备在今年11月份召开全国深化金融改革和防范金融风险会议。在这个会议上，我们将要作出重大决定，把中国的银行制度推向现代化。至于对外国银行的开放，目前已经有500多家外资银行在中国设立办事处，这当中有150多家已经开设了分行，其中还有9家可以做人民币业务。我刚才已经讲了，我们将进行进一步的开放，也就是说，你们愿意到中国来开银行，我们表示欢迎。但是，你们不要来得太快，来得太快，你赚不到钱，不要埋怨我。

问：我是设在华盛顿的国际资源集团的。我的问题是，三峡工程这样一个大工程，你是不是期待着世界银行的支持？

朱镕基：这个问题最好问沃尔芬森先生。

问：中国内地与香港的外汇储备加在一起，达2200亿美元。请问中国在区域金融合作上，是否会扮演更积极的角色？

朱镕基：你的计算很准确。我刚才讲了9月15日中国内地的外汇储备是1316亿美元，香港860亿美元，包括土地基金的话，加起来近2200亿美元，你算得很准确。但是，我们是“一国两制”，我从来没有把香港的钱放在自己的口袋里。中国内地虽然有1300多亿美元的外汇储备，今年年底我估计肯定要超过1400亿美元，但是请注意，香港是一块钱外债也没有，中国内地的外债现在有1100亿美元，我欠沃尔芬森先生很多钱。特别是如果按人口来平均的话，中国内地的外汇储备很少。我们想起更大的作用，可是我们的力量达不到，但是我们一定尽最大努力！

问：我的问题是关于人民币可兑换的问题，因为有人说人民币实现自由兑换是不利的，我们请你讲一下这方面的看法，并且也想请你讲一下对于港元和美元挂钩是怎么看的？

朱镕基：中国已经在去年实行了经常项目下人民币的自由兑换，也就是说实现了IMF[1]所规定的第八条款，这一点克林顿先生是承认的。目前我们还没有实行人民币资本项目下的可自由兑换，所有跟我谈过话的著名的银行家都劝我，实行资本项目下的人民币可自由兑换要十分谨慎。因此，我们一定会实行资本项目下的人民币可自由兑换，但是需要时间。也就是说，要等到中国的产业结构比较合理和中央银行的监管十分有力的情况下，我们才能够实行完全的可自由兑换。

关于港元的联系汇率制度问题，这个制度已经实行了13年多，对香港的繁荣作出了重大的贡献。目前由于东南亚的金融动荡，港元联系汇率制度遇到了一定的困难，比如说旅游业，香港的旅游业

[1] IMF，是英文International Monetary Fund的缩写，即国际货币基金组织。1945年12月27日正式成立，1947年3月1日开始工作，1947年11月15日成为联合国的专门机构，是政府间国际金融组织，经营上有其独立性。总部设在美国华盛顿。

受到了一定影响。我从香港特别行政区政府的权威人士方面获悉，他们没有打算在近期或者中期来改变这个政策，他们认为没这个必要。我同意他们的意见，因为我觉得香港的经济结构比较合理，“泡沫经济”的成分比较少，港元的地位非常稳固，刚才讲到有860亿美元的外汇储备，完全可以捍卫港元的稳定性，因此，我相信他们的决定是正确的。其实我已经讲得太多了，你们直接问他们比问我好得多。

问：你刚才说世贸组织没有把中国纳入其中是不合理的，但华盛顿方面未必同意。江泽民主席下月将访美，美国财长鲁宾将访问北京，你希望北京方面通过鲁宾带回什么信息？

朱镕基：我想，江泽民主席和克林顿总统都比我聪明得多，他们一定会圆满地解决问题。当然，我没有这个权力为他们规定议程，或他们需要达成什么协议。我们非常欢迎鲁宾部长访问中国，我希望从他那里听到很好的消息。Any question（还有什么问题）？

问：我们很高兴中国在金融体系实行开放政策，请问在保险业方面开放情况如何？

朱镕基：今天如果没有人提保险业这个问题，我会觉得很奇怪。因为全世界最大的保险公司的负责人我看都找过我了，我告诉他们，我们一定会批准你们到中国来开设分公司，可是，需要时间。我们欢迎你们来，对中国的经济发展有很大的好处，可是，对市场的容量，我们也必须做足够的估计，如果都进来而没有生意做的话，我也对不起你们。我们已经批准了美国、加拿大、日本、瑞士、德国、法国的保险公司在中国开业。下一个我想应该是英国或澳大利亚，其他的国家都有份儿，but be patient（但要耐心点）。

在美国七团体晚餐会上的演讲和答问*

（1999年4月9日）

主席先生，

女士们，先生们，朋友们：

黑格[1]先生刚才的介绍使我非常感动，我几乎快要说不出话来了。这倒不是因为他赞扬了我，而是他提到了我们相似的遭遇。我衷心感谢美国7个团体今天联合为我的代表团举行这样盛大的宴会，使我有机会会见在座各位为中美友好关系作出过卓越贡献的先生和女士，并感谢你们在任何环境下始终如一地坚持中美友好。特别令人高兴的是，今天我能见到许多多年未见的老朋友。有些老朋友我们可以坐在一起互相祝酒，有更多的老朋友没有机会跟你们握手。我不知道如何表达对你们的友谊的感谢，也很遗憾不能一一同你们回忆我们过去相遇的情形。我不敢送给你们礼物，以免被有人说成是

* 访问美国期间，朱镕基总理应邀出席由美中关系全国委员会、美中协会等7个团体在华盛顿威拉德饭店宴会大厅联合举行的欢迎晚宴，并发表演讲、回答与会人士提问。

七团体，指美中关系全国委员会、美国商会、美中协会、美国亚洲协会、百人会、美国外交委员会和美国中国政策基金会。

[1] 黑格，即亚历山大·梅格斯·黑格，曾任美国国务卿。

“政治捐款”。但是，我可以答应一点，就是你们到北京去时，我一定跟你们见面并握手。我也要提到一件事，就是不久以前，美中关系全国委员会的创始人之一、美国著名的中国问题专家鲍大可先生逝世了。鲍大可先生终生为中美友好而努力，在任何时候都坚持不变，我们对他深怀敬意。我愿借此机会，向鲍大可先生的家属表示沉痛的哀悼。

朋友们，我这次到美国来碰到一个不好的时候。我经常碰到不好的时候，但是在座的朋友们给我的鼓励使我增强了信心。昨天我在美国的活动，大家通过新闻媒体大概都已知道了，我现在把今天的活动向大家报告一下。我说昨天是一个 busy day（繁忙的一天），今天是个 terrible day（可怕的一天）。科纳布尔[1]先生问我：“那明天是个什么天呢?”我说现在不敢回答，至少可以说好不了多少。

今天上午，我同戈尔副总统共同主持中美环发讨论会第二次会议开幕式。我讲了一个观点，就是说中国现在越来越重视环境保护和生态工程，我们已深刻地认识到，可持续性发展非常重要，我们必须在重视发展的同时也重视环境保护和生态工程，那是为了我们的子孙后代。去年以来，中国政府在这方面的财政投入是史无前例的。我认为，中美两国在这方面的合作有着广阔的前途。中国在这方面的市场是以千亿美元来计算的。如果今天是在美国谈论美对华贸易逆差的话，过几年以后，也许我们中国就要谈论中美贸易逆差了，那时有逆差的是中国了。但前提是美国政府应该采取开明和开放的态度，让美国企业家到中国去投资，去转让技术，帮助中国的环保工程与生态平衡。我向戈尔副总统说，这大概没有什么问题吧，因为这方面的合作

[1] 科纳布尔，即小巴伯·本杰明·科纳布尔，曾任美国国会众议院议员，并在 1986 至 1991 年任世界银行行长。

1999 年 4 月 9 日，朱镕基出席美中关系全国委员会、美中协会等七团体在华盛顿举行的晚餐会并发表演讲。
（新华社记者兰红光摄）

没有任何军事机密，也不会出间谍案。比方说，我国气象局需要大型电子计算机，按美国现在的规定，这类计算机根本没法出口中国。我不理解一个国家的气象工作与军事机密有什么关系。让我们共同努力来推动中美两国在能源、环保和基础设施方面的合作吧，这个合作有着广阔的前途。然后，我和戈尔副总统又同企业家，主要是华盛顿的能源与环境保护方面的企业家，进行了讨论。尤尼科公司董事长向我提出了一个问题："中国政府对美国企业家到中国去赚了钱是否会不高兴？"我回答，不管是哪一个国家的企业家到中国去，都应该而且能够受到公正的待遇。我只希望你交税，至于你赚了多少钱，我是绝对不介意的。我为什么要偏袒我们的国有企业呢？国有企业的利润也是归它们自己，政府一个子儿也拿不到。但它们交税的纪录没有你们企业好，所以我不会偏袒它们，而是要看它们是否有竞争能力，是否有先进的技术和管理方法。当时马上有人提出来，那你们中国对知识产权的保护工作做得怎么样？我承认，我们过去在这方面的工作做得不够，但我们现在很重视这个问题，本届政府专门成立了一个重要部门来保护知识产权。我们的工作在改善，我相信会越来越改善。也请大家向我投诉，帮助我们改进知识产权保护工作。

今天下午，我接受了 PBS（美国公共广播电视公司）的采访。我记得 1990 年我作为上海市长来访时，也是接受 PBS 的采访。那时采访的记者是麦克尼尔，现在是莱雷尔。他们两位都有同样的本事，就是会把你逼到墙角。"corner（逼到墙角）"这个词我本来不知道，是我在达拉斯的一位朋友告诉我的，非常确切。1990 年我来时，他们问我的问题老是"天安门事件"。今天，他们问我的问题尽是"科索沃事件"。有朋友告诉我，记者 corner 你的时候你要跳出来，可是我怎么也跳不出来。所以，我说今天是个 terrible day。刚才我为什么迟到呢？

就是在中国加入WTO问题上又遇到麻烦了。一直到现在，吴仪和李侃如[1]还没有来，我估计他们两个人正在吵架。

关于中国加入WTO的问题，我们已进行了13年的谈判，确实已经到了要结束这个谈判、进一步发展中美两国贸易关系的时候了。我们确实已经做了很大的让步。我们为什么要做这些让步呢？因为我们改革开放政策实行到今天，对于加入WTO带来的冲击，承受能力加强了。几年前我就说，中国的保险市场应该开放，银行应该开放，股票市场应该适当开放。那时我说了这些话，有人就骂我是“卖国贼”。可现在，我们中央银行以及有关机构的监管能力已经大大加强了，中国的承受能力提高了，中国人民的认识也逐步提高了。所以现在我们提出这些开放措施，人们能够接受。我认为，这种开放引入了竞争机制，对于促进中国企业的发展是有好处的。

但是朋友们，这个开放也不能太快了，如果一下子全开放，就很可能出现亚洲金融危机那种情况。现在的问题是，我们已经做了很大的让步，但美国还要我们做更大的让步。我倒不是担心我自己会下台，我是担心即使我签了这个协议，恐怕中国人民也不答应。我们是一个发展中国家，我们作为一个发展中国家所做的让步已经足够了，要我们完全达到WTO标准，就应给我们一个过渡期。现在在TCK小麦进口问题和柑橘进口检疫的问题上，中美已完全达成协议，这是因为我们做了最大的让步，解除了对美国各个州的限制。因此在这个问题上，我们是可以签署协议的。在市场准入方面，我认为也应该可以达成协议了，但美方还在要求更多，比如说投资比

[1] 李侃如，即肯尼思·利伯索尔，当时任美国总统国家安全事务特别助理、美国国家安全委员会亚洲事务高级主任。

例要增加，关税比例要进一步降低。我们说可以，过几年以后再说嘛。你要得过多、过快，最后可能什么也要不到。另外，在议定书方面也还有一些问题，主要是美方对我们还不够信任。就是说，在我们加入了 WTO 后，还要给我们写上一个歧视性条款。其实，中国既然已签了协议，作出了让步，当然就准备执行协议，美方何必要写上这样一个歧视性条款呢？所以，这个协议到现在为止还未最后达成一致。我本来不应该单方面在这里讲这些问题，但是昨天美方把所有文件，也就是说他们的意见和要求全部公布，并说我们已经同意。我们没有同意。也许我们还有希望，因为吴仪、李侃如他们还没有来。当然，我们并不是说非要在这个时候、这个地方来签署这个协议。我们也体谅美国政府方面的困难，他们担心美国国会不会同意他们签署这个协议。但是今天早上我同 16 位国会参、众议员共进早餐，我让每个人讲了他们自己的意见。我的印象是，农业方面的协议，这些议员都表示赞同；至于其他方面的问题，他们根本不清楚。按我们的判断，如果把我们和美国方面达成的意见公布的话，是会得到国会议员们的支持的。我希望在座所有为中美友好合作而奋斗多年的朋友们与我们共同努力，使这个协议最后能达成。我非常感谢朋友们对我们的支持，现在我愿意回答大家提出的问题。

美国前总统国家安全事务助理斯考克罗夫特：许多美国人认为，随着中国不断发展并在世界范围内显示影响，美中两国不可避免会成为竞争对手，甚至很可能成为敌手。希望总理先生谈一谈你对中国及美中关系未来的看法。

朱镕基：非常感谢斯考克罗夫特将军的提问，他的提问很客气，没有 corner me（逼我），因为他是我的老朋友。中美两国究竟应建立什么样的关系这个问题，已经由江泽民主席和克林顿总统确定了，那就是：我们要致力于建立一个建设性的战略伙伴关系。就是说，中国不是美国的敌人，也不是潜在对手。我们应该是朋友，而且是长期的朋友。今天，PBS 记者问我，中国是不是美国的威胁？我说，我们能威胁什么呢？克林顿总统不是讲了，中国只有 20 多件核武器，美国有 6000 多件，那你们怕什么呢？我必须声明，中国是不是有 20 多件核武器，我确确实实不知道，我也不知道克林顿总统是通过什么办法知道的。但是，我同意他讲的观点。他是说，美国的核武器很多，中国的很少，中国根本不可能成为什么威胁。还有人说，中国的强大就会成为美国的威胁。现在中国国内生产总值只相当于美国的十分之一，中国的人均国内生产总值与美国相差几十倍，即使几十年以后，中国与美国仍有很大差距。因此，中国始终是美国最大的潜在市场，而不是什么威胁。应该把“中国威胁论”改成“中国机遇论”，美国企业家千万不要失去这个来开拓中国市场的机遇。中国人民热爱和平，从来就处于被侵略的地位，从未侵略过别人。我们确实可以代表 12.5 亿中国人民来说话：中国人民希望成为美国人民的朋友，绝对不可能成为敌人。

美国亚洲协会会长普拉特大使：*中方这次的确在入世谈判中作出很多让步。希望总理先生谈一谈，你认为这些让步对中国国内经济有何影响，你们如何向国内解释这些让步？*

朱镕基：关于中美以前在农业方面的分歧问题，在小麦方面主要是 TCK 问题。中国的小麦是重要农作物，有人很担心 TCK 在中国造成灾难性影响，因此过去我们把美国小麦分成疫区州的和非疫区州的。应该说，这些疫区州和非疫区州的小麦在美国国内运输时都用的是同样的火车车皮，显然这些小麦会互相混在一起。因此，划分疫区和非疫区是没有什么意义的，关键是加强检疫措施。我们已经采取了严格的检疫措施，美国小麦在我国港口卸货前必须进行严格检疫。一旦发现有 TCK 小麦，就运到海南岛。我们已在那里建立了加工厂，将 TCK 小麦加工后，麦麸用高温消毒，这个问题就可以得到解决。我们对柑橘的地中海果蝇问题也准备采取类似办法。所以，这一次我们就解除了对 7 个州小麦的进口禁令，解除了从 4 个州，包括加利福尼亚州，进口柑橘的禁令。从美国进口农产品对中国市场的冲击大概是有的，中国小麦产量已大大提高，但中国小麦品种没有美国的好。比如做今天晚上吃的这个面包，中国的小麦就不行，所以我们还可以从美国进口小麦。至于将来市场如何，我现在难以估计，就让市场竞争来决定这个问题吧。

百人会杨雪兰女士：中国是一个大国，有许多问题需要解决，比如经济改革、国企改革、反腐败、失业问题等等。总理先生，你在国内的政策优先目标是什么？特别是，你认为在哪些领域中国最需要得到美国的帮助？

朱镕基：我愿借杨女士提出的问题，讲一讲目前中国的经济情况。首先我要告诉大家，中国的经济情况要比去年好，绝不是外界谣传的那样，下一个发生经济危机的国家就是中国。去年中国经济增长率是 7.8%，今年预定的目标是 7%，但今年第一季度情况比较好，达到 8.3%。就是说，今年的情况肯定要比去年好。这还不完全在于速度方面，也在于效益方面。第二个外界谣传较多的问题是说，由于去年中国经济遇到困难，外有亚洲金融危机，国内水灾严重，中国已经停止了经济改革，这是完全不正确的。比方说，中国国有企业改革现在不但没有停止，而且进度反而更快。去年年初国有企业失业人数达 1000 万人，没有人给他们发工资。到年底，失业人数只剩下 600 万人，这 600 万人都得到基本生活费保障，钱基本上由国家财政开支。今天下午，格林斯潘同我谈话时建议，应把企业跟社会保障系统分开。我告诉他，我们现在已经分开了。我们的金融改革也进行得更快了。我们现在已经或者正在准备把国有银行的不良贷款划出来，由金融资产管理公司来管理，这样就可以一方面促进银行健全运行和提高效益，另一方面也使不良贷款能有专门机构来回收（翻译译“不良贷款”时用了“bad debts”，朱镕基用英语纠正为“non-performing loans”——编者注）。格林斯潘同我谈话时还说，他希望我把银行资产同银行的不良贷款分开。我告诉他，我们已经分开了。当然这也是借鉴美国的RTC（处置信托公司）的办法，但是我们没有照抄。美国的RTC是全国设一个公司，我们是每一个银行建立一个资产管理公司，这是中国的特点。第三个例子是中国政府机构改革。我们原定目标是3年内把中央政府机关3.3万名工作人员减少一半。去年就减少了一半，就是说裁减了1.6万多人。现在，政府机关的人是一个人干过去两个人的活。主持这个工作的是我们这位秘书长王忠禹[1]先生。今年我们要进行地方政府的机构改革，这个任务比较艰巨，因为人数不是3.3万人，而是500万人。我们的目标也是要减少一半，当然时间确确实实要放宽到3年完成。

最后一条是，中国由于人民币不贬值，商品对外竞争力减弱，出口大大下降了。但是我们仍然有信心，由于我们国际收支平衡，有1466亿美元的庞大外汇储备，相信人民币是不会贬值的。有些外国朋友还是不相信人民币不贬值。我现在正请美国高盛投资公司想一个办法，来保证到中国投资的外国企业家没有汇率风险，我们也正在研究这个办法。至于中国其他方面的改革，我就不在此细谈了。我们在各个领域都有进展，在所有这些方面，我们都需要美国朋友的合作，我们欢迎你们参与我们的改革，就像格林斯潘参与我们的

[1] 王忠禹，当时任国务委员兼国务院秘书长。

改革一样。

高盛投资公司副总裁霍马茨：非常感谢你刚才提到我们高盛投资公司。目前中国电信业和因特网发展很快，请总理先生谈一谈你对这两个行业在中国未来发展前景的看法，以及它们的发展对中国经济、社会有何影响。

朱镕基：中国的电信产业过去是不开放的。我们现在认识到，电信业将是中国经济新的增长点，中国政府已决定全力发展信息产业。因此，我们自然最需要在这个领域的国际合作。现在我们已决定开放中国的电信产业，让外国的企业家来中国投资。在开始的时候，我们还没有经验，会规定一定的外国投资比例限制，也就是25%到30%。经过几年，我们可以放宽这个投资比例限制，但是仍希望由中国方面来控股。现在我们跟美国方面的争议在于，他们要求一定要控股；我说，我不是不让你控股，你等一等好不好，我现在没办法说服中国的老百姓。我认为美国企业界绝不可以失去这个机会，我不找你们，我也可以找欧洲嘛。我们这次给了美国一个很大的机会，就是美国移动电话现在采用的是CDMA系统，而欧洲和中国都采用的是GSM系统，现在我们也决定采用CDMA系统，并且与美国合作。中国这个市场有多大呢？中国去年一年就增加5000万线的电话。这个增速将越来越高，这是一个难以想象的广阔市场。我认为我的谈判对手不像我是工程师出身，他还没有看到这个数字的意义。我相信在座诸位可以看到这个意义。让我们共同抓住这个机会而不要让它失掉。

美国商会会长多诺霍：美国工商企业界极为关注中国加入WTO谈判并希望美中达成协议，我们也将积极对国会做工作，以促使国会支持达成协议。如果美中近期达成协议，总理先生，你认为美中贸易和经济关系在未来3至5年内的发展前景如何？

朱镕基：（此时，麦克风出现了故障——编者注）最近几天，我发现你们的麦克风技术不是太先进，是不是进口的？（台下有人说：是欧洲产品——编者注）看起来，虽然欧洲国家很不高兴，但我决定同美国合作，引进 CDMA 系统还是正确的。

我认为中国加入 WTO 对世界贸易有利，对改善中美贸易平衡也是有利的。可以肯定，中美贸易逆差是可以缩小的，但这不是单方面所能决定的。如果美国方面把什么都看成军事机密，不向中国出口，就像不批准休斯公司出口人造卫星一样，我们怎么改善中美贸易不平衡呢？计算机也不给，人造卫星也不给，什么都不给，就给我们小麦、柑橘。我们可以吃小麦、柑橘活下去，但是很难活得更好哇。所以要改善中美贸易平衡，提高中美贸易数量，需要中美双方的努力。正如我刚才讲的，如果中美两国确确实实在能源、环保、电信工业等方面真正合作，能够出口技术，美国开放出口，很可能中国变成逆差，而不是美国成为逆差。如果美国在很多方面施加很多限制的话，能不能达到这个目标就是一个问题了。让我们共同努力吧。

美国中国政策基金会两主席之一、美国前国防部长助理傅立民：总理先生，一般来说中国上海等沿海地区更加开放发达，较易吸收消化外资及技术，而内地相对落后。什么时候我们可以看到中国内地也进一步开放，为外资和外国技术提供更多的机会？

朱镕基：傅立民先生这个问题提得非常好。中国改革开放政策是邓小平先生制定的，我们的认识也是逐步提高的。开放政策执行初期，主要是在沿海地区，因为那里的条件比较好，知识文化水平比较高，有助于改善投资环境；但如果只限于沿海城市，就过分密集，内地势必处于更落后状态。目前情况已经改变了，中国大部分内地城市的基础设施已经改善，管理能力提高，完全有可能执行更加开放的政策。我们准备在一个过渡时期之后，实行银行、保险业对外开放，不受地域限制。比方说，在保险业方面，第一个在中国上海开设分公司的是格林伯格先生的 AIG[1]。当时我是上海市长，主张在上海设立 AIG 的分公司，有人说我“卖国”就是指这件事情。可惜我当时作为上海市长还没权力批准 AIG 在上海设分公司。直到我 1991 年到北京任副总理之后才批准。AIG 开创的经验证明，引进国外保险公司不仅没有影响中国保险事业的发展，相反，AIG 先进的管理经验促进了中国保险事业的发展。后来，我们才敢于让大量外国保险公司进入中国。由于中国保险市场广阔，外国保险公司进入中国后并没有影响中国保险公司发展。不久，我们可以宣布，外国银行、保险公司愿意到中国什么地方去都可以去。就怕那个地方生活条件不好，你们不愿去，那你们就不要怪我了。

[1] AIG，是英文 American International Group 的缩写，即美国国际集团，当时是全球市值最大的保险公司。

在美国中部委员会午餐会上的演讲和答问*

（1999 年 4 月 12 日）

威廉·戴利商务部长先生，

理查德·戴利市长先生，

伍德副州长女士，

麦纳[1]主席先生，

女士们，先生们：

我首先要感谢美国中部委员会今天举行这么盛大的宴会来欢迎我们中国政府代表团。美国中部委员会为中美两国的友好做了大量的工作，在座的诸位为中美的友好合作付出了多年的努力，我借此机会向大家表示最衷心的感谢！同时，我也借此机会向芝加哥的人民，向伊利诺伊州的人民，向美国中部各州的人民表示我们最良好的祝愿！我们今天感到非常高兴的是，还有两位国会参议员先生，一个是菲茨杰尔德先生，另一个是德宾先生；还有这么多工商界的领导人，其中很多是跨国大公司的领导人；另外我还要指出，还有很多学者参加这个宴会。这些

* 访问美国期间，朱镕基总理应邀出席由美国中部委员会和芝加哥对外关系委员会在芝加哥希尔顿饭店联合举办的欢迎午餐会，并发表演讲、回答与会人士提问。

[1] 麦纳，当时任美国中部委员会主席。

学者中有芝加哥大学的达沙校长，以及两位诺贝尔奖金的获得者米勒先生和贝克尔先生，米勒先生是我的老朋友，还有一位是约翰逊教授。在这次宴会完了以后，我还要请他们跟我进行座谈。感谢主人的周到的安排，使我们昨天度过了一个 nice day（美好的一天），我想今天我们还会度过一个 happy day（快乐的一天）。我要非常感谢理查德·戴利市长。

我很同意刚才威廉·戴利部长所讲的，芝加哥是美国最重要的城市。上海也是中国最重要的城市。我昨天已经讲过了，理查德·戴利市长的工作做得比我好。他当了三任的芝加哥市长，我只当了一任上海市长，还没有当完。上海的重要性表现在这个城市出了很多优秀

1999 年 4 月 11 日，朱镕基在美国芝加哥参观马瑞巴农场，受到农场主贝思佳的热情款待。

（新华社记者王岩摄）

的人物，有光荣的革命的历史。但是，我要对理查德·戴利市长提一个忠告，我现在宁愿当上海的市长，也不愿意当总理。我在上海任职的时候，头发仍然很多，可现在快要掉光了。如果你到华盛顿去，我担心你的头发会跟你的弟弟威廉·戴利部长一样。我开了一个玩笑，并不是对威廉·戴利部长有什么不尊敬，我是对理查德·戴利市长先生提出一个友好的忠告。威廉·戴利部长先生最近访问中国获得了很大的成功，前前后后我们签订的贸易协定超过了24亿美元，因此有些香港报纸说我向美国、向威廉·戴利部长先生送了一个“大礼”。我看不是送“大礼”，因为这种贸易是有利于中美两国人民利益的。

我到芝加哥来过三次了，包括这一次。第一次是在1984年，参加在这里由联合航空公司举办的世界贸易大会。我刚才会见了当时的会议主持人之一、MAC（美国苹果公司）的前总裁阿罗特先生，我感到非常的高兴。第二次是在1990年，我担任上海市长的时候。那一次虽然是非常短暂的访问，但我更加体会到芝加哥确实是有强大的农业，有强大的工业，有强大的信息产业，有强大的金融服务业。因此我到芝加哥来，好像是到了一个百货公司，什么都想看，可惜口袋里的钱不够。我今天早晨不但参观了商品和期货交易所，也参观了你们的“911”系统[1]，我也非常羡慕你们的“911”系统。我和理查德·戴利市长商量，在他5月份访问中国的时候，我们是不是可以在这方面谈一个合作。我们也有“110”系统，但是实在不如你们的先进，是技术不如你们的好，管理也不如你们的好。我们是不是可以共同合作，在中国的所有城市都建立一个，不叫911，或者叫119也行。总之，中国是一个非常大的潜在的市场，如果中美两国友好合作，我想这会为中国和美国的人民创造无限的福利。高尔文先生认识到了这一

[1] “911”系统，指美国电话报警服务系统。

点，他在中国有庞大的投资，他是有远见的。昨天晚宴时，我看到高尔文先生在讲话的时候，他的父亲坐在那里对他点头表示赞赏。还有卡特彼勒公司的巴克先生，他应该也体会到这一点，因为中国的各大水利工程，包括长江三峡都使用的是卡特彼勒公司的机器。中国正在进行史无前例的巨大的基础设施建设，我想如果我们抓住这个机会的话，一定会有更多的美国商品能够在中国找到市场。在这次由我和戈尔副总统共同主持的中美第二次环发会议上，我曾经这样说过，中国正在进行着巨大的能源、环境保护和信息产业方面的建设。如果我们双方进行密切的合作，中国愿意进口美国的产品，美国也愿意转让它的技术的话，那么，我们目前在美国正在谈论的中美贸易逆差问题，我预言过几年之后，我们中国也要讨论一下了，那时中国是逆差了。但是，这只有你们支持我们进入了 WTO 之后才有可能。所以，请你们发挥你们的力量，特别是我刚才讲到的德宾先生和菲茨杰尔德先生，请你们共同努力，来支持中国更快地加入 WTO。

我要再一次向芝加哥的人民，向伊利诺伊州的人民，向在座的诸位，向我们的主人，表示最衷心的敬意和感谢。

我想各位先生要问我几个问题，我愿意回答。

问：去年由于中国坚持人民币不贬值的政策，所以你赢得了很多的赞誉。我想请你谈一下，你看人民币保值的问题在 1999 年会是什么样的情况，而且进入到下一个千年之后，你们会面临什么样的情况，在这方面你们主要考虑哪些因素？

朱镕基：去年为了帮助东南亚、亚洲各国来克服它们的金融危机，我们付出了代价，坚持了人民币不贬值。为此我们作出了巨大的牺牲，我们的外贸出口有很大幅度的下降。除了坚持人民币不贬值以外，我们还向亚洲各国，包括泰国、韩国和印度尼西亚，通过 IMF

(国际货币基金组织)提供了50亿美元的援助。尽管我们实行的人民币不贬值的政策导致了外贸出口的下降，但是我们在其他方面所赚到的外汇，仍然能够使我们的国际收支取得平衡，也使我们的外汇储备从去年年初的1390亿美元增加到了现在的1466亿美元。到目前为止，中国的国际收支仍然是平衡有余，因此中国没有人民币要贬值的理由，也不会贬值。但是我的朋友米勒先生忠告我，你不要老讲人民币不贬值，因为根据墨西哥的经验，他们的总统今天说不贬值，明天就贬值。他建议我做一个put option(卖方期权)，今天我想继续同他讨论这个问题。所以我今天向大家宣布，不是我一再要讲人民币不贬值，是因为你们要问我，因此我不得不讲。

问：你已经比较公开地表示了你对美国没有能够履行它在支持中国加入世贸组织这方面承诺的一种不太愉快的心境，你认为在中国加入世贸组织的过程当中，今后要采取哪些步骤，而且你认为时间表会是什么样的？

朱镕基：我在公开的场合也许讲到，我们这次没有达成关于中国加入世贸组织的协议有一些遗憾。可是我在心里，不是这样想的，我感到很愉快。因为我在来以前，就预计到在美国目前这种反对中国的气氛下，要达成协议，那几乎是不可能的。但是，我们只要想一条，那就是刚才戴利部长讲的那一条，即“美利坚合众国坚定支持中华人民共和国在1999年加入世界贸易组织”，那就行了。我自己也并不想在这个时候达成协议。因为在这个时候如果达成协议，我回去以后，人家说我送“大礼”，好像我出卖了国家利益了。我认为，我们确实做了很大的让步，但是我认为这些让步是必要的，只有作出这些让步，我们加入WTO，才能更好地促进中国改革和开放的事业，促进中国的市场经济体制的建成，从而更快更好地发展中国的经济。因此，这个协议的达成，不但是有利于美国的商业利益，同时也是有利于中国的国家利益。我们下一步应该按照我和克林顿总统的联合声明，抓紧进行剩余问题的谈判。在这些剩余的问题里面，比方说市场准入的问题，已经没有很大的差距了，只要双方都努力，完全可以在最快的时间里达成协议。我想告诉在座的工商界人士，我们现在所作出的让步、开放的程度，对你们来讲应该是足够的，而且随着时间的推移，按照时间表，我们会开放得越来越多。如果你们要得太多，要得太快，也许你们什么也得不到。因为世界上不只有一个美国，还有欧洲，还有其他国家。因此，我希望你们要敦促你们的国会议员，在场的就有两位，请他们能抓住这个机遇，不要拒绝我送给你们的“礼物”。

问：我们的公司 IMC Global（美国 IMC 全球公司），是美国最大的生产磷肥、钾肥的生产商，也是最大的出口商，而且我们也是坚决地支持中国加入世贸组织。我想问一下，在你看来，农业在中国未来的发展当中会占据什么样的地位，在中国优先发展的各个领域当中，农业排在什么样的位置？

朱镕基：农业是中国国民经济的基础。我们一贯重视农业的发展。我们的农业在最近几年确实取得了空前巨大的成功，比起过去，中国的农产品已经极大地丰富了。但是我们仍然需要国际合作，特别是同美国的合作。所以这次我到芝加哥来，专门看了你们的农场，并且和你们的普通农民进行了谈话，我学到了很多东西。我们签订了农业协定，就是有利于中美在农业方面的合作。我们已经取消了对美国 7 个州向中国出口小麦的禁令，取消了对美国 4 个州向中国出口柑橘的限制，而且我们在肉类的检疫方面也都达成了协议。我想这个农业方面的协议，是有利于中美两国人民的，是有利于芝加哥和伊利诺伊州的。这次戴利部长访华，我们就购买了大量的美国的磷肥，因为中国缺乏磷肥，但我不知道是不是从你们公司买的。中国希望和芝加哥，和伊利诺伊州，和美国在农业方面进行广泛的合作。我们希望从芝加哥、从伊利诺伊州购买更多的粮食和肉类，同时通过联合航空公司的飞机运到中国去。

在纽约经济俱乐部晚宴上的演讲和答问*

（1999 年 4 月 13 日）

麦克多诺[1]主席先生，

女士们，先生们：

麦克多诺先生是我的好朋友，所以他今天讲了很多过分赞扬我的话，我实在是担当不起。但是我非常感谢他，感谢美国的纽约经济俱乐部和美中贸易关系委员会举行这样盛大的宴会来欢迎我们中华人民共和国政府代表团。刚才受到大家这样热烈的欢迎，我们确实是非常感动。我愿借此机会向在座的诸位，并且通过你们，向纽约市、纽约州的人民，表示我们中华人民共和国政府代表团的崇高敬意和美好祝愿。

我们已经访问了美国的 5 个城市，从洛杉矶到华盛顿、到丹佛、到芝加哥，我们昨天晚上到达纽约，明天要到波士顿。今天下午我接受 CNN 采访的时候，记者小姐问我，你最喜欢美国哪个城市？我回答说，我都喜欢。她说，你说话很像一位外交家。但是今天，我可以在这里说，我最喜欢纽约。我讲这个话是我心里的感受，因为我今天

* 访问美国期间，朱镕基总理出席纽约经济俱乐部主办的 1500 人参加的晚宴，并发表演讲，就中美关系、中国加入世贸组织和中美贸易等问题回答与会人士提问。

[1] 麦克多诺，当时任纽约经济俱乐部主席。

上午去访问 NASDAQ[1] 的时候，经过你们的 East River（东河），看到旁边的高楼大厦，就想起了上海的外滩。我想，上海就是中国的纽约。

中国政府代表团这一次应克林顿总统的邀请访问美国，我们认为是非常成功的，尽管我们每一个成员都准备在美国被打得鼻青脸肿。我曾向尚慕杰大使请教，我怎么才能不被打得鼻青脸肿呢？他说，你要 always keep a smiling face（总是面带笑容）。但是我脾气很坏，要我装出笑脸，我是装不出来的。虽然没有装出笑脸，我仍然受到美国人民的欢迎。因此，我觉得中美两国人民的友好是有着非常深厚的历史基础和群众基础的。保持中美两国人民的友好关系这样一个政策，是美国共和党和民主党一致的政策。首先，是共和党的尼克松总统打开了中美两国友好关系的大门，我很高兴今天能够会见尼克松总统的女儿；是民主党的卡特总统建立了中美两国之间的正式外交关系；然后是里根总统和布什总统进一步地促进了中美两国之间的友好合作关系；然后是民主党的克林顿总统和江泽民主席通过成功的互访，致力于建立一种建设性的战略伙伴关系。我认为这种友好关系不但是有利于中美两国人民的，也是有利于世界人民的，因为美国是世界上最强大的国家，中国是世界上人口最多的国家，我们两个国家合作，是有利于世界和平和国际合作的。尽管我们两国的关系中间目前出现一些困难、一点波折，但是我完全相信，这种波折、这种困难，在中美友好关系的历史长河中间，它们只是一个小小的插曲。我们希望这一点小小的乌云即将过去，中美两国友好关系的灿烂的阳光即将到来。

这次，我们政府代表团在华盛顿和克林顿总统进行了非常友好和坦诚的会谈，我认为是取得了建设性的成果。在加入 WTO 问题上，

[1] NASDAQ，是英文 National Association of Securities Dealers Automated Quotation 的缩写，即美国全国证券交易商协会自动报价系统，但目前已成为纳斯达克证券市场的代名词。

我们认为也取得了很大的进展，我们双方在中国加入 WTO 问题上的谈判已经接近于完成了。据美国方面的有些人士分析，现在已完成了95%，照我看起来，99% 已完成了。今天下午两点钟，克林顿总统给我打了一个电话。我告诉他，在我经过的这几个城市，我跟许多的国会议员，跟许多的政府官员，也跟许多普通的美国老百姓谈话和接触。其结果是，我深刻地体会到美国人民对中国人民的深厚友情。我认为，他们都是赞成中美两国友好，赞成中国尽快地加入 WTO 的。克林顿总统回答我说，他跟我有同样的感觉。所以我们双方商定，我们今天晚上还要发表一个新闻公报，宣布双方同意继续抓紧中国加入 WTO 的谈判。双方将要在 4 月底前，在北京继续抓紧这个谈判。我们希望在不久的将来就能够达成协议，这个协议不但是有利于中国，照我看来，这个协议更有利于美国。作为一个工程师，我比我们美国方面的谈判对手更理解中国所作出的让步对美国人有多大的好处。我举一个例子，在电信产业的开放方面，中国过去是不对外开放的，这次我们决定在移动电话方面引进美国的 CDMA 系统。中国和美国来共同开发在中国采用 CDMA 系统，同时允许美国公司来参股 25% 到30%。我想这对美国是一个非常大的市场，它的前景是极为广阔的。至于在农业方面中国作出的让步，你们在我们已经签订的《农业合作协定》上就可以看出来。这次我在华盛顿，和戈尔副总统共同主持了第二次中美环发会议的开幕式。我在会上说，中国目前非常重视环境保护和生态工程，中美两国在能源、环境保护和电信产业这些方面的合作会提供几千亿美元的市场。今天中午，我和美国的银行家共进午餐，在这个会上见到莫里斯·格林伯格[1]先生，我的老朋友，我跟他

[1] 莫里斯·格林伯格，当时任美国国际集团（AIG）首席执行官。

进行了谈话。我告诉他，在我当上海市长的时候，我赞成 AIG（美国国际集团）在上海建立它的分公司，在那个时候，我曾经被某人指责为“卖国”。但是 AIG 进入了中国以后，不但使 AIG 在中国发展得很好，而且我们自己的保险公司向 AIG 学习了很多保险方面的经营管理方法，它们比以前发展得更快了。可是，让 AIG 在中国的其他地方设立分公司的时候，还是遇到很大阻力，尽管我当时已经是副总理了，还是没能满足格林伯格先生的要求。他抱怨说，他已经从一个女孩子等成一个老太婆了。我们现在已经批准 AIG 不但在上海和广州，而且在深圳和佛山，都设立它的分公司。而且我告诉他，你稍微再耐心地等待一下，不要过多久，起码在你退休以前，你可以在中国的任何地方设立你的分公司。请你们不要误会，我讲的是 AIG，实际上指的是所有的美国公司。因此，我觉得现在不存在什么“中国威胁论”，应该把它改个名字，叫做“中国机遇论”。今天的午餐会上，一位银行家问我，美国金融方面的经验，你觉得哪一点中国是可以引进的？正如今天 CNN 的记者问我的一样，你能够从资本主义学到什么东西？我今天的回答就是说，美国经济发展的经验，包括金融发展的经验，中国是可以引进或借鉴的。当然，这必须适合中国的特点，要有中国的特色。

我在华盛顿的时候，跟你们美国的，被你们称为“拯救了世界经济的三位 marketeers（市场管理者）”——格林斯潘先生、鲁宾先生和萨默斯先生进行了交谈。格林斯潘先生是我的老朋友，他建议说，你们应该把社会保障机构同国有企业分离。我说，我完全同意。他告诉我，你还必须把银行的不良贷款和银行本身分开。我告诉他，我完全同意你的意见，我们正在这样做。我刚才跟麦当那先生讲，日本人谈论了很久怎样建立 bridging bank（搭桥银行）来解决他们的坏账问题。我相信，中国的坏账比例没有他们那么高。但到现在，我们也没看到他们建立了搭桥银行。中国参照美国 RTC（处置信托公司）的经验，已经成立了金融资产管理公司，把银行的不良贷款分出来了。这样有利于国家商业银行经营管理的改善，同时也有利于回收不良贷款。总之，我认为美国有很多东西值得我们借鉴，值得我们学习。在这一次访问中间，我们也确实学习了很多东西。

在我们即将结束对美国的访问之际，我要向克林顿总统和美国政府，对他们给予我们的热情接待表示衷心的感谢。我们也要对美国人民在我们访问过程中间给予我们的深情厚谊表示最衷心的感谢。我尤其要向在座的诸位朋友对我所表示的如此热烈的欢迎，表示衷心的感谢。

谢谢。

1999 年 4 月 8 日，朱镕基与夫人劳安在白宫会见美国总统克林顿及夫人希拉里、美国国务卿奥尔布赖特。

1999 年 4 月 9 日，朱镕基在华盛顿会见美国联邦储备委员会主席格林斯潘（左二）和美国财政部长鲁宾（左一）。（新华社记者兰红光摄）

美国前商务部长霍伯特 · 弗兰克林：感谢主席先生，感谢总理先生。今天很荣幸你能光临此次晚宴。美中未能就中国加入世贸组织的条件达成最终协议显然是令人失望的。我高兴地得知你今天与总统先生通了话。在你就中国加入世贸组织的公开发言中，显示出对我们政治体制的深刻感受和理解。你认为在这个问题上中国国内会有什么样的政治条件或困难？

朱镕基：我非常高兴你提出这个问题。我确实会在中国遇到困难。因此，我在这里跟诸位讲我们做了最大的让步，但是香港的报纸说，我到美国来就是给克林顿总统送“大礼”的。我说你们千万不要再讲了，再讲下去对克林顿总统很不利，这会被说成是 political contribution（政治捐献）。但是老实说，我们确实是做了让步，而且是相当大的让步。是不是我们非要加入 WTO，没有 WTO 我们就活不下去呢？不是这样的。我们谈判了 13 年，在这 13 年中间，中国不但活下来了，而且活得越来越好。如果谈不成的话，我们还可以等下去。那么，我们为什么要做这么大的让步呢？第一，我们是从中美友好合作关系的大局出发的。在当前，在美国存在着一种对中国不高兴的情绪的时候，我们希望通过达成这个协议，能够推动中美友好合作关系的发展，推动由江泽民主席和克林顿总统所建立的建设性战略合作伙伴关系进一步发展。第二，是由于邓小平先生所奠定的改革开放政策的成功，中国已经发展到这种程度，就是我们对于加入 WTO 以后所引起的对于中国的国有企业、中国的经济结构、中国的市场所带来的冲击，现在的承受能力大大加强了。同时，中国人民的认识程度也大大地提高了。他们也开始认识到，只有引入这种竞争的机制，才能更好地促进我们自己的国有企业发展，促进我们的国民经济更加健康地向前发展。我可以告诉大家一个故事，就是大前年，我跟乔治·费舍先生谈，请他的柯达公司来中国合作的时候，我曾经被某人第二次称为"卖国贼"。但是经过这两年，柯达公司进入了中国，大量地投资，促进了中国胶片工业的发展。因此，那位叫我"卖国贼"的人，最近在春节活动的时候来对我讲："我以前错了。"我相信，今后我不会第三次被称做"卖国贼"了。我认为，这种让步对于中美两国都是有利的。

罗伯特·福迈茨：首先，朱总理，让我和主席先生、弗兰克林女士一样，欢迎你今天晚上的光临。我要问的第一个问题是，近几年来你们在中国一直热烈讨论的一个问题，即关于法制改革的问题。在你最近的《政府工作报告》中，你强调了加强法律制度和法治。我想请你谈一谈中国政府在这方面所采取的步骤，及在未来几年中对人民、对中国经济产生的影响。

朱镕基：感谢你的提问。我认为，建立一个法治国家是中国当前迫切的任务。所以，在最近召开的九届全国人大（相当于你们美国的国会）二次会议上，通过了对中国宪法的一个重要的修正案，就是特别地强调要依法治国，要把中国建成为一个法治的国家。我在美国的时候，很多朋友向我提出中国的人权问题。我首先告诉他们，中国的人权确实是有史无前例的进步；同时我也承认，我们的人权工作还有缺点。我们愿意听取朋友们的意见，来改进中国的人权状况。大家都知道，江泽民主席和中国的领导人，包括我，都是从年轻的时候就开始，长期为中国的民主、自由、人权和法治而斗争。我们这些人，怎么可能在今天，反过来要侵犯人权、要压制人权呢？请你们一定要了解，中国跟美国是不同的。中国有 2000 多年的封建历史，中华人民共和国成立才 50 年，我们人民的生活水平比你们低很多，我们人民整体的受教育程度也比你们低很多。在这样的国家里，完全采用你们的民主形式，那是不可能的。要实行法治，必须要有一支强大的司法队伍，必须要有相当大的一批合格的法官，同时也要有很多合格的律师。可惜的是，你们美国的律师太多了，我们中国的律师太少了。所以，不是我们害怕民主，不是我们不愿意实行法治，更不是我们要侵犯人权，我们要根据中国的条件，逐步地改善，逐步地使中国成为一个完全的法治的国家。当江泽民主席和我发现了有侵犯人权事件的时候，我们比你们还着急，我们比你们还气愤。中国有 12.5 亿人，太着急是不行的，得不到好的效果。但是我完全相信，中国的人权一天比一天在改善，中国一定会成为一个法治国家。我们愿意听取朋友们的意见。

霍伯特·弗兰克林：尽管今年中国国内生产总值和出口增长都会

放慢，你仍然在推进多方面的经济改革。这些情况已经带来了失业的上升，而且这要求中国的市场更加开放，鼓励更多的竞争。这种雄心勃勃的改革、市场的进一步扩大、增长的减缓、失业的上升，种种汇集在一起，给你带来了巨大的挑战，有时是相互冲突的挑战。你如何应对这种局面？

朱镕基：确实，人口太多是中国最伤脑筋的问题。尽管我们相信人是最宝贵的财富，但是要发挥人的作用，还需要一个过程，就是他要受教育，他要能够得到发展。而在当前，这么多的人口，对我们的国民经济确实是一个沉重的负担。中国目前农业还是容纳人口最多的一个产业。我访问了芝加哥的普通农场，跟普通的农场主进行了谈话，我发现他们每一个家庭所耕种的土地相当于中国一个农民家庭的1000多倍。但是，中国的农民在自己的土地上面付出了大量细致的劳动，提高了单位面积的产量，所以他们的生活还是比过去要好得多了。特别是，我们现在提倡农业产业的多样化，向加工、畜牧等等农产品加工方向发展，因此农民收入提高得很快。国有企业确实目前面临着一个失业的问题，去年年初，曾经有1000万国有企业工人失业了。但是由于我们建立了社会保障体系，保障了失业的职工，或者说下岗职工的基本生活，因此并没有引起社会的不稳定。经过我们的努力工作，在去年一年，已经有600多万失业工人获得了再就业，因此，到年底的时候，我们只剩下600万失业工人了，这600万人里包含新增的200万人，他们还享受着社会保障。我们这种机制给中国的国有企业带来了新的希望。因为过去的国有企业的工人是不能下岗的，不能失业的，他们的工作叫做“铁饭碗”，现在我们打破了这种“铁饭碗”，鼓励了竞争，我想这对于国有企业的发展是非常有利的。同时，由于中国的第三产业极不发达，这里可以吸纳大量的劳动力，所以我们并不担心失业问题会越来越严重，相反地，我们觉得这个问题会逐步得到解决。因此，我们现在不害怕竞争，不害怕外国企业进入中国或者外国产品进入中国所引起的竞争。当然，我充分地意识到失业和再就业问题是中国一个非常重要的问题，我们应该非常慎重地处理这个问题，否则的话，我可能就要下台了。

罗伯特·福迈茨：朱总理，就像你在向全国人大所作的《政府工作报告》中所说的一样，某些国有企业非常成功，并参与了市场竞争，而有一些却不尽然。你如何描述成功国有企业的管理实践以及政府用以加强这些企业管理实践的激励措施？

朱镕基：中国的国有企业现在确实存在着一些问题。我们国有企业改革的方向，就是将大型企业实行股份化，也就是说，把这些大型企业的一部分股份在股票交易市场上卖给公众。而且我们完全把这些企业跟政府分开，也就是说政府不能够直接管理这些企业。政府各个部门只负责政策的制定，让这些企业能够自己独立地、公平地竞争。至于中小企业，我们的政策就是要把它们搞活，包括把它们卖给私人。所以我们认为，最重要的是把政府和企业严格分开，它们之间没有隶属关系。在华盛顿的时候，我和戈尔副总统主持了一个企业界的座谈会，其中有一位企业家提出这个问题。这个企业家刚刚在中国的某个招标里面失败了，所以我想他可能对我们有点不太高兴。他说，我的印象似乎中国并不想外国企业到中国去，而且似乎更不喜欢外国企业在中国赚到钱。我说，中国的政策绝对不是这样的。我们国有企业获得的利润是归它自己的，它不要交给政府，它的任务就是向政府交税。你们外国企业到中国来，你们的利润也归你们自己，中国政府也不要你们的，只要求你们交税。公平地说，外国企业包括合资企业向中国政府交税的纪录比我们的国有企业好得多。那么，为什么我要偏袒中国的国有企业呢？我相信，只有通过竞争，才能使我们的国有企业发展。谢谢。

在麻省理工学院的演讲和答问*

（1999 年 4 月 14 日）

校长先生，

女士们，先生们：

我衷心地感谢校长先生邀请我到 MIT（麻省理工学院）来，使我能够有机会会见这么多有学问的教授和学者，包括来自我的母校清华大学的校友。昨天在纽约，我的好朋友达克特克森杰告诉我："你是第二个有勇气到 MIT 去作演讲的国家领导人。"我确实没有这个勇气，特别是要作学术演讲。我 1947 年在清华大学学习的时候，清华被称为"中国的 MIT"，我所学习的教科书大部分都是从 MIT 来的，当然，不是从美国来的原本，是在中国影印的，是不是盗版我可搞不清楚。我当时就憧憬有一天能够到 MIT 来学习，而且拿一个学位。但是，请校长你不要误会，我绝对不是要一个荣誉的学位，我不要那个 political contribution（政治捐献）。如果我要得到一个学位的话，一定要经过学习、考试、答辩。但是我 70 岁了，已经做不到了，看样子我这一辈子也拿不到你们的学位了。当 1984 年第一次

* 访问美国期间，朱镕基总理应邀在波士顿麻省理工学院礼堂，发表以"面向 21 世纪的中美关系"为主题的演讲，并回答与会人士提问。

1999 年 4 月 14 日，朱镕基在麻省理工学院发表演讲并回答提问。

（新华社记者兰红光摄）

访问波士顿的时候，我在哈佛大学作过演讲，跟麦克阿瑟院长进行过交谈，但是，那一次我没有机会能够到 MIT 来，至今我还引为遗憾。所以，这一次我再不来就要变成一个终身的遗憾了。特别是因为 MIT 办学的方针和你们所提出的那些口号，对于中国现在正在实施的科教兴国战略是有很重要的借鉴意义的；尤其是我还是清华大学经管学院的院长，清华经管学院跟 MIT 有着密切的合作关系。因此，我要是不来，那也是非常遗憾的。

我今天要讲的问题是中美关系。中美关系的历史是一个风风雨雨的历史，但是，我想中美保持友好合作关系是符合两国人民利益的，是符合世界人民利益的，既是美国的共和党和民主党两党一致的政策，也是中国三代领导人所一贯坚持的政策。今天，当中美关系出现某些困难和问题的时候，我愿意到这个地方来，就中美关系的问题给美国人民消一消气。怎么叫做消气呢？就是我要来说明真相，说明事实，取得双方的共识。

在中美关系方面，很多问题，在我访问美国的中间，我已经讲了多次了，比方说人权问题、1989 年的政治风波、达赖喇嘛、TMD（战区导弹防御系统）、科索沃问题等等，我想你们都听厌了，我不准备再在这里讲这些问题。我讲一个你们关心的问题，就是中美贸易逆差的问题。

我想这个问题是美国各界人士都关心的问题，关于这个问题我个人做了一点小小的研究，当然，这跟你们诺贝尔奖金获得者和各位教授们比起来，那是班门弄斧。但是，我想说明这样几个观点：

第一，中美贸易逆差是被大大地夸大了。根据美国方面的数字，中美贸易逆差是 569 亿美元，而中国方面的数字是 211 亿美元，非常大的差距。我不想评论哪一个数字更加准确，你们美国斯坦福大学的一个教授，叫刘遵义，他做了很深入的研究，认为这两个数字都是不准确的。其原因就是，这些数字在计算进口的时候包括了运费和保险费，而在计算出口的时候没有包括这些；同时，也没有考虑到中美贸易很大一部分是通过香港转口的，在香港的附加值、增值是达到很高程度的；而且，也没有考虑到对中国的走私。根据这些因素，把它加以修正以后，按照这位教授的估计，中美贸易的逆差是 365 亿美元。由于美国还有大量向中国的服务性出口，单讲货物进出口逆差只有 350 亿美元。我现在不去评论这个数字的准确性，这个数字比美国方面的数字低，比中国方面的数字高，我不去评论，但是我很尊重这位学者做了大量的研究，有大量的数据作为根据。

这是我的第一个观点，就是说，不要把这个中美贸易逆差看得太严重了。老实说，美国的全部贸易逆差去年只有 1690 亿美元，加上其他方面，总的逆差不超过 2000 亿美元，仅仅相当于你们国内生产总值的 2% 多一点点。在其他国家，这是很平常的，加拿大多年以来的贸易逆差就超过 2%。这不是一个很严重的问题，对美国来讲，这是一个很小的问题。

第二，中国对美国的出口，绝大部分是劳动密集型的、低附加值的消费品或者是资源性的产品。这些产品在 15 年以前你们就停止生产了，因此这种进口跟你们美国的产业是没有竞争的，是有利于你们的经济结构调整的，是有利于你们发展高技术产业的，这使你们变成了当今世界上最强大的国家。这些消费性的产品在美国是找不到人来生产的，如果你们停止从中国进口这些产品，或者从别的国家来进口这些产品的话，美国的普通老百姓要为此多付出 200 亿美元。这个数字我是有根据的，不是我造出来的，我是根据世界银行报告提供的数据来推算的。1998 年，如果不从中国进口这些消费品，而从别的国家进口的话，你们在座的诸位都要从口袋里多拿些钱出来，也许通货膨胀就会比现在要高一点了。

第三，中国向美国出口的绝大部分，可以说 70% 以上是加工贸易。什么叫“加工贸易”呢？就是外国投资的企业包括美国的企业在中国内地设厂去加工和装配从外国进口的原材料和零部件，然后出口到美国来。这些原材料、零部件的进口，主要是来自于日本、韩国、新加坡及中国台湾地区、香港地区，在中国内地的增值部分是微乎其微的。也就是说，中国内地向美国的出口，实际上是我上面讲的那些国家和地区向美国出口的转移。以前，你们这些消费品都是从我刚才列举的国家和地区进口的，但是它们的劳动力成本很高，现在它们已经不生产这些东西了，因此，它们把原材料、零部件转移到中国内地，用内地的劳动力生产出产品，然后再出口到美国来。所以，你们美国对这些国家和地区的贸易逆差减少了，但是对中国的贸易逆差增加了，加起来都是一样的。我在 1987 年担任国家经济委员会常务副主任的时候，对这个问题就作过调查。我调查了出口到美国的运动鞋，“耐克”、“阿迪达斯”、“锐步”等等这些名牌鞋在中国生产，出口到美国来。因为这些工厂大多设在中国沿海的福建省，我在福建省做了调查。当时在福建的工厂主要是台湾地区的企业家办的，每双运动鞋的出厂价 20 美元，在美国的零售价 120 美元。当时我调查了这些工厂，这 20 美元给中国工人留下的就是 2 美元，但是它可以养活两个工人——我是拿全年来讲。其他的原材料，有的是日本来的，有的是美国来的。其中主要的气垫就值 2 美元，是从美国来的，这也许是个专利。所以看得很清楚，在美国卖 120 美元，在中国的出口价格只有 20 美元，中国只得到 2 美元，但是，确实养活了我们的工人，这对中国是有利的。这是 1987 年的情况，现在怎么样呢？最近我会见了一位台湾地区的“鞋业大王”，据他讲，全世界的运动鞋，他的销售额是第一。他的这些运动鞋都是在大陆生产的。我问他：“现在的情况怎么样呢？和 1987 年比起来怎么样？”他说：“差不多。”这次我到美国之后，派我的秘书到芝加哥的各个百货公司去调查鞋子的价钱，我发现在你们美国商店里卖的“耐克”、“阿迪达斯”、“锐步”这些鞋的平均价格是80到120美元，跟当时差不太多，便宜一点了。把商标翻开一看，几乎都是“中国制造”。所以很清楚，这种劳动密集型的产品，你们美国不会去生产，从别的国家买是很贵的，只能够从中国进口，价廉物美，对美国人民是有好处的，对我们中国也有好处，因为我们一些劳动力可以得到就业。但是，其中大部分的价值都是别的国家或地区对美国出口的价值的转移。我很赞成你们MIT一位有名的教授叫做保罗·克鲁格曼[1]先生的观点，他的文章很有见解，我经常看。他在一篇文章中说：“这不说明中国的市场不开放，而是日本的市场不开放。”

我这次到丹佛去参观了一家公司，这位老板为了说明中国也有高技术产品向美国出口，他拿出一个很重要的部件给我看，他告诉我，这个磁头是从中国进口的。我看了一下，说：“我看，这个磁头里面最值钱的集成电路还是你们美国做的。”中国只不过进行了一些装配，甚至于上面用的钢材也是从日本进口的。也就是说，如果这个磁头值1万美元的话，有8000美元是在美国生产的，剩下的2000美元中有1000美元是从日本或者韩国进口的原材料，中国人只向美国出口了1000美元。所以，保罗·克鲁格曼先生得出一个结论来，中国这是双顺差，在经常项目是顺差，在资本项目我们也是顺差。我们1466亿美元的外汇储备，一大半，绝大部分是买了美国的国债。这种双顺差是中国经济的弱点，我同意他这个观点。我们要调整我们的经

[1] 保罗·克鲁格曼，美国经济学家，2008年诺贝尔经济学奖获得者。他的主要研究领域包括国际贸易、国际金融、货币危机与汇率变化理论。他创建的新国际贸易理论，分析并解释了收入增长和不完善竞争对国际贸易的影响。

济结构。

我以上这三个论点旨在说明，中美两国目前的贸易逆差，并不是单纯有利于中国，也大大地有利于美国。当然，我不是说不要改善这个贸易平衡，中国将尽其所能地来改善中美贸易的平衡。因此，在加入 WTO 的谈判过程中，中国作出了很大的让步。我相信，这种让步对中国人民参加国际的经济合作是有利的，对促进中国的国民经济的市场竞争、对国民经济的发展也是有利的。这对于 WTO 则是更加有利的，因为没有中国的参加，WTO 是没有代表性的。而对于美国，我认为是大大的有利的。

我在华盛顿和戈尔副总统共同主持了第二次中美环发会议的开幕式。我在这个会议上讲，中国现在通过经济发展的实践，深刻地认识到可持续发展战略的重要性，认识到对发展与环境保护、与生态工程必须予以同等的重视。因此，中国现在对于能源、环保等等基础设施工程做了空前的努力，这方面的投资、投入是空前的，史无前例的。如果中美两国在这些方面进行合作，如果美国愿意开放它的出口，转让它的技术，那么，几千亿美元的生意、几千亿美元的市场在几年以内必将有利于改善中美两国的贸易平衡。

我预言，目前美国上下怒气冲冲地谈论的中美贸易逆差问题，也许过了几年以后，我们在中国也要谈论一番了，不过那个时候很可能中国是逆差，我们也要怒气冲冲。

我补充一句，我是讲我们的人民将要怒气冲冲，我是不会怒气冲冲的。因为，我认为只要能够引进技术，改善我们的管理，这种贸易逆差将是一种“愉快的负担”，从长期来说对中国发展是有利的。但是，这不完全决定于中国，目前首先是要美国方面真正做到它所倡导的自由贸易。美国现在对中国的出口，限制得太严了。我刚才听校长先生告诉我，你们正在从事于探索太空的秘密，我一听这个“秘密”就害怕，就跟“间谍案”联系起来了。美国现在对中国的出口设置了很大的限制，我看把我们排在不是全球倒数第一也是倒数第二了。因此，我们发射休斯公司的人造卫星也得不到批准，我们气象局需要美国的计算机也不让出口。中美贸易平衡怎么改善呢？我想提醒大家，去年美国出口到中国的机电产品，这不一定是高技术，只是一般的机电产品，只有 89 亿美元，而日本去年出口到中国的机电产品是 151 亿美元，欧盟出口到中国的机电产品是 148 亿美元。我想问一句：你们美国只要求向中国出口小麦、出口柑橘，好啊，我们这一次签订的农业协定不是为进口你们的小麦和柑橘打开了大门吗？但是，女士们，先生们，中国人民靠吃小麦和柑橘就能活下去吗？可以活下去，但是我们要活得更好。因此，我觉得关键是我们要认识到中美关系的重要性，它的战略的重要性。中国不是你们潜在的对手，更不是你们的敌人，而是你们可以信赖的朋友。

中美建立一种建设性的战略伙伴关系，是有利于中美两国人民，有利于世界人民，有利于世界和平和国际合作的。中国三代领导人，也就是说，毛泽东、邓小平、江泽民，他们是始终坚定不移地在发展和维护这种关系。我们坚信，当前中美关系中的困难和问题只是中美友好合作关系的长河中间的一个小小的插曲。我相信，这种困难和问题就像一小片乌云即将过去，而灿烂的阳光即将到来，让我们共同为此而奋斗。

在我们即将离开美国的时候，我要向克林顿总统、向美国政府对我们的盛情招待表示衷心的感谢。我要对我们所接触的美国人民，包括很多的国会议员，我想差不多有 30 个了，表示诚挚的谢意。我们接触了各级的政府官员，我们跟美国各著名团体、新闻媒介的负责人共进了早餐，我们跟美国的著名金融家、企业巨头共进了午餐，我们在街上也跟普通的美国老百姓进行了交谈，我从这里深深地体会到，中美两国的友谊是有着深厚的群众基础的。

昨天下午两点钟，克林顿总统给我打电话，我把这些观感告诉了他。我相信，美国人民是支持中美友好合作的，是支持中国早日加入WTO的。在临行之刻，我向在座的诸位，对我们中华人民共和国政府代表团的热情的欢迎，对波士顿的人民，对麻省的人民，对美国的人民，表示我们诚挚的敬意和衷心的感谢。

谢谢，非常谢谢！

麻省理工学院校长查尔斯·维斯特：尽管朱总理说他现在太忙了，他没办法在麻省完成他的心愿，但是现在我们已经听他做了一个口试，他已经通过了。所以，现在我们就可以提几个问题，希望大家提问的时候非常地简短、非常地快，这样我们加上翻译也可以使得朱总理能够尽可能多地回答一些问题。

问：我是代表徐文立[1]的女儿徐锦来问这个问题的。为什么像徐文立先生这样的和平理性的人，其所作所为完全没有违反中国法律，受到公民及政治国际公约和联合国人权宣言的保护，他却在去年12月21日，经过仅仅3个半小时的审判后被判处13年徒刑。请问朱总理，中国共产党何时停止一党专政的独裁，无条件释放徐文立先生？

朱镕基：关于中国的人权问题，这一次在美国我已经讲得很多了，我的嘴巴都讲得起了茧了。中国的人权每天都在改善，而且中国人民所享受的人权是历史上空前的。当然，我们还有缺点，我们正在

[1] 徐文立，安徽安庆人，1998年因“颠覆国家政权”罪被判处有期徒刑13年，剥夺政治权利3年。

不断地改进。我们的国会也就是全国人大刚刚修改了我们的宪法，在这里面特别表明，中国要建立一个法治的国家，要依法治国。我们正在致力于这一点。关于你讲的这种个别的事件，我不想在这个地方跟你多加辩论。

问：朱总理，作为一个目前在MIT学习的清华校友，我希望能够代表在MIT学习的全体中国人和在美国的全体清华校友对你的来访表示最热烈的欢迎，并祝贺你这次在美国的访问取得圆满的成功。接下来我有两个问题想请教朱总理：第一个问题是，你刚才谈到的科教兴国这个基本国策，我想向你请教一下，你觉得目前在中国科教兴国的基本国策上，最大的问题是在哪儿，我国政府准备采取什么样的措施来改善和提高它？第二个问题是，你觉得中国的高科技产业发展应该集中在哪些方面，中国政府准备有什么样的产业政策？另外，中国有没有什么政策准备鼓励留学生回国创业的？

朱镕基：谢谢你的问候，我也愿意借此机会向清华在MIT的校友以及在这里学习和访问的学者表示衷心的敬意。我曾经两次宣布，科教兴国是本届政府最重要的任务，为此目的，从去年到今年，我们财政对科技和教育方面的投入是巨大的，是前所未有的。当然，这些钱用到一些什么方面，我今天没有时间来具体谈及，但是我认为科教兴国的基础在于教育。教育除了基础教育应该予以十分的重视以外，对于专业的教育我认为最重要的是管理方面的教育。目前，中国最缺乏的就是管理人才，我们的国有企业的第一把手、总会计师大部分都是不合格的。所以，我刚才跟校长说，我们最希望MIT帮我们培训高级的管理人才。而且我们现在正在几个有名的会计公司的帮助下，要在中国建立三个国家会计学院，来培训中国的会计人才。第一个会计学院，清华大学正在筹办，现已初具规模，很快要开学了，可是我现在呢，还找不到一个很好的院长，不知道你们在座的诸位谁愿意去当这个院长啊？我们清华需要一个院长，这个院长在哪儿？我再举一个例子，就是中国内地的证券市场是最缺乏人才的，中国内地的证监会最缺乏人才。所以，我们已经聘请了香港地区以前的证监会主席梁定邦先生来担任第一顾问，而且我应他的要求，准备请一些台湾地区的、香港地区的优秀专家到我们证监会里面去工作。我付他们的钱，跟他们原来的工资一样。

问：总理先生，我们麻省理工学院最近也研究过我们这个学校怎么准备消除男女不平等的现象。我请问你一个问题，你现在正在采用什么措施来确保充分发挥中国的妇女和女青年的才能？

朱镕基：我是十分赞成男女平等的，尽管中国的社会存在着一种“重男轻女”的传统。我们有各种妇女儿童的群众组织来保护妇女和儿童的权利，你可以看到，我们代表团里面就有一位杰出的女性——吴仪女士。这一次在跟美国方面进行 WTO 谈判方面，吴仪女士起了关键的作用。我知道美国人对于什么叫“国务委员”听不懂，我可以告诉大家，就是副总理。但是中国是很讲究排名次的，她的名次是排在副总理后面的。我还要告诉你一个秘密，我在家里是完全听我夫人的。我的口袋里连一分钱也没有，全部上缴给她了。

在菲律宾工商界午餐会上的演讲和答问*

（1999 年 11 月 27 日）

尊敬的贸易工业部长何塞·帕多阁下，
女士们，先生们：

我很高兴有机会与菲律宾工商界的朋友们见面。在座各位都是菲律宾知名的工商界人士。长期以来，包括诸位在内的贵国企业家致力于同中国开展经贸交往和互利合作，为推动中菲关系健康、稳定地发展做了大量有益的工作。在此，我谨向你们表示衷心的敬意和感谢。

中菲两国隔海相望，人民的友好交往源远流长。两国建交以来，在双方政府和企业家的共同努力下，在众多领域的友好和互利合作不断发展，取得了积极的成果。此次访菲，我同约瑟夫·埃斯特拉达总统阁下就进一步发展两国经贸合作进行了很好的会谈。我

* 应菲律宾共和国总统约瑟夫·埃斯特拉达邀请，朱镕基总理于 1999 年 11 月 26 日至 29 日对菲律宾进行正式访问，并出席第三次东盟—中日韩领导人非正式会晤以及东盟—中国领导人非正式会晤。访问期间，朱镕基出席由菲律宾工商界人士在马尼拉威斯汀饭店举办的午餐会，并发表演讲、回答与会人士提问。

们一致同意推动双方政府部门和企业探讨新的合作方式及领域，充分挖掘潜力，把中菲经贸合作不断推向前进。

女士们，先生们：

1997年爆发的亚洲金融危机，给包括菲律宾和中国在内的亚洲国家经济发展带来了很大困难。在菲律宾政府和人民的努力下，贵国经济开始重新走上了健康发展的轨道。我们作为菲律宾的友好邻邦，对此感到由衷的高兴。

1998年以来，为克服亚洲金融危机和国内特大洪涝灾害带来的困难，中国政府采取了一系列有力措施，特别是扩大国内投资需求和消费需求的措施，取得了明显成效，我国经济继续保持较快增长的势头。今年前三季度国内生产总值同比增长7.4%，预计全年经济增长7%的目标可以实现；人民币汇率继续保持稳定。虽然在经济发展中也面临一些新的问题，但我们相信，通过增加有效需求、加大调整和改革力度、加快基础设施建设、深化国有企业改革，就可以推动经济持续稳定发展，提高经济增长的质量和效益，为迈入新世纪打下良好的基础。

中国的发展离不开世界，世界的繁荣需要中国。中国经济与世界经济的联系将越来越密切。我们将继续坚持对外开放的基本国策。11月15日，中美两国就中国加入WTO签署了双边协议。随着加入WTO进程的加快，中国的对外开放将迈出新的步伐。中国经济的持续发展和对外开放的推进，为各国与中国扩展经贸合作和国外企业家来华投资提供了更广阔的前景。今后一个时期，中国将重点发展农业、水利、能源、交通、电信、原材料、环保、高技术等基础设施和产业。可以说，中菲两国的互利合作正面临新的发展契机。下面，我愿借此机会就如何加强中菲经贸合作谈几点看法：

第一，农业合作将是双方经贸合作新的重点领域。今年，两国农业部长签署了《中菲关于加强农业及有关领域合作协定》，为双方拓宽农业合作创造了必要的条件。埃斯特拉达总统非常重视发展农业，积极倡导“粮食安全”政策，这给我留下了深刻的印象。新中国成立50年来，在农业发展领域取得了举世瞩目的成就，尤其在种子、农机、水利、化肥、农药、农产品加工等方面积累了不少经验。中国愿发挥自身优势，积极帮助菲律宾发展农业。中国的农机产品比较符合菲律宾的实际需要，价格也具有很强的竞争力。我们已经向菲方提供了部分优质农机具和水稻良种。我们还将根据需要和可能选择更多的合作项目，提供优惠的合作条件，推动两国农业合作深入发展。

第二，进一步挖掘双边贸易潜力，促进经贸关系健康、平衡地发展。90年代以来，中菲双边贸易稳步增长，即使在亚洲金融危机过程中也仍然保持了增长的势头。但中菲贸易同中国与东南亚其他国家的贸易相比，总量还不大，有待双方特别是在座的各位工商界人士作出更大的努力。我们对扩大双边贸易的态度是积极的。我们已经注意到中方存在贸易顺差问题，将继续积极采购菲方商品，希望菲方能够多提供有竞争力的货源。

第三，积极推动双向投资的发展。双方可以在交通、通信、纺织、能源和科技等领域发展互利合作，通过多种途径和方式，积极鼓励双向投资与技术合作，逐步扩大合作规模和领域。中国政府鼓励有实力的企业家来菲律宾进行考察和投资办厂，也欢迎菲律宾企业家到中国去投资和寻求合作。

第四，支持和鼓励两国企业开展合作。在促进两国大企业加强合作的同时，也要充分发挥中小企业的积极性。双方政府部门对此要共同加以政策引导，为企业之间的合作提供便利条件。

女士们，先生们：

中菲两国都是发展中国家，两国国情有许多相似之处。我们面临的共同任务是：在经济全球化条件下更好地维护国家经济安全和经济利益，保持经济稳定发展，不断提高人民的物质和精神文化生活水平。中菲经济有较强的互补性，开展互利合作的潜力很大，完全可以发挥各自的优势，相互学习、借鉴和补充，不断拓展合作领域。我相信，我们一定能使两国经贸合作在新世纪里获得全面、深入的发展，并迈上新的台阶。

谢谢！

问：我的问题是这样的：菲律宾工商界的情况已经有了很大的变化，菲律宾华人的经济实力在菲律宾整个工商界经济实力中所占比例也有了大幅度的提高。然而，我们之间的贸易和投资状况没有相应的、很大的改进。我想请教阁下，对此你有什么评论？

朱镕基：我没有十分理解你这个问题的意思，因为我们对菲律宾的贸易并不只是对菲律宾华人的贸易。我只知道几年以前中菲贸易总额是几亿美元，现在是几十亿美元，可见中菲贸易已有了很大的发展。至于其中对菲律宾华人的贸易额是多少，我不清楚。在中菲贸易总额中，菲律宾方面有逆差，中国方面有顺差，去年大概是10亿美元。中国方面非常重视这个问题，我们将采取一系列的措施来改善两国贸易不平衡的状况。我和埃斯特拉达总统谈到这个问题的时候明确表示，只要是在中国市场有需求的产品，我们就愿意优先从菲律宾采购。我们也希望你们多到中国去推销你们的商品，我们的国际商会可以为你们访问中国提供帮助。我们还希望你们卖给我们真正需要的产品，不要老是卖给我们香蕉。其实，即使是在香蕉的进口方面，我们也采取了优先从菲律宾进口的政策。

你们的总统和参议长都很关心香蕉出口问题，他们都跟我讲，希望我们更多地买菲律宾的香蕉，并且降低从价税[1]。对于你们总统和参议长的意见，我是非常重视的，马上就打电话回国，把这方面的数字查来了。我现在可以告诉大家，今年1到10月份，我们从菲律宾进口的香蕉比去年同期增长了60%。我向你们保证，明年我们还要进口更多。关于从价税的问题，我们对菲律宾是330美元一吨，比从别的国家进口低100美元，但你们还是认为太高，希望降到250美元一吨。我们愿意考虑你们的意见，再降低一些，但是不是能降到250美元，我现在还不敢说，因为还得回去跟有关部门商量，还得有一个决策的过程。但是我保证，一定降低！当然，我也希望能够减少走私，使我们的关税不至于减少得太多。让我们共同努力吧。

问：曾经有人建议，东盟要像欧盟一样搞一个东盟的共同货币，请问阁下对此持何看法？

朱镕基：关于地区货币问题，我想这不是一个很容易达成协议的事情。即使是现在的欧盟，也并不是所有国家都加入了欧元区。所以我们建议，还是先考虑如何加强金融方面的合作，特别是如何加强对国际金融的监管，使国际金融投机不再肆虐亚洲，造成亚洲的金融危机。当然，我们亚洲国家可以就如何加强在金融方面的合作进行协商。我想，“10+3”的财长和行长、副财长和副行长的会议，在这个方面起到很好的作用。我们希望这种交流与合作进一步加强。

问：阁下，我想请教一个问题。现在我们受到了亚洲金融危机的

[1] 从价税，指按课税对象，以一定的价格实现的收入为计量单位征收的税。它的特点是：课税对象的价格越高，其征收税额就越多；课税对象的价格越低，其征收税额就越少。

影响，请问你对东盟的经济发展前景持何看法？另外，外界还在怀疑人民币可能会贬值，你对这个问题能不能再做一些解释？

朱镕基：1997年发生亚洲金融危机以来，东盟国家自力更生，团结互助，或前或后、或多或少地克服了亚洲金融危机带来的影响。我相信，最困难的时期现在已经过去。当然，东南亚各国经济发展的一些根本性问题，还有待于继续解决，比方说，经济结构如何调整，如何加强金融改革和金融监管等。如果这些问题不能解决，东南亚各国的经济问题就还没有完全解决。那么，再一次遭受金融危机的袭击并不是不可能的。但是，我们对于东盟各国的经济复苏和经济发展是乐观的。中国愿意加强和东盟各国的经济合作，这也有助于双方经济健康、稳定地发展。关于中国的人民币问题，在亚洲金融危机期间，尽管中国的出口遭受了很大的损失，可是中国仍然坚持了人民币不贬值。而且，我们还通过IMF（国际货币基金组织）的框架，向东南亚国家提供了60亿美元的帮助。现在，人民币没有受到贬值的压力，因为今年1到10月份，中国的出口比去年同期增长了4.2%，而上半年中国的出口是下降的。中国加入WTO后，我们渴望明年外商投资进入中国的数量会比今年增加。中国的国际收支现在是平衡有余，外汇储备在不断增加，到10月底已经达到1520亿美元，我相信到年底会超过1550亿美元。因此，根据对各种情况的判断，我可以告诉大家，中国的人民币不会贬值。

问：阁下，我们大家都知道，你在整顿官僚作风方面做了很大的努力，比如缩减了政府的规模。菲律宾政府也在做着同样的努力。请问你对此有什么评论？

朱镕基：我们看到菲律宾政府和中国政府一样，都在致力于反对贪污、反对官僚主义和精简机构，都非常重视这个问题。因此，我们双方可以互相交流这方面的经验。

问：阁下，中国在1000年前就在世界上发挥了很重要的作用，当时的中国非常繁荣，也非常爱好和平。请问，你认为中国在下一个千年中将扮演什么样的角色？

朱镕基：确实，中国自改革开放以来取得了很大的成就。我觉得最大的一个成就，就是解决了吃饭的问题。中国有12.5亿人，曾经有人预言，中国养不活这么多的人口。但是我们非常重视农业，把农业作为国民经济的基础。关于这一点，我们和你们的总统是有共识的。经历过许多挫折以后，我们终于找到了一条发展农业的正确道路，采取了正确的政策，在农业技术方面也有了很大的提高。因此，从1996年开始，我们每年的粮食和其他农产品的生产都实现了自给有余。现在中国全社会的粮食库存达到了5亿吨，相当于中国一年的粮食产量。也就是说，中国以后不论遭遇什么样的自然灾害，即使一年以内一粒粮食也收不到，我们的人民也不会饿肚子。所以，我们才敢于向贵国和贵国的农民介绍我们的一些经验。我们的农业部长刚刚访问了你们国家，据他估计，只要你们现在所有种稻了的稻田都采用中国的杂交稻和中国的技术，就可以提高产量50%。我们将提供资金，和贵国合作，建立一个农业技术中心，无偿地为贵国的农民提供经验、提供良种、提供农机具，无偿地帮助贵国的农民发展农业。除了农业以外，在很多基础工业方面，从总量来讲，中国都处于世界前列，有的还处于第一位。比方说，我们钢的产量、煤炭的产量等，都是世界第一的；在程控电话的装机容量方面，我们位居世界第二，仅次于美国。但是中国的人口很多，如果按人口平均的经济总量来说，那么中国就很落后了。中国是一个发展中国家，是亚洲的一员，是东亚、东南亚的一员，我们愿意和大家一起努力，互相帮助，共同发展。

我非常感谢主席先生[1]发表的友好的讲话，我想这是他对于中国人民发表的友好讲话。至于对我个人的赞扬，我认为是言过其实。我既不是“经济沙皇”，也没有形成什么“朱镕基经济学”。因此，我向大家发出忠告，你们如果按照我讲的去做生意，你们可能会赔本。

欢迎大家到中国去，加强相互的了解，共同促进中菲两国经贸合作关系的发展。

[1] 主席先生，指菲律宾工商会主席费尼克斯。

在“新加坡讲座”上的演讲和答问*

（1999 年 11 月 30 日）

尊敬的吴作栋总理阁下，

女士们，先生们，朋友们：

谢谢李显龙副总理阁下。

“新加坡讲座”是享有盛誉的国际论坛，许多国家的领导人、知名的政治家和专家学者，曾经在这里对地区和国际问题发表过真知灼见。今天，我有机会在此同新加坡各界人士会聚一堂，向诸位介绍中国的情况，与大家共同探讨中国与亚洲的发展前景，感到非常高兴。在座的不少人是中国人民熟悉的朋友和长期合作的伙伴，我愿借此机会，向你们以及所有为增进中新两国人民友谊作出贡献的新加坡各界人士，表示诚挚的感谢！

不久以前，中国人民隆重庆祝了中华人民共和国成立 50 周年。50 年来，中国发生了沧桑巨变。特别是改革开放 20 多年来，中国社会主义现代化建设的成就更是举世瞩目。1979 年到 1998 年，国内生产总值增长 4.9 倍，年均增长 9.7%。在世界的排名中，中国经济总

* 应新加坡共和国总理吴作栋邀请，朱镕基总理于 1999 年 11 月 29 日至 12 月 1 日对新加坡进行正式访问。访问期间，朱镕基出席“新加坡讲座”，并发表演讲、回答与会人士提问。

量由1978年的第11位上升到现在的第7位，进出口总额由1978年的第29位上升到第11位。全国城乡居民生活实现了从贫困到温饱，进而向小康迈进的历史性跨越。这些成就的取得，不仅为中国今后发展奠定了坚实的基础，也为亚洲乃至世界的和平与发展作出了贡献。

尽管亚洲金融危机给中国带来了影响，1998年中国还遭受了百年不遇的洪涝灾害，但全年国内生产总值仍比1997年增长7.8%。今年1至9月，国内生产总值同比增长7.4%，预计全年增长在7%以上。经济结构调整迈出重要步伐，企业经济效益明显回升。财政金融平稳运行。对外贸易恢复了强劲的增长势头。人民币汇率保持稳定，外汇储备已达到1520多亿美元。城乡人民生活继续改善。

中国经济目前还面临着一些困难和问题，主要是有效需求不足，经济结构矛盾突出，就业压力增大。针对这些困难和问题，并着眼于21世纪的长远发展，我们已决定实行以下三个方面的战略部署：

第一，坚持扩大内需，加大投资和消费对经济增长的双重拉动。为此，将继续实施积极的财政政策，进一步发挥货币政策的作用，并综合配套地运用其他宏观调控手段。2000年，财政将继续增发长期建设国债，把居民的部分储蓄资金转化为建设资金，重点用于基础设施建设和企业技术改造，以及增加对教育、科技等方面的投入。加大金融对经济增长的支持力度，采取多种方式适当扩大货币供应量。同时，采取有力措施，积极鼓励和引导非国有企业扩大投资。

刺激消费需求，是扩大内需的一个非常重要的方面。我们将积极引导居民收支预期，保障低收入阶层收入的稳定增长；提高改革措施的透明度，使各项改革的推进不会造成大多数居民实际生活水平下降，以增强人们即期消费的意愿和行为；采取新的有力措施，减轻农民负担，增加农民收入，开拓广大的农村市场。还要鼓励服务性消费，努力培育住房、电信、旅游等消费热点，以消费结构升级带动经济的更快成长。

1999 年 11 月 29 日，朱镕基出席新加坡总理吴作栋举行的欢迎仪式。
（新华社记者刘建生摄）

我们实行扩大内需的宏观经济政策，是建立在需要和可能的基础上的，现在有比较充裕的物资、外汇储备和巨大的生产潜力，不会发生什么风险。同时，我们是拥有 12 多亿人口的国家，目前人均收入水平还比较低，以扩大国内需求为主，拓展国内市场，将是我们国家长期实行的战略方针。

第二，对国民经济结构实施战略性调整，大力推动产业结构优化、升级。随着中国城乡居民生活从温饱型向小康型转变，主要商品由卖方市场向买方市场转变，中国经济已进入一个新的发展阶段。从战略上调整经济结构，既是扩大内需、促进经济持续发展的迫切要求，也是提高经济素质和效益、实现经济良性循环的根本性措施。我们将在努力保持经济较快增长的同时，加大结构调整的力度；在加快结构调整的基础上，促进经济健康发展。

我们将以国内外市场需求为导向，依靠科技创新和进步，着力抓好产业升级。一是在继续调整和提高第一、二产业的同时，大力促进第三产业的发展，特别要加快信息、旅游、社会中介和社区服务等服务业的发展。二是积极改造和提升传统产业，坚决淘汰没有市场、污染环境、浪费资源的落后生产能力和工艺设备；广泛运用高新技术，改造仍有市场前景的传统产业，加快老工业基地改造和产业升级步伐。三是大力发展高科技，加快高新技术产业发展，特别要加速国民经济信息化进程，带动新兴产业的崛起，努力培育新的经济增长点和增长链。同时，要加快城市化进程，促进城乡经济协调发展。预计今后 20 年，中国城市化水平可由现在的 30.4% 提高到 50% 左右。这必将大大加快中国工业化和现代化的进程。总之，要通过对经济结构进行重大战略性调整，为中国经济开拓广阔的发展空间，并显著提高经济的竞争力和抗风险能力。

第三，实施西部大开发战略，加快中西部地区发展。西部地区幅员广阔，资源丰富，有着巨大的市场和发展潜力。实施西部大开发战略，是中国面向新世纪作出的重大决策，一定会像前 20 年东部沿海地区率先发展带动了全国经济持续快速发展一样，为东部和中部地区提供巨大的市场与发展前景，有力地促进全国经济的更大繁荣。为此，国家的建设投资将向中西部特别是西部地区倾斜，扩大对西部地区的投资规模，加大对西部地区的财政转移支付力度。东部地区也将采取多种形式，加强对西部地区的支持。西部地区将加快改革开放步伐，积极改善投资环境。国家还要采取更加有力的措施，吸引更多的国内外资金、技术和人才参与西部大开发。当前和今后一个时期，西部大开发的重点，将放在加快基础设施建设、改善生态环境、发展科技教育等方面，为西部地区加快振兴创造更好的基础和条件。

1999年11月30日，朱镕基与夫人劳安在新加坡总统府会见新加坡总统纳丹及夫人。

（新华社记者刘建生摄）

改革开放是中国实现现代化的必由之路。我们将坚定不移地推进改革、扩大开放。要按照建立、完善社会主义市场经济体制的改革方向，继续调整和完善所有制结构，在坚持公有制为主体的条件下，进一步鼓励和引导非公有制经济健康发展。国有企业是中国国民经济的支柱，2000 年我们将集中精力实现国有企业改革和脱困的三年阶段性目标，使大多数国有大中型亏损企业摆脱困境，在大多数国有大中型骨干企业初步建立现代企业制度，为 21 世纪国有企业改革和发展奠定良好基础。我们将把加快社会保障体系建设提到更加重要的位置，加快形成独立于企业之外、资金来源多渠道、管理服务社会化的有中国特色的社会保障体系。

对外开放是中国一项长期的基本国策。我们将进一步为外商投资金融、保险、电信、旅游、商业零售、外贸和法律咨询等服务业提供机会，加快能源、交通、通信、环保等基础设施领域的对外开放。积极吸引外资，以多种形式参与国有企业的改组、改造。努力改善对外商投资企业的服务，简化外商投资项目审批手续，提高办事效率。

可以预见，中国未来大规模的现代化建设、市场容量的不断扩大，以及改革开放的深入推进，必将为世界各国与中国发展贸易和经济合作，带来不可限量的广阔前景。中国未来的巨大商机，不仅属于中国的企业家，也属于那些有胆识、有气魄、有志到中国投资办厂的外国企业家。

再过 20 天，澳门将回到祖国怀抱。这是继两年多以前香港顺利回归之后，中国人民在实现祖国统一道路上又迈出的重要一步。“一国两制”是我们实现祖国统一的既定方针，海峡两岸的最终统一是大势所趋、人心所向，是任何人和任何力量都无法阻挡的历史潮流。一个统一、稳定、繁荣的中国，不仅符合全体中国人民的根本利益，而且必将为亚洲及世界的和平、稳定与发展作出更大贡献。

女士们，先生们，朋友们：

新加坡是东南亚的金融和商贸中心，也是世界和地区政治、经济舞台上一支活跃的力量。中新两国已经奠定了良好的合作基础，希望新加坡在促进中国与东盟全方位合作方面发挥更重要的作用。我在新加坡的访问虽然短暂，但贵国给我留下的印象是深刻的。新加坡是连接东、西方的桥梁，新加坡人民有着很强的创造力，在不长的时间里取得了令人钦佩的成就。展望未来，我们对本地区和平、稳定和繁荣的前景充满信心。中国愿同东南亚国家登高望远，加强合作，携手迈进，共创亚洲更加美好的明天。

谢谢大家。

问：朱总理，你好。我是新加坡《联合早报》的记者。最近，德国总理施罗德提出邀请中国加入八大工业国会议。请问，加入八国集团对中国有哪些政治、经济意义，中国加入八国集团的时机是否已经成熟？谢谢。

朱镕基：我们认为八国集团没有广泛的代表性，我们同八国集团保持了密切的联系，他们开会讨论什么问题跟我们打个招呼。我们将继续保持与八国集团的联系，加强我们之间的合作。至于参加八国集团，我们没有收到正式的邀请。

问：朱总理，你好，请问古今中外你最敬佩、最心仪的政治领袖有哪几位，敬佩他们的原因又是什么？

朱镕基：你现在好像在考验我的政治智慧。我老实地告诉这位朋友，我没有考虑好，等我考虑好了再用书面答复你。谢谢。

问：我是来自新加坡总商会的李炳轩（音）。朱总理，你好。我问一个问题，就是中国的威胁与机会。刚才你已提到过这个问题，但是有时过度膨胀的民族主义以及过度膨胀的国家主义通常是带来灾害。请问对这个问题，你有什么看法？如何处置？

朱镕基：我对你提出的这两个名词：一个叫国家主义，另一个叫民族主义，内涵有什么区别、有什么意义，还搞不清楚。但是，中国是世界大家庭的一个成员，是发展中国家的一个成员，也是亚洲和东南亚国家的一个成员。我们愿意跟这些国家和地区的人民合作，永远不是一个威胁。我们也多次强调，中国从不称霸，不会称霸。中国的一部近代史就是遭受帝国主义列强威胁和侵略的历史，我们从来是受欺负的嘛！有遭受欺负的深刻体验，因此，我们绝对不会欺负别人。原谅我没有直接回答你的问题。

问：非常盼望你来。我问的并不是国家的大事。我只是讲作为一个在中国投资的新加坡公民，遇到很糟糕的、感到非常困扰的事。我在中国上海浦东的房地产纠纷中，已经打赢了官司，一审、二审我都赢了。但是在强制执行后，钱却拿不到。我明知打不打官司，其实结果都是一样，但法律是最后的途径。我已经走投无路了，请问我下一步怎样走？

朱镕基：我非常同情你的遭遇，但是我可以向你保证，这个绝不是针对你个人，也不是针对新加坡公民的。中国有很多人打官司赢了但是老得不到执行，我很坦率地承认这一点。我们在建设一个法治的国家，然而还没有能够完全地依法治国。有些法院的判决很多没有得到执行，这已经引起了我们的注意，我们正在改善这方面的工作。作为中国中央政府的一个代表，我一定会接受你的投诉。我回去以后，一定请中国最高人民法院院长尽一切努力使各级法院执行它们所作出的判决。

问：我是台湾《中国时报》记者杨东明（音）。我刚刚注意到你的演讲稿里面有一点点内容提到台湾问题，但是后来你没有提。我想这个问题还是值得问一下，因为你提到澳门马上要回归祖国了，香港在1997年也成功地回归祖国了。台湾问题显然是下一个必须解决的，但是台湾问题也比较复杂一点。你认为这个问题在最后真正解决之前，台湾和大陆理想的关系是一个什么样的状态？

朱镕基：我的演讲稿，在来作讲演之前，我已经删掉了四分之一。刚才我在念这个稿子的时候，看到连瀛洲[1]老先生坐在那个地方，他已经94岁了，我不能让他坐得太久。所以，我又删掉了一半。诸位在走的时候可以要一份英文稿。但是我不知道准备得够不够，还是以我的这个稿子为准，因为我刚才在讲台上删的，删得前后连贯不连贯也不一定。对你提出的这一问题，我只有一句话要说：我们坚决地反对“两国论”！怎么又鼓吹“两个中国”呢？不但是我们反对“两国论”，世界上绝大多数国家都跟中国建交，他们都坚持一个中国的原则。哪儿来的“两国论”？我们的政策是非常明确的，也是一贯的，谁都很清楚，用不着在这儿多讲了。

我只是重申：我们希望用和平的方式来统一中国，但是，我们绝对不承诺放弃使用武力。

问：朱总理，我是在新加坡国立大学生物系工作的孙文全（音），从中国来的。你刚才提到中国的三个战略中，每个地方都提到了教育、科技对于国民经济、21世纪的发展都很重要。但是过去20年来，每年都有好几万中国学生到国外去念书，然后在国外工作。在早期像我们这些80年代到国外去念书的人，现在都在各个科技领域工作。因此，现在有一个问题：我们在国内有很多科技合作，可是现在国内很多部委，包括外交部的政策，连我们护照的有效期都不

[1] 连瀛洲（1906—2004），是新加坡最大银行大华银行创始人。其属下的文华大酒店，被美国《幸福》杂志誉为世界第一流的五星级酒店。

能延，以至于每年都有成千上万的人，护照到期了不能延期。从我们国家的政策看，有没有认真地想一想排除这些人为的障碍？那样，我们在海外的学者可以同国内进行比较好的学术交流，而不至于说我们回国都不能回去。我要提醒一下，这并不是因为我们政治上的原因。

朱镕基：我一定会把你刚才讲的情况和提出的问题转告我们的有关部门，来注意改进他们的工作。但刚才你提出海外学者不能回国，那不是我们的原因。现在中国培养的大学生特别是那些顶尖大学的毕业生，包括我的母校清华大学的毕业生，80% 都到国外去了，不回来了，到美国去了。美国的教育那么发达，还要中国帮助它培养大学生干什么？可是，回来的是作为外国公司的代表在中国。我确实是希望中国留学生回来，欢迎他们回来。但是，我现在也不好意思要求他们回来，因为国内的工资只是他们的几十分之一呀。其实，实际的工资收入没有那么大的差距，因为在中国，物价是很便宜的，生活是很容易的，不要那么多的钱就可以生活得和国外一样好。我们正在想办法提高知识分子的待遇，提高企业管理人员的待遇，提高政府工作人员的待遇。我希望，他们的工资每年都能够涨 20% 到 30%。过几年，我们再请你们回来。

问：我是香港《南华早报》的记者，在中国和中国台北都加入世贸组织后，中国是否准备利用世贸组织这个机制来解决两岸之间存在的一些问题，比如说直航以及投资方面的问题？还是说，中国在允许中国台北加入世贸组织之前，先应该把这些问题解决了？

朱镕基：中国现在还没有加入 WTO，一切都言之过早。但我肯定，中国会先于台湾加入 WTO；而且，我们也不允许利用 WTO 来制造“两个中国”。

问：我是新加坡传媒机构的记者陈桂月（音）。朱总理，在你到访东南亚国家时，在民间，大家都叫你“财神爷”。大家都知道，中美达成关于中国加入世贸组织的协议后，中国加入世贸组织是势在必行了，中国的竞争力也大大提高了。新加坡作为一个小国家，在座的商人都很想知道我们将来面对的挑战是什么？中国在这方面又将扮演一个什么角色？

朱镕基：中国和美国最近达成了关于中国进入 WTO 的双边协议，这为中国进入 WTO 提供了一个有利的条件。但是，中国加入 WTO 还有一个很长的过程，我们还要跟 22 个国家达成双边协议以后才能加入 WTO。当然，跟那些国家达成双边协议要比跟美国达成协议容易一些，头发不会变白。同美国达成双边协议不容易呀！要是没有江泽民主席和美国总统克林顿的领导及参与，我看我们很难达成这个协议。在与中方的谈判中，巴尔舍夫斯基和总统顾问斯珀林[1]，曾经 4 次买了飞机票要回国，后来又退掉。巴尔舍夫斯基同克林顿打了 3 次电话，请示谈判的具体细节。打了 3 次电话，请不要多心，是她亲自告诉我的。总之，我们这一次达成的协议，是双方领袖的政治决断。我想，它是一个在平等协商、互利互让基础上所达成的双赢的协议。中国欢迎这样的协议，但是从我们看来，这个协议是有利有弊。如何能够使它利大于弊，这是对我们政府和企业的一个考验与挑战。对于亚洲国家来说，对于东南亚国家来说，中国加入世贸组织是不是利大于弊呢？我可以肯定地说是利大于弊，而且，利益很大，弊端很少。

我们对发达国家开放市场，开放商品和投资的市场，我们同样也向发展中国家开放。因此，机会是均等的，这就为我们和东南亚国家

[1] 斯珀林，即吉恩·斯珀林，当时任美国总统克林顿的首席经济顾问、美国国家经济委员会主席。

更进一步加强合作提供了商机。

至于我们加入 WTO，就能够向美国和欧洲大量出口商品，因此与东南亚国家发生竞争了。我看，这种竞争不是一点没有，但是很少。与东南亚国家相比，我们向美国和欧洲出口的产品结构也不同，我们双方互相很少有矛盾和冲突的地方。中国向美国出口量最大的一种商品是纺织品，但是由于美国采取配额和其他种种歧视性措施，使中国对美国出口的纺织品数量急速下降，现在中国已经退居第三位了。第一位是墨西哥，第二位是加拿大。如今，中国要保住这个第三位也不容易了。美国承诺会放弃配额，但那是在 5 年之后，谁知道 5 年之后它又会有什么新招呢？最近，中国对美国的纺织品出口是多了一些，但也仅仅是恢复一点被墨西哥和加拿大抢走的市场而已。对东南亚国家，什么事也没有。我跟你说，中国对美国和欧洲的出口主要是加工贸易。这种加工贸易是什么意思呢？就是海外投资者在中国设厂，利用中国廉价的劳动力，用进口的原材料，加工以后把产品返销到海外去，这就是加工贸易。中国的出口里面 57% 是这种加工贸易。我上一次把这一点告诉李光耀资政，他都感觉到很惊奇，他说新加坡也有加工贸易，但是没有这么大的比例。我作过调查，一双运动鞋出口到美国卖 120 美元，中国人就只赚 2 美元的劳务费。这种加工贸易究竟是对中国更有利呢，还是对美国更有利呢？我得出的结论：要是没有中国人提供这种价廉物美的消费品，美国今天的通货膨胀率至少应该提高两个百分点。我想，你们谁也不会愿意做这种生意，120 美元只赚 2 美元！我认为这种生意你们新加坡人是不会愿意做的，跟我们没有竞争。这种加工贸易也没有前途了，美国的百货公司里，鞋子、帽子、手袋呀，大部分是 made in China（中国制造）。中国不会出口得再多了，没办法再多出口了。

是不是由于中国开放了市场，把海外的投资都从东南亚吸引到中国去了？我看，你们不必担忧，这种可能性一点都没有。中国吸收外资的数量确实不少，1997、1998年，每年中国吸引的海外直接投资有450亿美元，数量是不少。但是，这种投资从发达国家来的很少，一半是从中国香港地区来的，如果包括中国台湾地区和新加坡投资的话，占了60%到70%。但由于亚洲金融危机的影响，周边东南亚国家的货币贬值，我们的出口竞争力大大下降。因此，今年到中国去的海外直接投资大大减少了，我预计今年比去年减少了100亿美元。那明年要恢复到1997、1998年吸引外资的水平也很难。要是没有扩大内需的政策，恐怕中国从去年到今年，经济发展速度会大大地下降，失业要比现在严重得多。幸好我们采取了扩大内需的政策，能够及时避免了这种后果，保证了中国经济持续发展；同时，一点也不会给东南亚国家带来挑战。

但是，我可以肯定地说，中国加入WTO后，对东南亚国家的正面影响是主要的，利是远远大于弊的。我想，今后如果中国加入了WTO，我们愿意和新加坡、和东南亚的其他国家站在一起，为东南亚国家和人民的利益而共同工作。

在意大利工业家联合会的演讲和答问*

（2000 年 7 月 6 日）

尊敬的达马托[1]主席先生，
尊敬的外贸部长莱塔先生，
女士们，先生们：

今天很高兴能够和意大利企业界人士会面。我已经是第四次来意大利了，每次到意大利来，都感到你们这里的历史古迹还是那样激动人心，你们的人民还是那样热情直率，你们的天气还是那样热得要死。我衷心地感谢主席先生全面、具体地介绍了中国的情况，比我准备的讲稿还要详细得多。因此，你们要是没有提出什么新的问题来，我就没有什么要补充的了。但是，我还是要介绍一下今天上午和贵国的阿马托总理会谈的情况。我们双方进行了坦诚和富有成果的会谈。双方都非常肯定中意之间业已存在的关系，我们两国没有什么冲突，也没有什么历史遗留的问题，双方的人民有非常友好的感情，我们两个国家都是历史上著名的文明古国。特别是你们的钱皮总统和我们的

* 应意大利共和国总理朱利亚诺·阿马托邀请，朱镕基总理于 2000 年 7 月 5 日至 9 日对意大利进行正式访问。访问期间，朱镕基在意大利工业家联合会发表演讲，并回答与会人士提问。
[1] 达马托，当时任意大利工业家联合会主席。

江泽民主席相互友好的访问，以及高层相互的往来，进一步促进了中意两国人民的友好关系。中国和意大利在重大国际问题上都有着相近或相似的立场，我们在各种国际场合相互支持。我们感谢意大利支持一个中国的立场，感谢意大利支持中国加入 WTO。我们两国之间这么良好的政治关系，一定会促进两国经贸关系进一步的发展。

2000 年 7 月 7 日，朱镕基在罗马会见意大利总统钱皮。（新华社记者樊如钧摄）

中意两国经济贸易关系，在今年上半年已经达到历史的最高水平。虽然意大利并不是我们同欧盟贸易额最大的一个国家，但我们两国的合作有着很重要的特点，也就是说，中意两国之间在技术转让和中小企业合作等方面具有非常独到的特点，我觉得这方面是做得最好的。我曾在 1982 年和 1984 年到贵国来，当时也是为了谈判促进双方中小企业的合作。这些合作促进了中国的发展。

今年上半年中国经济发展的实践证明，我们已经克服了 1997 年亚洲金融危机所带来的困难和影响。中国经济在今年上半年出现了重大转机，国内生产总值同比增长 8%，财政收入增长 20% 以上，外贸出口增长 30% 以上，外汇储备在 5 月底达到 1587 亿美元，这是中国应对亚洲金融危机所采取的一系列正确经济政策的结果。这个重大转机是不会改变的，一直会沿着健康、持续、稳定的发展趋势向前走。随着中国加入 WTO，以及中国涉外法律的完善和健全，中国会给意大利的企业界提供更大的商机。

我知道，大家非常关心知识产权的问题，本来我想讲这个问题，但主席先生帮我讲过了，我就想补充一句，那就是中国是有决心保护知识产权的。中国政府设有专门的国家知识产权局等机构，来检查知识产权方面法律的执行情况。意大利的企业界如果遇到知识产权的问题，不但可以向我们的国家知识产权局投诉，也可以向我本人投诉，我们一定会认真地、负责任地按照国际惯例解决这些问题。

我的讲话到此为止，我乐意回答大家的问题。

谢谢！

主持人：谢谢朱总理的讲话。现在我们有一些问题要提，第一个要提问的是罗米蒂主席。

罗米蒂：总理先生，今天上午，我已经以意大利中国经济文化交流协会主席的身份，与你就一些问题交换了看法，向你提到了我们协会今后在文化、法律、艺术、科技和经贸领域与中国开展合作的计划。今天下午，我和意大利企业界的朋友们在一起谈到一个问题，我想在这里再说一下。意中之间的合作毫无疑问是非常好的，然而从数量上讲，这个关系还是不能令人满意的，因为像意大利和中国这样的国家，双方完全可以发展更好的合作关系。意大利的工业主要是建立在中小企业基础上的，这些中小企业效益好，非常活跃，它们在世界各个角落都有存在。我也听到了刚才意大利工业家联合会总会主席说的，工业家联合会总会将会促进意中中小企业的合作，你的看法是怎样的？

朱镕基：我每次到意大利来，都会发现意大利人有一个特点，就是在你们的提问中就包含了答案，因此不需要我再讲更多的话了。今天上午，我已经跟意中经济文化交流协会的名誉主席安德雷奥蒂先生和主席罗米蒂先生进行了会谈，谈得非常好。我们对经济文化交流协会为促进中意经济交流所做的工作和贡献表示感谢，我们欢迎意中经济文化交流协会和工业家联合会总会组织代表团到中国去访问。我想，这是最好的促进中意两国合作关系进一步发展的办法。我在今天上午也向你们的总理发出了邀请，希望他能够在今年 11 月份访问中国，因为今年是中意两国建交 30 周年。当然，我也向安德雷奥蒂先生和罗米蒂先生发出邀请，请他们访问中国。我和他们在 1991 年就见过面，当时我是作为上海的市长访问意大利的。大家知道，上海和你们的米兰是友好城市。

主持人：现在，我们请弗拉哥先生提问。

弗拉哥：总理先生，中国政府最近在电信和能源等领域实行了一系列的私有化政策。中国在私有化的过程中，也非常关注世界的金融市场。中国在扩大一些企业的董事会的时候，也考虑请一些西方的人士参加，我本人就在6月30日被任命为中国石油天然气集团公司董事会的外方代表。我想，这是中国企业界在扩大私有化过程中迈出的一个重要步伐。我想问你的是，中国在市场开放方面有哪些计划？中国将怎样采取一些措施，扩大在中国国内市场的投资？还有一些怎样的私有化的计划？中国企业在向外国公司开放的过程中，还打算怎样吸收对方的成员参加？

朱镕基：这位先生的提问同样也包含了答案，不需要我说更多的话了。我只需要纠正你一点，就是你叫“私有化”，我们不叫“私有化”，我们叫“股份化”，所谓“股份化”，就是把国有企业的资产通过股票市场卖给人民群众。最近，中国有大量的国有企业不但在国内的证券市场上市，而且在海外的市场成功上市，就像你刚才提到的石油企业、电信企业等等都在海外上市，获得了很大的成功。我们将继续这样做，会有越来越多的国有企业这样做，我们认为国有企业搞股份制，是公有制的一种实现形式，而不是私有化。

在欧洲工业和雇主联合会与比利时雇主协会酒会上的演讲和答问*

（2000 年 7 月 11 日）

尊敬的雅各布主席先生，

女士们，先生们，朋友们：

首先感谢欧洲工业和雇主联合会的邀请，使我今天能够跟欧洲企业界、金融界的人士会面，相互交流，我感到非常高兴。中国政府代表团这次访问比利时和欧盟总部，正好是在中国和欧盟建立外交关系 25 周年的时候，这是一个很有纪念意义的日子。中国非常重视欧盟和欧洲国家在世界多极化进程中所具有的重要地位与积极作用。因此，我们一直在努力促进同欧盟以及欧洲各国友好合作关系的不断发展。我们认为，现在中欧双方的合作关系发展得很好，中国和欧洲各国的高层人士互相访问，加深了了解；中国与欧洲各国的经济贸易合作关系发展得很快，特别是去年和今年上半年有显著的增长；中国与欧盟和欧洲各国在其他各个领域的合作，也有很大的发展；中国与欧

* 应比利时王国首相伏思达和欧盟委员会主席罗马诺·普罗迪邀请，朱镕基总理于 2000 年 7 月 9 日至 12 日对比利时及欧盟总部进行正式访问。访问期间，朱镕基出席由欧洲工业和雇主联合会与比利时雇主协会在比利时高卢俱乐部共同举办的欢迎酒会，并发表演讲、回答与会人士提问。

盟建立了年度定期会晤机制，1998 年、1999 年已经举行了两次会晤；第三次会晤将于今年 10 月份在北京举行。我们希望通过双方的会晤、合作，把中欧关系推进到一个新的水平。

我今天想跟各位介绍一些来自中国的信息。我不会讲得很多，因为我不知道大家是不是喜欢听我的讲话。我想，最好的办法是我讲得简短一点，然后请你们提问题，我来回答。

2000 年 7 月 11 日，朱镕基在布鲁塞尔向欧洲企业界和金融界人士发表演讲并回答提问。

（新华社记者刘建国摄）

我想讲的第一个信息就是：中国今年上半年已经基本上克服了 1997 年亚洲金融危机所带来的困难和影响。1997 年以来，中国受到亚洲金融危机的影响，国民经济发展的速度减慢。但是，我们坚持人民币不贬值，采取积极的财政政策和各项调整产业结构的政策，通过扩大国内需求，拉动了国民经济的增长。今年上半年与去年同期相比，中国经济增长了 8.2%；财政收入增长了 20% 以上；进口和出口同步增长，都增加了 30% 以上；国际收支保持平衡，外汇储备到 5 月底达到了 1587 亿美元。所以说，中国已经或者说基本上克服了亚洲金融危机带来的影响。

我们正在制订第十个五年计划。在新的 5 年里，中国将进一步调整产业结构，深入进行经济体制改革，同时进一步扩大对外开放。所谓调整产业结构，就是在继续发展传统产业的同时，把重点进一步放到以信息技术为代表的高新技术产业方面来，大力发展电子、通信、信息等产业。

中国还将大力调整地区产业结构，主要是实施西部大开发战略。西部大开发的主要内容，首先是加强西部地区的基础设施建设，包括大力修建铁路、公路、通信设施等；其次是大力改善西部地区的生态环境。过去因为生产的粮食不够吃，所以西部地区大量地、过度地把山地开发为农田，砍伐了很多森林。现在粮食产量已经供过于求，我们已经有能力使西部地区实行退耕还林，大力改善生态环境。

中国还将对国有企业进行进一步的改革。10 年以前，中国的国有企业占整个国民经济的三分之二左右，现在大概占三分之一左右。当然，它们的重要性远远超过它们所占的比重，因为它们代表着先进的生产力和巨大的经济规模。我们对国有企业的改革，主要是通过重组使它们在证券市场上市。今年以来，已经有几个大的国有企业在海外证券市场上市，获得了很大的成功。中国的证券市场也有很大的发展，并且正向着规范、统一、自律的方向继续发展。

因此，我们对于中国经济发展的前景是有信心的，中国经济一定能够朝着持续、快速和健康的方向发展。

我想传达的另一个信息就是：中国将更大程度地对外开放。我们感谢欧盟和欧洲国家对中国的支持，支持中国加入 WTO。中欧已达成了双边协议，这是一个双赢的协议，有利于加强双方的互利合作。中国在加入 WTO 之后，一定会在广度、深度和力度方面加大开放步伐。当然，现在我也不知道中国什么时候能加入 WTO，有人告诉我 7 月份可能加入，有人告诉我要到今年年底，也有人告诉我恐怕要等到明年。不管什么时候加入，中国仍将继续对外开放的进程。欧盟国家同中国的经济贸易合作具有很大的规模和广泛的内容，但是正如刚才普罗迪主席所讲的，跟欧盟的经济规模和实力比较起来，同中国合作的规模还是远远不够的。因此，我们希望欧洲工业和雇主联合会的各位企业界人士，更进一步地了解中国，到中国去访问，到中国去投资，与中国合作。中国将进一步完善涉外法律法规，改善投资环境，保护知识产权，以利于推动外国企业家到中国去投资。我希望我今天的讲话，能够使大家产生一种到中国去投资的兴趣。如果能做到这样，我的讲话就成功了；否则，就跟今天上午我们在参观滑铁卢山的时候碰到一场大雨一样，是一场拿破仑式的失败。

谢谢！

问：*在你刚才的演讲当中，谈到了中国经济以后面临的任务，也讲述了中国准备采取什么样的改革措施来完成这些使命。当然，这些任务是有一定难度的。我们想问的问题是：你认为外国工商界能够发挥什么样的作用，来支持和帮助中国的改革进程？*

朱镕基：我们欢迎欧洲工业和雇主联合会发挥它的作用，组织欧洲的企业家到中国去，去了解中国的情况，并采取各种方式来推动这种合作。我知道，中国的工业经济联合会跟欧洲的工业与雇主联合会进行过会晤，商谈过合作。我认为这种形式很好，中国政府希望双方各种民间的协会、企业界的组织加强联系，发挥促进经贸合作的积极作用。

问：阁下，我想问一个有关世贸组织的问题。具体地讲，在今年5月份，欧盟和中国就中国加入世贸组织的条件达成了协议。我想请问总理，中国政府准备采取什么样的措施来确保中国在协议当中所做的承诺，能够在中央政府一级、地区一级及基层都得到履行？

我还想问的一个问题是，中国需要得到什么样的支持，才能确保中国所做的承诺能够得到充分的执行？也就是说中国政府是否支持我们提出的建立一种监督机制的倡议？

因为我非常难得有机会向中国总理提问，所以最后我还想问一个问题：欧盟方面支持展开新一回合的世贸组织谈判，中国政府是否也支持？

朱镕基：我想，这位先生在他提的一个问题里面包括好几个问题，他一定是一位非常精明、能干的企业家。如果我在回答你的问题时，忘掉里面一个问题的话，那就请你原谅了。

关于中国加入 WTO 以后，是不是会严格地执行承诺和遵守 WTO 的规定，我想这一点是毫无疑义的，因为中国在对外经济贸易合作中，从来都是讲信用的。最近几年，平均每年都有 400 多亿美元的外商直接投资投在中国市场。如果中国不讲信用的话，谁会愿意把这么多钱投在中国的市场呢？中国政府已经采取各种措施，并通过各种机制、各种组织来保证加入 WTO 以后各项规定的执行。我们成立了一个部际协调机构，由国务院一位副总理来领导，负责协调各个部门之间的关系，接受外商的投诉，来保证各项承诺和规定的执行。我认为，这就是一种有效的监督机制。至于你倡议建立的监督机构，究竟是一个什么监督机构，我还不太了解。我们可以在相互了解了彼此的立场以后，再进行讨论。当然，我们共同的目标，都是保证中国加入 WTO 以后，能够使各项规定和双方的承诺都得到实现。

主持人：下一个提问者代表欧洲的服务行业，他是英国百代创业集团的副总裁。

问：总理，你在演讲中提到信息技术的重要性。我们想问一下，在发展电子商务方面，中国政府的主要优先领域在什么地方？另外，我们也想了解一下，在中国发展电子商务的过程中，欧洲的公司可以扮演什么样的角色？

朱镕基：我刚才已经讲过，中国在未来的发展计划中，将把信息技术和信息产业排在优先的地位。从目前来讲，信息技术的发展重点首先还是在基础电信方面。当然信息技术的其他领域，包括增值电信、电子商务等等，在中国也将会有很大的发展前途。中国的国际互联网在 5 年前基本上没有，现在已经增加到 5000 万用户，而且正在以很快的速度继续发展。我相信，随着中国加入 WTO 和进一步扩大对外开放，信息技术的其他领域都会有更大的发展。我们在跟欧盟和美国进行关于中国加入 WTO 双边谈判的时候，信息产业的开放问题是我们讨论和争论最多的领域。目前，我们关于这个问题所达成的双边协议，足以保证欧盟和欧洲国家在中国的信息技术产业领域里面处于平等竞争的地位。我们非常欢迎与欧洲的企业界在这个领域里面进行密切的合作，中国政府完全支持这种合作与竞争。谢谢！

在巴基斯坦工商界午餐会上的演讲和答问*

（2001年5月12日）

尊敬的穆沙拉夫首席执行官阁下，
女士们，先生们，朋友们：

我很高兴前来出席全巴基斯坦工商联合会举行的午餐会。全巴工商联和在座的工商界朋友为推动中巴友谊与经贸合作做了大量有益的工作，我代表中国政府和人民向你们表示衷心的感谢！

借此机会，我向大家简要介绍一下中国的经济发展情况，并讲讲对发展中巴经贸合作的看法。

中国改革开放20多年来，现代化建设取得了巨大成就。近几年，我们克服了亚洲金融危机带来的困难，改革开放不断推进，经济持续快速发展。不久前，中国制定了第十个五年计划，提出了新世纪头5年发展的目标和任务。我们将大力进行产业结构调整，实施西部大开发战略和科教兴国战略，进一步推进改革、扩大开放，在新的起

* 应巴基斯坦伊斯兰共和国国家安全委员会首席执行官佩尔韦兹·穆沙拉夫邀请，朱镕基总理于2001年5月11日至14日对巴基斯坦进行正式访问。访问期间，朱镕基出席由巴基斯坦工商界人士在伊斯兰堡马里奥特饭店举办的午餐会，并发表演讲、回答与会人士提问。

点上，把我国现代化事业推向前进。今年以来，在世界经济增长减速的情况下，我国经济仍保持了良好的发展势头，第一季度国内生产总值增长 8.1%，预计全年经济增长将达到 7% 左右。与此同时，我们清醒地认识到，中国还是一个发展中国家，前进中面临许多困难和问题，我们正采取措施加以解决。

近年来，中巴两国经贸合作取得了长足进展和巨大成绩。昨天，我和穆沙拉夫首席执行官参加了中国公司承包铁路改造项目合同的草签仪式。中巴互利合作的成绩令人鼓舞，但我们还要继续努力，进一步扩大双边贸易和投资规模。

中巴政治关系良好，两国已签署避免双重征税和投资保护协定，建立了不同领域和层次的合作机制，还设立了民间企业家理事会。目前，两国经济持续发展，特别是中国实施西部大开发战略，巴基斯坦加强农业和基础设施建设，为两国工商界拓展商机、扩大合作提供了有利条件。为了使双方合作再上一个新台阶，我提出以下建议：

第一，加强农业领域合作。中巴两国经济都以农业为基础，农业方面的合作大有可为。我们可以在灌溉农业、旱地耕作等方面拓展合作，在农机具生产、农作物改良、农产品加工和生态农业等领域分享技术与发展经验。目前双方正在积极商讨共建示范农场，这将是一个有益的尝试。

第二，加快基础设施领域合作步伐。中国在公路、桥梁、港口、能源建设等方面，有较强的技术、设备优势和比较丰富的经验。巴基斯坦正在实施经济振兴计划，中国政府愿意推动中国的企业积极参与，为贵国经济发展作出努力。

昨天，穆沙拉夫首席执行官在同我会谈时和在晚宴上，花了很长的时间，向我介绍了巴达尔港口的建设和与之相联系的沿海公路的建设情况。对于这样的一个重大战略性项目，中国方面表示支持。我回国以后，将指派中国的交通部长来访问巴基斯坦，就这个项目进行协商，并与巴方商量中国方面能够提供的支持。

第三，开拓经贸合作新领域。中国公司已经参与了贵国程控电话交换机的建设，并相应转让技术和培训技术人员。目前，我们还在商讨加强宽带网络、软件开发等信息技术领域的合作途径。希望高新技术领域能成为双方合作的新增长点。

第四，努力寻求合作新方式。在进一步巩固和发展援助项目与劳务承包工程的同时，积极开拓合资、独资、租赁等新形式。中国的对外合作不仅重视发达国家的市场，同时也重视发展中国家的市场。我们不仅积极吸引外资，也鼓励中国企业到国外投资兴业，包括巴基斯坦。

女士们，先生们：

中巴两国人民要世代睦邻友好下去，离不开经济合作这个重要舞台。我们相信，在双方的共同努力下，中巴经济合作在新世纪一定会提高到一个新的水平。

谢谢！

主持人：总理阁下，我再次感谢你对巴基斯坦工商界所发表的非常热情友好的讲话。我想，你的讲话给在座所有的人留下了深刻的印象。

女士们，先生们：我们现在已经从观众席陆续收到了一些问题。在此，我非常高兴地向大家宣布：朱总理已经表示同意回答几个问题。由于时间的关系，希望大家提的问题尽量简短。

问：阁下，中国的经济在过去20年里取得了很大的进展。那么，你如何展望中国今后10年的发展？

朱镕基：对于中国经济的展望，我们已经制定了第十个五年计划，也就是从2001年到2005年的国民经济和社会发展计划。这个计划预期年均经济增长速度是7%。再下一个5年，我估计仍然可以保持平均7%的经济增长速度。

问：巴基斯坦的贸易赤字及严重的债务负担，是巴基斯坦目前经济状况一个很大的根源性的问题。我想，在巴中贸易里面，巴基斯坦一直处于逆差的地位。中国有没有想什么办法，可以增加从巴基斯坦的进口？这样的话，会从一定程度上减缓巴基斯坦在贸易赤字方面所面临的压力。

2001年5月12日，朱镕基和巴基斯坦总统塔拉尔（左）、巴基斯坦国家安全委员会首席执行官穆沙拉夫（右）一同出席庆祝中巴建交50周年宴会。

（新华社记者王新庆摄）

朱镕基：中巴两国之间的经济贸易有很大的发展，去年进出口额达到历史最高的水平，比10年前增加了一倍。当然，这中间，巴基斯坦方面存在着逆差，我们已经注意到这个情况，双方也正在商讨贸易的平衡发展问题。这方面不但需要中方的努力，更需要巴方的努力。也就是说，我们希望巴基斯坦方面能提供中国市场所需要的商品；我们也一定会在同等优先的原则下，优先考虑进口巴基斯坦的产品，来改善这种不平衡状况。

我们回国后，将再次派一个采购团到巴基斯坦来采购适合中国市场的商品，进一步促进贸易的平衡。

问：中国这个伟大的国家幅员辽阔。同时，中国跟大多数邻国之间都是通过陆路进行贸易的。但是，尽管巴中两国之间有喀拉昆仑公路这样的项目，两国之间通过陆路进行的贸易项目规模并不像应该有的那样大。请问，你认为两国之间通过喀拉昆仑山公路加快贸易发展的潜力是大的吗？

朱镕基：刚才，我们已经触及这个问题了。我们认为，中巴两国之间贸易的平衡和发展，并不在于交通运输的问题，而是双方有没有适合对方市场的商品，这是主要的问题。商品的运输目前并没有成为一个问题。当然，我们在改善运输当中，也可以通过其他运输方式，包括通过港口的运输。喀拉昆仑公路的状况也需要进一步改善，这样的话，就可以加强运输的强度。

问：总理阁下，我想问你两个问题。第一个问题是，中国在20世纪80年代初的时候，实行对外开放政策。至今中国已经在经济结构调整方面作出了很多努力。我想问你一下，随着中国经济进一步对外开放，开放的重点是在哪些领域？第二个问题是，巴基斯坦非常热切地期盼中国加入世贸组织，在中国加入世贸组织以后，你预见中国在新的全球经济时代当中将发挥什么作用？

朱镕基：1978年，中国在邓小平先生的倡导下实行改革开放的政策，到目前为止已取得了很大的成就。没有改革开放的政策，就没有中国的今天。中国将继续执行进一步改革开放的政策。加入WTO是中国多年的愿望，我们为此已经谈判了14年。中国加入WTO以后，我相信，一方面，中国能够为世界各国提供广阔的市场；另一方面，有利于参加WTO的各国经贸合作进一步得到开拓。今后中国改革开放的重点将主要集中于服务行业，也就是银行、保险、证券等行业的开放。中国在加入WTO谈判的过程中，包括跟各个国家进行的双边谈判中，已经就这个问题初步确定了开放的时间。加入WTO不但是中国的愿望，对于全世界的和平、合作也是有利的。

问：在这样的场合，我能够向中国总理提问，感到非常荣幸。最近这些年，中国经济在非常快速地发展，中国经济的发展已经成为当代世界经济发展的奇迹。我想请问一下总理，能不能为巴基斯坦的发展提一些建议？这样的话，能够让巴基斯坦仿效一下中国。

朱镕基：自新中国成立以来，特别是改革开放以来，我们确实在经济上取得了长足的进展，应该说这是一个奇迹。关于中国改革开放所取得的成绩和经验，我昨天已经在各种场合向穆沙拉夫首席执行官做了一些介绍。但是，这毕竟只是中国这个具体国家的经验，不一定能适合所有的国家，包括巴基斯坦。我们的经验和教训只能作为其他国家的参考。我相信，在穆沙拉夫首席执行官的领导下，在他能干的政府官员的领导下，巴基斯坦的经济会越来越好。在这里，我已经不需要再讲一些什么经验了。谢谢大家！

在爱尔兰工商界早餐会上的演讲和答问*

（2001年9月4日）

基特[1]部长先生，莫洛伊[2]主席先生，

女士们，先生们，朋友们：

今天，我非常高兴能够跟爱尔兰企业界的朋友共进早餐，在座诸位都是中国人民的好朋友，你们为中爱之间的经济技术贸易合作作出了很大的贡献，我对诸位的努力表示衷心的感谢！

中爱之间有着非常好的友谊与合作关系。我和埃亨总理是老朋友，由于他多次的邀请，我终于能够实现访问爱尔兰这个美丽国家的愿望。在这里，我受到了爱尔兰政府和人民的热情接待，我在此再一次地表示感谢，并且通过你们向爱尔兰人民表示衷心的感谢！

昨天，我与埃亨总理进行了亲切、友好、富有建设性的会谈，我

* 应爱尔兰总理伯蒂·埃亨邀请，朱镕基总理于2001年9月2日至5日对爱尔兰进行正式访问。访问期间，朱镕基出席由爱尔兰工商界人士在都柏林凯里四季饭店举办的早餐会，并发表演讲、回答与会人士提问。

[1] 基特，即汤姆·基特，当时任爱尔兰企业、贸易和就业部国务部长。

[2] 莫洛伊，当时任爱尔兰企业局主席。

2001 年 9 月 3 日，朱镕基在都柏林会见爱尔兰总统麦卡利斯。

（新华社记者饶爱民摄）

们在很多领域里面都达成了共识，取得了成果。在一些我们有分歧的领域里，也坦率地交换了意见，促进了相互之间的了解。我相信这次访问爱尔兰，肯定会促进中爱两国在经济、技术、贸易、教育、文化等等领域的合作。

这是我第一次访问你们美丽的国家，过去我对爱尔兰也了解一些，我们知道，爱尔兰人民为了自己的独立，进行了长期的斗争。你们在发展经济方面走得很快，而且取得了很大的成就。你们在经济发展速度、产业结构调整以及高新技术发展速度方面都超过了中国，我们对此很羡慕，也表示称赞。

但是我也感受到，我对爱尔兰的了解还是非常肤浅的。我跟我们的大使讲，George Bernard Shaw，我们翻译叫“萧伯纳”，我一直以为他是英国人，我这一次才知道他是爱尔兰人。这次访问以后，我会更多地读关于爱尔兰的书籍，更多地关注爱尔兰的发展，这样来促进我们两国之间的友好合作关系。不过，从我到达爱尔兰的第一天开始，我通过看爱尔兰的电视和报纸，发现爱尔兰人对中国也了解得比较少，跟我了解爱尔兰一样。你们的媒体给我的印象是：中国只有三件事情，那就是 human rights（人权）、“法轮功”和 Tibet（西藏），nothing more（没有更多）。因此，我想告诉在座的我们的爱尔兰朋友，你们是中国人民的朋友，你们很了解中国，很多人都到过中国，我是想通过你们告诉爱尔兰人民，中国是一个人口大国，最近 20 多年来的改革开放，使国内生产总值增加了 3 倍，人民的生活水平已经达到了小康，每年生产 1.4 亿吨钢，生产 1.6 亿吨石油，生产 10 亿吨煤，等等。中国已经解决了近 13 亿人的吃饭问题，粮食有余，而且还能够出口，商品、消费品是非常丰富的。你们在美国的超级市场里，到处都可以找到很多消费品上标着 made in China(中国制造)。由于实行改革开放的政策，现在中国吸引的外资已经达到了 3600 亿美元，外汇储备已经接近 2000 亿美元。我们的信息产业虽然没有发展得像你们那么快，但是我们的市场容量比你们的大得多，我们现在拥有的程控电话数量是 1.5 亿线；移动电话数量是 1 亿部，已经位居世界第二，仅次于美国；我们上国际互联网的人数是 8000 万。

所以，很难想象这样一个政府不是为人民服务的，也很难想象这样一个政府是不遵守世界公认的人权准则的。如果它是这样一个坏政府的话，它连一天也存在不了。当然，我说明我们经济上的成就，不是说我们在政治、社会、改革、人权问题等方面没有任何缺点，我们有缺点。我想，其他国家也有缺点。我们愿意跟他们进行对话，来相互地促进。

我说这些只是为了要说明，尽管中爱两国之间现在的友好合作关系已经达到了很高的水平，但是我们仍然需要促进我们两国特别是两国人民之间相互的了解、相互的认识。这样，我们才能在许多问题上面达成共识，也才能够更好地促进经济、技术、贸易和其他方面的合作。至少我希望爱尔兰人民要了解，除了人权、“法轮功”、Tibet 以外，中国还有其他的东西。我很了解爱尔兰的经济发展、各方面的进步。爱尔兰所取得的成就，都令我们羡慕，这在刚才已经讲过了。但是，我也要告诉大家，你们有 7 万平方公里的土地，380 万的人口，国内生产总值是 780 亿美元；我曾当过市长的上海，有 6600 平方公里的面积、1300 万的人口，国内生产总值跟爱尔兰是一样的，780 亿美元。我希望中爱之间在各个领域的合作能够更快地发展，我想这个发展的潜力是很大的。我向埃亨总理提出了在三个方面开展合作。在贸易方面，目前或者说去年，中爱之间的贸易额仅仅是 7 亿美元，今年上半年增长了 38%，那就是说，今年大概是 10 亿美元。但是我可以告诉大家，中国的进出口贸易总额去年是 4750 亿美元，今年可能达到 5600 亿美元。也就是说，中爱之间的贸易额仅相当于中国进出口总额的 1.5‰。我这是说明中爱之间合作的潜力和空间很大。我昨天说过了，我们非常希望发展中爱之间的贸易，进口更多的爱尔兰的产品，因为爱尔兰的产品技术含量高、质量好，我们愿意承担贸易的逆差。我希望，中爱两国之间的贸易，每年的发展速度最好能够超过 50%，一年能够翻一番更好。这就需要我们共同的努力，其中最重要的就是相互的了解。

我昨天跟你们的总理、两位议长和总统都说过了，我希望今后中爱两国各个层次的交往能够更大规模地、不断地增加。我昨天已告诉一位向我提出问题的爱尔兰记者，欢迎他访问中国，而且 free of charge（免费）。并且我今天还可以说，所有的爱尔兰记者，只要愿意到中国去访问的话，我都给你们免费。当然只能够免费一次，太多了的话，我的总理当不成了。为什么？就是要促进我们双方相互的了解。只有 mutual understanding（互相谅解）才能够达到 mutual respect（互相尊重），也才能够达到 mutual benefit（互利）。我希望在座的诸位，你们作为中国人民的好朋友，能够进一步地促进中爱两国人民之间的友谊，促进中爱两国之间的合作。我作为总理，愿意给诸位提供一切的方便。如果你们有任何的困难，Please tell me（请告诉我）。

谢谢大家。

问：请谈谈中国中小企业发展的情况。

朱镕基：发展中小企业是中国的一个政策和一个重点。中国的中小企业绝大部分是民营企业或者私营企业。在最近 10 年，私营企业，包括外资企业，已经从过去只占 10%，发展到现在占三分之一，国有企业由原来占 55% 下降到百分之三十几。

问：能否谈一谈政府正在采取什么措施来保护知识产权？

朱镕基：对知识产权的保护，中国政府是非常重视的。早在 1979 年中国改革开放初期，我们就对知识产权的保护给予了应有的注意。因为我们知道，不保护知识产权就不可能实行开放政策，不可能引进真正的技术。20 多年来，我们已经进行了一系列的立法，包括《著作权法》、《专利法》、《商标法》等等，虽然不能说是很完善，但是基本上都采用了国际公认的法律规范。我们也建立了包括国家知识产权局等一系列的机构，在各个省、自治区、直辖市也都有分支机构，这个机构虽然不能说是很完善，但是它的基本构架已经建立起来了。中国是打击盗版最积极的国家，这是国际组织所公认的。

如果中国没有一系列知识产权方面的法律法规和它们的实施，我们不能想象中国吸引的外国直接投资去年能达到360亿美元，今年将达到400亿到500亿美元。当然，在中国有侵权的事件，而且不断地发生，但是都有投诉的机关，由司法机关来处理这些事情。如果你们觉得在这方面涉及你们的利益的话，你们感到有困难的话，都可以来找我。

问：中国拥有最大的移动电话用户数量，请问中国政府在自由竞争和向外国投资者开放电信市场方面有什么计划？

朱镕基：中国的电信事业确实发展得很快，从移动电话来讲，几乎每两年到三年就要翻一番，中国的移动电话很多技术是从国外引进的。过去中国在基础电信方面采取垄断的政策，现在我们也在承诺：在加入WTO之后初期，合资经营的外资比例可以达到25%，经过若干年以后，可以达到49%。目前全世界的大电信公司都看好中国市场的前景，中国电信企业的股票在国外是吃香的。我们知道爱尔兰的信息产业非常发达，我们愿意跟爱尔兰的企业家在这方面进行合作，希望你们不要丢掉中国这样一个广大的市场。

在俄罗斯工商科技界午餐会上的演讲和答问*

（2001 年 9 月 10 日）

克列巴诺夫副总理，
奇林加洛夫[1]代主席，
沃尔斯基[2]主席，
女士们，先生们，朋友们：

我和吴仪国务委员以及代表团的全体成员，今天非常高兴跟俄罗斯的企业界、科技界的朋友们在这里见面。我对诸位为中俄友好合作关系所做的大量的工作和巨大的贡献，表示衷心的敬意和感谢。两年半以前，我访问俄罗斯并出席中俄总理第四次定期会晤；这一次我又重访俄罗斯，深切地感到，俄罗斯取得了巨大的进步，国民经济快速

* 应俄罗斯联邦政府总理米·米·卡西亚诺夫邀请，朱镕基总理于 2001 年 9 月 7 日至 12 日出席中俄总理第六次定期会晤，并对俄罗斯进行正式访问。访问期间，朱镕基出席由俄罗斯工商科技界人士在莫斯科大都会饭店举办的午餐会，并发表演讲、回答与会人士提问。

[1] 奇林加洛夫，即奇林加洛夫·阿尔图尔·尼古拉耶维奇，当时任俄罗斯国家杜马代主席。

[2] 沃尔斯基，即沃尔斯基·阿尔卡基·伊万诺维奇，当时任俄罗斯工业家企业家联盟主席。

增长，人民生活水平显著提高，政治、社会更加团结。特别是城市建设取得很大成就，莫斯科和圣彼得堡都焕然一新，我们感到非常高兴。我们对俄罗斯人民所取得的巨大成就，表示衷心的祝贺。

我和卡西亚诺夫总理刚刚在美丽的圣彼得堡举行了中俄总理第六次定期会晤，取得了很大的成果，我认为比过去历次会晤的成果还要大。这次会晤标志着中俄在经济、贸易、技术、文化等各个领域的合作已经度过了“磨合期”，开始走上了“快车道”。我相信我们的合作已经进入一个丰收的年代了，这次会晤所签订的 7 个协议就是证明。我想，这些协议经过我们双方的努力，每一个协议都可能为俄罗斯创造每年 100 亿美元的出口或者是投资。我这样说并没有夸张。举一个例子，去年中国进口了 1 亿吨原油和成品油，价值 250 亿美元。如果把这个贸易的一半和每年增加进口的部分转到俄罗斯，通过我们所签订的原油管道协议，每年就可以为俄罗斯创造 100 亿美元以上的出口。当然，这要在 5 年以后逐步达到。中俄合作之所以取得这样重大的成果，并具有广阔的前景，我认为首先是因为不久以前江泽民主席访问俄罗斯，同普京总统签订了《中俄睦邻友好合作条约》。这个条约是战略性的、前瞻性的，它指明了中俄两国在新世纪友好合作的方向和方针。这个条约奠定了我们这次会晤成功的基础。应该说，我们这次会晤很好地贯彻了这个条约的宗旨。过去我们说，中俄两国之间的经济、技术、贸易合作关系与两国良好的政治关系还不能相称；但是现在可以说，我们将加快发展在经济、贸易、技术等各个领域的合作关系，使它跟我们两国政治关系的发展相适应或者说相称。

正如刚才沃尔斯基主席所说的，在我们如此良好的关系之中，并不是没有问题的。这次会晤中，我们也充分地讨论了合作中间所存在的问题，并且提出了解决这些问题的措施。最大的问题就是目前中俄两国贸易不平衡，去年中俄两国的贸易总额达到 80 亿美元，但是中国的出口额只有22亿美元，俄罗斯的出口额是58亿美元。也就是说，中国的逆差达36亿美元。今年1至7月份，中俄两国的贸易额达到54亿美元，而中方的逆差已经达到29亿美元，大大超过了去年同期。我们这次会晤，坦率地商讨了改善这种贸易不平衡状况的措施。卡西亚诺夫总理提得很好，他说中国产品的质量有好、有坏，这是影响俄中贸易的一个原因，因为俄罗斯人民还不熟悉中国的产品。这个“有

2001年9月11日，朱镕基在莫斯科克里姆林宫会见俄罗斯总统普京。

（新华社记者饶爱民摄）

好、有坏”是客气话，坦率地讲，中国出口到俄罗斯的产品确实存在质量问题。我们认真地检讨了这个问题，中国去年出口的产品达到2550亿美元，但是我们并没有听到很多关于中国产品的质量不好的

投诉。至于出口到俄罗斯的产品质量问题，我想有一个原因是，去年中国通过正常途径出口到俄罗斯的产品仅有22亿美元，而通过其他一些并不是很正常的途径，包括通过包机包税、包车包税、包船包税等形式出口到俄罗斯的，高达100亿美元。这100亿美元产品很便宜，但是质量不见得很好。所以，我认为要使俄罗斯人民熟悉中国的优质产品，让中国的大中型企业的优质产品能够进入俄罗斯市场，来取代那100亿美元质量并不太好的产品，这是我们双方当前应该共同努力解决的问题。我觉得，最好的办法就是建立中俄两国大中型企业和公司的直接贸易来往。我向卡西亚诺夫总理提出，希望俄罗斯能够组织一个100位企业家的代表团到中国去，我们接待。我们会提供你们所需要产品的各种样品和价格，请你们自己来比较，然后选购，我们给予这样的出口以最大的政策上的便利。这样，中国的优质产品就会大量地进入俄罗斯市场了。另外，卡西亚诺夫总理向我提出，中国的企业不会做广告。我认为，这一点意见提得非常正确。我在圣彼得堡和莫斯科都看到很多西方国家的公司在那里设了分公司，包括韩国的三星公司，它们在大楼上面的广告牌非常醒目。但是，我没有看到一个中国商品的广告，一个也没看见。因此我有一个提议，希望得到在座诸位的支持，就是除了我们办好在莫斯科和圣彼得堡的中国商品的零售商店以外，建议在莫斯科建立一个中国商品的贸易中心。在这个贸易中心里面，可以展示中国各个大中型企业的优质产品，可以零售，可以批发，也可以签订期货的合同。这样便于俄罗斯的企业界和俄罗斯的人民了解中国的商品。

中国和俄国都是世界的大国，是联合国安全理事会的常任理事国，我们两国友好合作关系的发展、我们两国人民世世代代的友好，一定会极大地影响世界和平与合作。我对于中俄友好合作关系的美好前景满怀希望和信心，让我们共同努力来构筑中俄两国人民世世代代友好的大厦。敬祝诸位身体健康。谢谢。

下面，我愿意回答朋友们提出的问题。

问：谢谢朱镕基总理的演讲。你谈到邀请100位俄罗斯企业家到中国访问，同时提议在莫斯科建立一个中国商品的贸易中心，来向俄罗斯人民介绍中国的优质商品。我认为，这两点都很有创意，对促进俄中两国正常贸易的发展将产生重大影响。请问，这两个倡议能不能很快实现？

朱镕基：中国主管对外贸易和经济合作的政府部门是外经贸部，部长是石广生先生，今天也在座。同时，我们又有大量的行业协会、民间组织等等，比如各种进出口协会。我已经责成石广生部长来负责组织国内的中介组织，就是由各种进出口协会来组织它们所属的企业，来准备迎接俄罗斯派出的企业家代表团，100个人，多一些更好。另外，我也责成石广生部长负责筹备建设在莫斯科的中国贸易中心。如果我们这个建议得到俄罗斯政府同意的话，这个贸易中心就依靠中国的大型企业来集资建设。同时，中国政府也准备对这个贸易中心给予资助，具体数额还没定，也许是1亿美元。我们希望中国最有信誉的大型企业都进入这个贸易中心，这样就可以免得每年都请你们派100人的代表团到中国去了。当然，我们还是欢迎企业家相互的来往、访问和交流。

问：感谢朱镕基总理和中国代表团。我认为，你能够明确指出这10年来我们之间的贸易，不仅有合法的贸易，还有非法的、隐性的贸易，是非常有勇气的。在此，我要对你的来访表示欢迎；与此同时，要问一个跟这有关的问题。你知道，我们俄罗斯有非常多的公民从事着这种并不是合法的贸易，而且这种贸易在很大程度上也给中国带来好处，但这种贸易不仅违反中国的法律，而且也违反俄罗斯的法律。在此，对这个问题我有个建议：在吴仪国务委员和克列巴诺夫副总理领导下，建立一个监督小组；与此同时，中国和俄罗斯也分别组成一个自己的小组，主要负责立法工作，通过我们的交流与合作，在两个月之内制定一个有关的法律，使这种非法的贸易能够重见天日。

朱镕基：中俄之间除了正常贸易以外，还有其他渠道，主要是通过私营企业家和个体户进行的。对这些贸易发挥的作用，我并不完全否定，因为它们也还是交流了中俄两国之间的商品。这种贸易额我们粗略地估计有100亿美元，究竟是多少，无法统计。它最大的问题就在于，俄罗斯方面损失了进口的税收，中国方面拿不到外汇。我们同意你的建议，就是应该对这种非正常的贸易进行整顿。对此，克列巴诺夫副总理和吴仪国务委员已经达成了协议，要对这种非正常的贸易采取整顿的措施。同时我认为，最重要与最有效的办法，还是通过中俄两国大中型企业之间的直接的接触和贸易，中国要向俄罗斯提供质优、价廉的产品，这样做才能够把这种非正常的贸易从市场上面挤出去。同时，我也希望中俄两国政府对中俄大中型企业之间的正常贸易，在税收、海关以及交通运输等方面采取优惠的措施和政策支持。只有这样，这种直接的、正常的贸易才能够得到良好发展；否则，它就竞争不过非正常的贸易，因为非正常贸易是偷税的。

问：今年春天，在莫斯科举行了俄中之间首次金融合作论坛，双方达成了一个协议，就是第二次俄中金融合作论坛将于2002年在北京举行。你认为俄中之间合作的前景如何？

朱镕基：我们欢迎中俄两国的银行和银行家进行交流与合作，在这些方面，我们有很多值得互相借鉴的地方。我们欢迎俄罗斯的银行家明年能够到中国去开会，我将会见他们，因为我当过中国人民银行行长嘛。谢谢大家。

在土耳其伊斯坦布尔工商界午餐会上的演讲和答问*

（2002年4月19日）

尊敬的巴赫切利副总理阁下，
尊敬的托斯凯国务部长阁下，
尊敬的耶尔加勒[1]主席，
女士们，先生们，朋友们：

我很高兴与土耳其工商界的朋友们会面。在座诸位都是土耳其的知名实业家，许多人是中国人民的老朋友，大家为中土经贸关系的发展作出了积极贡献。在此，我谨表示衷心感谢，并祝愿各位事业兴旺发达。

中国实行改革开放20多年来，取得了举世公认的巨大成就。近几年，在复杂多变的国际经济环境中，我们坚定地实施扩大内需的方针和政策，国民经济始终保持良好发展势头。过去的5年里，中国国内生产总值平均增长7.8%。在世界经济和贸易增长明显减速的情况下，去年经济增长7.3%；今年第一季度，经济增长达到7.6%。这些

* 应土耳其共和国总理比伦特·埃杰维特邀请，朱镕基总理于2002年4月15日至19日对土耳其进行正式访问。访问期间，朱镕基出席由土耳其工商界和友好人士在伊斯坦布尔凯宾斯基饭店举办的午餐会，并发表演讲、回答与会人士提问。

[1] 耶尔加勒，当时任土耳其对外经济关系委员会主席。

2002 年 4 月 19 日，朱镕基在土耳其伊斯坦布尔工商界午餐会上发表演讲并回答提问。

（新华社记者鞠鹏摄）

说明，中国经济具有战胜各种困难和挑战的能力。我们正在实施经济结构调整战略、西部大开发战略、科教兴国战略和可持续发展战略。今后一个时期，中国经济仍将以 7% 以上的速度增长。

中国改革开放不断迈出新步伐。社会主义市场经济体制初步建立，传统的计划经济模式已经从根本上改变，市场在资源配置中发挥着基础性的重要作用。全方位对外开放格局基本形成。去年 12 月中国加入世贸组织后，经济体制改革和对外开放步伐进一步加快，经济运行机制、经济法律法规和管理方式，愈益同国际经济通行规则相衔接。中国将恪守加入世贸组织的承诺，在享受应有权利的同时，严格履行各项义务。中国将更加向世界各国开放，也将更加积极地实施“走出去”[1] 战略。

中国和土耳其都是亚洲的重要发展中国家，两国经贸合作潜力巨大，前景广阔。我们高兴地看到，近年来，在双方的共同努力下，两国经贸关系取得了长足发展。2000 年，双边贸易额超过 12 亿美元，创历史最高水平。虽然去年贸易额有所下降，但两国贸易不平衡的局面有了改观。土耳其对中国的逆差已由 2000 年的 9.5 亿美元下降到 4.43 亿美元，为此中方作出了很大努力，对进口土耳其商品给予了政策性补贴。今后，我们还将继续采取措施，努力改善贸易不平衡状况。但是，要使双边贸易健康发展，需要双方共同努力。

为了使中土经贸合作在新世纪提高到新水平，我提出如下建议：

一、努力培育新的贸易增长点。目前，中土双边贸易额占各自国家进出口总额的比例很小，贸易品种比较单一。今后，双方既要继续发展传统产品贸易，又要努力增加新的贸易品种。土耳其的矿产品、化工原料、羊毛、皮革等产品具有一定的出口优势。中国的高新技术

[1] “走出去”：中国共产党十五届五中全会提出实施“走出去”的开放战略，是将对外经济发展战略从“引进来”为主，调整到“引进来”和“走出去”相结合。

产业已取得长足发展，特别是信息工业产品和家电产品在国际上具有较强的竞争力，双方可进一步扩大这些新产品的贸易。

二、积极拓宽合作领域。双方要继续加强在水利建设、农业科技、农产品加工技术、旅游方面的合作。从今年5月起，土耳其将成为中国公民旅游目的地国，这不仅有利于土耳其旅游业的发展，也将进一步密切两国人民的友好往来。贵国希望中方参与土耳其的石油和天然气开发项目，我们愿意就此进行积极探讨。

三、鼓励企业界相互投资与合作。随着两国企业界彼此熟悉对方国家的市场需求、法律法规、商业习惯，扩大双方投资大有可为。土耳其地理位置优越，并已加入欧洲关税同盟。中国企业界可以在贵国扩大投资，生产家电、纺织等产品，向周边国家和地区出口。我们也欢迎土耳其企业家到中国投资兴业，并愿意提供必要的便利和帮助。近年来，双方举办了多种形式的经贸研讨会和企业洽谈会，这对于了解对方市场、扩大企业间合作，发挥了很好作用。今后，双方要继续开辟多种渠道，加强信息交流。

女士们，先生们：

早在2000多年前，我们的祖先就通过举世闻名的“丝绸之路”，与贵国开展了贸易往来和文化交流。托普卡珀宫内珍藏的中国不同朝代的精美瓷器，是两国人民延绵不断友好交往的生动见证。中土两国进一步发展友谊，离不开经贸合作这个大舞台。我们相信，在双方的共同努力下，新世纪的中土经贸合作必将迎来更加美好的未来。

谢谢大家。

问：尊敬的总理先生，中国和土耳其都是文明古国，而且是现存的两个文明古国，一个位于亚洲的东端，另一个位于亚洲的西端。我们认为，两国携起手来进一步加强经贸合作是非常重要的。不知道中方对土耳其有什么计划，能不能向我们讲述一下呢？

朱镕基：正如你所说，中国和土耳其之间的友谊和交往有一段很古老的历史，我们现在应该更加密切我们之间的合作。我们对于中土建交以来的合作进程是满意的，我想还会有更加广阔的前景。中国的企业家是愿意到土耳其来投资的，我们即将派出一个由企业家组成的投资代表团到土耳其来考察，也希望土耳其政府方面能够提供必要的帮助。2000 年以前的“丝绸之路”是从中国的西安到土耳其的伊斯坦布尔，我相信新的“丝绸之路”将要在我们手里把它建立起来，而且把它延伸到欧洲去。

问：尊敬的总理先生，非常高兴看到你。我非常喜欢中国，第一次去中国的时候才 22 岁，第一次在中国吃饭时感到很困难，也不习惯，后来我又去过很多次。中国人民非常喜欢土耳其人民，也非常好客。我非常愿意成为中国的公民，当然我也希望成为土耳其的公民。因为在获取中国的签证方面不是十分的便利，希望能发给我中国护照。

朱镕基：你这个问题不是经济方面的问题，而是政治问题。双重国籍问题应该由双方的外交部门来商谈，我在这里不能够回答你。你刚才说吃中国饭感到不方便，我觉得吃中国饭很方便，中国饭也很好吃，恐怕是你用筷子还不方便吧。请你学会使用筷子以后，我们再来谈双重国籍问题。

问：尊敬的总理先生，向你致敬。我是一个拥有 450 多户会员的企业协会的主席，我们的会员都在积极开展同中国的经贸投资，但是我们遇到一个非常大的问题就是语言的问题。我认为为了发展两国之间的经贸关系，首先要在文化教育方面下很多工夫。我只是想向你提出这个问题，希望你能够记住这个问题。

朱镕基：我会记住这个问题。语言是沟通两国友好交往的桥梁，我们会培养更多的会说土耳其语的人才，也希望土耳其方面有更多的

2002 年 4 月 16 日，朱镕基出席土耳其总理埃杰维特在总理府举行的欢迎仪式。

（新华社记者鞠鹏摄）

人学习中文，这样便于我们双方的沟通。

问：向总理表示欢迎。刚才大家问的不是经济的问题。我想问一下，我们现在从中国进口钢铁，但是遇到一个很大的问题，就是反倾销的问题，不知道总理先生对这个问题有什么看法？

朱镕基：中国商品的出口，经常碰到一些国家的反倾销。我们对一些国家向中国倾销的商品也提出过这方面的起诉，但是为数很少。中国已经加入了 WTO，我想双方可以通过 WTO 的机制来解决贸易争端问题。

问：尊敬的总理先生，你好，我是纺织机械协会的主席。土耳其的纺织工业是非常发达的，中国在纺织品的制造和销售方面也是非常有经验的，两国经常是作为竞争对手而存在的。这段时间，我们国家与中亚地区的纺织品的竞争也在加剧。我想说的是，我们两国在纺织品竞争方面，如何能使它们变成友谊与合作的关系，尊敬的总理先生和中国政府在这方面有没有计划？如果没有的话，我想提醒总理先生，希望你关注这个问题。

朱镕基：中土双方的贸易，既有竞争也有合作。确实，在纺织产品或者说纺织机械产品等方面，我们存在着竞争，但是，我想我们也有合作的机遇，双方企业界可以共同协商、共同投资，互相进行技术合作，向第三国出口纺织产品或者纺织机械产品。同时，我们也可以利用双方产业的互补性来合作，对双方的市场进行相互的补充。

问：我是旅游投资协会的会长，向总理表示欢迎。中国政府批准土耳其成为中国公民旅游目的地国家，我代表土耳其政府和人民向你表示感谢。这使我们在旅游方面迈出一大步。能不能利用旅游企业设施和航空公司向第三国输送旅客，进行商业往来呢？

朱镕基：我刚才已经说过了，中土两国之间的旅游合作是非常有前途的。土耳其有着悠久的历史，有着各种灿烂、辉煌的文化古迹，我想中国人是很愿意到土耳其来旅游的。同样，中国也是一个文明古国，有很多的文化、历史古迹值得土耳其人民去旅游。我刚才特别推荐了上海，还有西安，西安是“丝绸之路”的起点，还有乌鲁木齐，这些地方都有很多文化古迹，值得大家去游览。如何来帮助这些旅游互动的进一步发展，我同意你的意见，可以由双方的旅游部门、民航部门进行磋商、协商，来研究帮助和方便开展这种旅游的措施。

问：应中国对外友协的邀请，我们在访问中国的过程中，接待我们的一些人员都会讲英文和法文等外文，他们告诉我说，他们的外文是在中国的大学里学习的。但是据我所知，中国许多学生，更愿意到国外，比如美国等国家去学习外文。我想告诉你的是，在土耳其有许多非常著名的、非常好的教授外语的大学，为了促进中土的文化和友谊的发展，可不可以输送更多的愿意到土耳其学习外文的中国学生来土耳其呢？

朱镕基：我愿意回去以后替你做广告，让更多的中国留学生到土耳其来学习外语。

在埃及开罗工商界午餐会上的演讲和答问*

（2002 年 4 月 21 日）

尊敬的奥贝德总理阁下，

尊敬的伊斯梅尔[1]主席，

女士们，先生们，朋友们：

这次我应穆巴拉克总统的邀请，时隔 8 年之后再一次访问埃及这个美丽而古老的国家，正如贵国的谚语所讲的：昔饮尼罗河水，他日必定再来。

我们看到，8 年来埃及人民在穆巴拉克总统的领导下，取得了显著成就，中国人民为此感到高兴。今天，我有幸跟埃及工商界的朋友们见面，感到非常荣幸。在座的朋友们都为中埃的友好合作作出了贡献，我对大家表示感谢。中国改革开放 20 多年以来，无论是综合国力还是人民的生活水平都上了一个很大的台阶。最近几年，我们在复

* 应阿拉伯埃及共和国总统穆罕默德·胡斯尼·穆巴拉克邀请，朱镕基总理于 2002 年 4 月 19 日至 23 日对埃及进行正式访问。访问期间，朱镕基出席由埃及商会联合会和埃中联合商务理事会在开罗喜来登饭店共同举办的午餐会，并发表演讲、回答与会人士提问。

[1] 伊斯梅尔，当时任埃及商会联合会和埃中联合商务理事会主席。

杂多变的国际形势下，既克服了亚洲金融危机给我们带来的影响，又克服了世界经济衰退、增长明显减速的影响，国民经济保持了持续良好的发展势头。过去5年，国内生产总值年平均增长7.8%，去年的国内生产总值达到1.16万亿美元，外贸进出口总额突破了5000亿美元。去年，外商对中国的直接投资为468亿美元，累计已经达到4000亿美元。这就说明，中国经济已经具有战胜各种困难和挑战的能力。今后一个时期，中国经济预计还会以7%以上的速度向前发展。

2002年4月20日，朱镕基在开罗总统府会见埃及总统穆巴拉克。

（新华社记者姚大伟摄）

埃及是第一个同中国建交的非洲和阿拉伯国家。中埃同属发展中国家，在国际和地区事务中发挥着重要的作用。在江泽民主席和穆巴拉克总统的亲自关怀下，中埃两国在1999年建立了战略合作的关系，经贸合作是这种合作关系的一个重要组成部分。中埃两国处于基本相同的发展阶段。经贸合作具有巨大的潜力，前景是广阔的。

近年来，中埃两国的经贸合作发展势头良好。当然，我们也注意到两国贸易还存在着不平衡的问题，中方对此十分重视，并已采取了积极的措施来努力改善这种状况。为了使新世纪的中埃经贸合作达到一个新的水平，我提出以下建议：

第一，目前双方的贸易额与两国的经济发展和市场的需求相比，还有不小的差距。中国在信息工业产品、家电产品等方面，都已达到或者接近国际先进水平，而且有相当的价格优势。埃及的原油、建材、棉花等产品，中国也很需要。我们将以多种形式来扩大从埃及的进口。

第二，发挥比较优势，促进双向投资。我相信，埃及优越的地理位置会吸引更多的中国企业家来埃及投资兴业。我们也欢迎埃及的企业家到中国投资，并且愿意提供必要的便利和帮助。

第三，进一步拓宽合作的领域。今年1月份穆巴拉克总统访问中国期间，两国签署了和平利用原子能、石油合作、旅游等方面的协议，双方要抓紧落实。从下个月起，埃及将成为中国公民旅游的目的地国。这不仅可以扩大双方的旅游合作，而且将进一步密切两国人民之间的交往。

今年1月份，中埃联合商务理事会正式成立，并于3月份在开罗举行了第一次会议。我们希望理事会能够成为密切两国企业界合作关系的纽带，为中埃两国的经贸合作发展注入新的活力。

女士们，先生们：

中国和埃及同为世界的文明古国，中埃两国人民的友好交往源远流长。加强双方的互利合作，符合两国和两国人民的根本利益。我深信，只要两国政府和工商界共同努力，在新世纪就一定能够开创双方

2002 年 4 月 21 日，朱镕基在埃及开罗工商界午餐会上发表演讲并回答提问。（新华社记者鞠鹏摄）

经贸合作的新局面。

祝愿中埃友谊和经贸合作，如同长江和尼罗河，滔滔向前，奔流不息！

谢谢！

问：中国在生物遗传工程方面取得了很大的成功，对一些在埃及种植历史很长的作物，比如花生、洋葱以及其他一些农作物，还包括草药等（中国的草药也是非常有名的），进行品种改良和推出新品种，取得了非常大的成绩。请问总理阁下，中国是否愿意向埃方提供在提高传统作物生长方面的成功经验呢？特别是我们的农作物产品也可以面向中国的市场。在这方面，我们的公司已经作好了准备，希望借鉴中国有关的技术。

朱镕基：中国的生物工程技术在国际上是处于领先地位的，特别是在农产品方面。比方说，水稻的基因密码是中国自己发现、编制出来的，因此，中国在农产品的增产方面取得了很大的成绩。我们曾经把水稻杂交技术介绍到了菲律宾，并且取得了显著的成绩。在这方面，我们愿意与埃及的农业界人士携手合作。

问：我们埃及作为一个非常大的医药市场，需要很多的药品和化学制剂，希望同中国合资成立这方面的公司，利用中国的医药技术来生产出相应的基本药品和化学制剂。

朱镕基：昨天，我和奥贝德总理已经谈到了我们在医药产品方面的生产和开发合作的问题。中国在医药生产特别是在胰岛素的生产和研究方面是领先的，在世界上，中国是第一个合成胰岛素的国家。那么，在医药产品方面的合作是我们双方都需要的。埃及代表团已经到中国去进行过考察，中国政府也会鼓励中国的企业家到埃及来投资或合作。

问：我们埃及的企业家非常愿意同中国开办合资的工厂，按照中国国内新兴产业的模式来建立这样的生产项目。我们的产品可以促销到非洲、欧洲以及阿拉伯国家的市场，因为我们同上述这些地区有着贸易伙伴关系的协议。那么，你是否对这样一个合作的建议表示欢迎呢？

朱镕基：我在 1994 年访问埃及的时候，就跟埃及政府讨论过关于建立苏伊士经济特区的问题，中国在这个问题上面尽己所能给予了埃及帮助。据我所知，现在经济特区第一批标志性厂房已经建成了。中国目前已经有 20 家企业在埃及投资生产，我们愿意鼓励更多的企业家到埃及来进行合资、合作和共同办厂。谢谢！

在法国工商界欢迎会上的演讲和答问*

（2002 年 9 月 27 日）

塞利耶[1]主席先生，

女士们，先生们，朋友们：

我今天非常高兴同法国的知名企业家会面。记得 1998 年我访问法国的时候，也曾经跟法国的企业家见面，在座的有很多老朋友当时也参加了会见。我很高兴地看到，几年来中法两国之间的友好合作关系有了很大的发展，在座的很多企业家都跟中国建立了越来越密切的合作关系。

我刚才一进大厅的时候，很多工商界的老朋友都争着要跟我说话，使我感觉生活在一个非常温暖的朋友气氛中间。我告诉塞利耶主席先生，我今天的讲话很简短，我把大部分的时间留给大家提问，使大家都有说话的机会，坐着说就行了，不必站着说。

* 应法兰西共和国总统雅克·希拉克和总理让-皮埃尔·拉法兰邀请，朱镕基总理于 2002 年 9 月 26 日至 28 日对法国进行正式访问。访问期间，朱镕基出席由法国工商界人士在多菲娜苑举办的欢迎会，并发表演讲、回答与会人士提问。

[1] 塞利耶，即埃内斯特·安托万·塞利耶，当时任法国最大的雇主协会——法国企业运动协会主席。

我感谢刚才塞利耶主席先生对中华人民共和国的祝福，他说新中国已经过了50岁了，那按照孔子的说法呢，就是“五十而知天命”。就是说，新中国已经掌握了自然和社会的规律了。那我本人现在已经超过70岁了，我相信，我的年龄比在座的所有人都要大。那孔子怎么讲的呢？他说，过了70岁的时候，就“从心所欲，不逾矩”。就是说，我今天说什么话都不会违反中国人的原则。所以，你们尽管提尖锐的问题，我都可以回答。

刚才，塞利耶主席先生在对中国的经济情况表示赞赏的同时，也提出了一些问题，我可以说两句。

中国过去10年的经济发展速度平均超过了9%，在最近几年，中国经济尽管受到亚洲金融危机的影响，发展速度仍然超过了7%，去年是7.3%，今年可能是7.8%。今后10年，也许更长的时间，我估计中国的发展速度还可以保持在7%左右。这主要是中国依靠国内的需求，也就是说，是依靠人民生活水平的改善和不断增加的储蓄，中国拥有世界上最高的储蓄率；也依靠企业效益的提高。当然，出口的扩大也是促进我们经济增长的一个重要因素。确实像塞利耶主席先生说的那样，我曾经担心过由于世界经济不景气，导致我们对美国和日本的出口可能会遇到困难。但是事实证明：中国对美国和日本的出口不仅没有减少，而是继续地发展。这是因为中国的产品具有很强的竞争力。我曾经在美国用很多数字证明，美国如果不买我们中国产品的话，恐怕它的通货膨胀率至少要比现在上升两个百分点。我们对欧盟的出口也有增长，去年增长了11%。可惜今年上半年只增长了6.8%，这种情况是不正常的。因为今年上半年，欧盟在中国出口的产品中检查出某些不合格的地方，而禁止中国的动物源性的产品出口，同时对中国进行了最多的反倾销调查，这就影响了中国和欧盟的进出口贸易的发展。刚才塞利耶主席先生说中国对法国出口的产品和投资要求太苛刻了，现在看起来不是我们要求太苛刻了，而是欧盟对中国出口产品的要求太苛刻了。因此，我们希望中国和欧盟之间的贸易争端能够尽快得到妥善解决，使我们之间的贸易能够像预期的那样以 10% 到 20% 的速度来增长。这样，就可以实现欧盟委员会主席普罗迪先生所讲的那样：希望欧盟成为中国的第一大贸易伙伴，也就是超过美国和日本。

2002 年 9 月 27 日，朱镕基在法国工商界欢迎会上发表演讲后，会见法国企业家代表。
（新华社记者樊如钧摄）

为此，我提出一些建议：

第一，我们双方共同努力，增加中法之间的贸易额。说老实话，现在法国同中国之间的贸易额还落后于一些欧盟国家，还有很大的增长潜力。也就是说，欧盟国家对中国的出口额，法国只是排在第五位。我希望在不久的将来，法国能成为第一位。

第二，增加法国企业家在中国的投资。最近几年，中国的投资环境有了很大的改善。我想在座的企业家都能体会到这一点，而且将会有更大的改善。所以，我希望法国的企业家更多地到中国去投资。像阿尔卡特公司，它的总裁是我的老朋友，最近它扩大了在中国上海合资企业的投资。这是一个非常明智的举动，我相信它在将来会获得很大的成功。

第三，增加我们在高科技领域的合作。中国正在调整产业结构，将会更多地把注意力放在以信息产业为主的各种高科技领域的发展上。在这一方面，中国和法国的合作有很多发展的空间，因为法国在某些高科技领域是占有很大优势的。明天我还要去图卢兹参观空中客车公司和阿尔卡特空间中心。我们正在努力地推动中法两国之间在高科技领域的合作。昨天我对希拉克总统说，我呼吁欧盟解除对中国的军火出口限制。我刚才也对塞利耶主席先生说了，我希望法国的企业家不要把军火卖给中国台湾地区。你们把那些军火卖给中国大陆吧，我们有 2600 亿美元的外汇储备。把军火卖给中国台湾地区，只会造成台湾海峡形势的紧张和战争的危险。中国是一个爱好和平的国家，把军火卖给中国大陆，没有任何问题，而且这是有利于世界和平的。

第四，加强中法两国之间中小企业的合作。我知道，在座的有很多中小企业家。中国虽然也有一些大的企业列入了世界 500 强，但是中国绝大部分企业是中小企业，而我们非常迫切地希望吸收法国发展中小企业的经验。我想，中法两国加强这方面的合作是有广阔空间的。

第五，加强环境保护和农业方面的合作。中国在可持续发展战略方面，已经采取了重大步骤。中国已经批准了《京都议定书》[1]，我们现在正在进行着有史以来最重大的环境保护和改善生态运动。法国在这一方面有很多先进的技术，我们应该在这一方面进行合作和交流。过去我每一次访问欧洲，包括法国，看到到处都是绿色的，非常的羡慕、非常的“嫉妒”。当然，你们也许有不是绿色的地方没让我看，但我看到的都是绿色的。中国现在由于粮食供过于求，我们打算把大量山坡上的农田变成森林，在中国叫“退耕还林”。中国在过去3年间，已经把300万公顷的粮田改变用于造林；今后5年，我们还会把600万公顷的粮田用于造林。法国有先进的农业技术，我们非常迫切地希望跟法国进行农业、林业，包括食品加工工业方面的合作。

我已经讲了5条，还可以讲10条，但我还是愿意把时间留给大家提问。

谢谢！

问：我是道达尔公司的代表。我现在想请问总理：中国已经批准了《京都议定书》。现在，全球都要付诸行动了。由于中国在能源方面需求很大，尤其在电力生产方面需求很大，你是否认为中国还能维持以煤为主的火电生产，还是愿意更多地考虑一些新的能源，其中包括燃气等能源？

朱镕基：中国已经批准了《京都议定书》，中国将按照1992年在巴西里约热内卢召开的第一次联合国环境与发展大会和最近召开的可

[1] 《京都议定书》：全称为《联合国气候变化框架公约的京都议定书》，是《联合国气候变化框架公约》的补充条款。1997年12月，在日本京都召开的《联合国气候变化框架公约》缔约第三方会议上通过。旨在限制发达国家温室气体排放量，以抑制全球变暖。2005年2月16日正式生效。

持续发展世界首脑会议的精神与要求，来调整自己的能源结构，使用清洁的能源。中国有丰富的煤炭资源，过去中国煤炭的年产量在13亿吨以上。现在，我们正在减少煤炭的生产，并且花了大量外汇进口石油，每年我们在进口石油方面花费外汇200亿到250亿美元。中国最近跟澳大利亚签订了进口液化天然气的合同，还将跟印尼签订类似的合同。中国参加了在世界各地进行的关于石油和天然气勘探、开发的合作。我们也非常注意在国内推广节约能源的技术，调整能源的结构。比方说使用原子能发电，我们跟法国就有很好的合作，最近还有两个项目相继投产。在风力发电方面，我们跟丹麦有很好的合作。我相信在其他的能源方面，我们跟法国还有很多合作的空间和潜力。我们希望扩大中法两国在能源方面的合作。

问：我是欧洲宇航防务集团的代表。今天，我非常高兴也很荣幸地聆听了总理先生的发言。你刚才也谈到，要去图卢兹访问，并且参观空中客车等公司。我想请问，欧洲是否能够满足贵国对航空方面发展的需求？而且，是否可以请你给我们提供一些具体的指示，我们怎么样才能更好地满足贵国在这方面的需求？

朱镕基：在防务合作方面，我认为，我们过去的合作还是好的，今后还会有很大的发展空间。在我的代表团里面，有一位国防科工委的主任，也就是中国的国防工业最高主管。他跟贵国的有关部门都进行了会谈，他会充分地阐明这个问题。我相信，如果在这一方面我们能够加强合作的话，中国和法国的贸易额很快就能从欧盟第五位上升到第一位。

问：我是阿海珐公司的代表。我们公司是由以前的法马通公司，还有高杰马公司、法国原子能署合并而成的。刚才，总理先生谈了法中在民用核动力方面合作的发展前景，并且谈到了贵国两个核反应堆，你也提到了像阿尔卡特公司在上海设立的贝尔那样的合资公司。

2002年9月26日，朱镕基在巴黎总统府会见法国总统希拉克。
（新华社记者陈立群摄）

是否可以认为法中以后也可以在民用核动力方面开展类似的合作，比方说建立类似的合资公司？

朱镕基：我认为是完全可能的。昨天，希拉克总统先生在跟我会谈的时候问，你们的原子能发电为什么要搞那么多的堆型？我说，从我来讲，我是不愿意的，因为那样做不经济。从经济方面来考虑，我们还是愿意跟你们合作。但是，出于政治平衡的原因，那也不得不从其他方面买一点。

问：我是苏伊士水务公司的代表。我们公司在如下方面都有业务：能源方面、水务方面，还有环保方面，水务方面的业务比较多一点，能源方面稍微少一点。我发现，在贵国生产和分销无论是电力还是燃气方面都有一定的困难，因为在这些方面的经济成本和效益往往都不符合贵国的要求。我的问题很简单，你是否希望在这些方面有私营的公司来贵国进行电力的生产，或是燃气的生产和分配？

朱镕基：我的回答是肯定的。

问：我代表的是科尔贝委员会。科尔贝委员会集合了法国65个主要的高档精品公司。我提两个问题：第一个问题是，贵国是否有意在现有的手工艺基础上，把手工艺业建成创造业和设计业的新型工业？在这方面，我们可以考虑进行对话。比方说，可以借法国在中国开展“法国文化年”活动的机会，开展一种总体上的交流和对话，不知你有何感想？第二个问题，我们的产品在分销出去时，在销售组织方面往往是借一个国家的首都或著名大城市，在一个比较豪华的区域建立一些分销中心。比如说，你在法国巴黎看到的旺多姆广场就是这样一个例子，在美国纽约就是第五大街，在日本东京就是银座。不知道贵国是不是有类似的考虑？比如说，在北京、上海或者其他的城市中心建立一个高档精品的集中专卖区；或者说，在中国的城市建设方面、在城市规划方面，有没有把这一点考虑在内？

朱镕基：你的建议是非常好的，我们会很好地考虑这一建议。你讲到的那种大城市的精品商店，我们还是有的，可是没有达到你所要求的标准。我觉得，跟你的合作对我们将是非常值得的。我们的外经贸部长石广生会跟你取得联系，考虑你的建议，并且跟你合作。因为你对中国文化有很深入的研究，从丝绸到漆器到瓷器你都了解，我相信你关于中国文化的知识比我强，但是比希拉克总统可能还差一点。

问：我是威望迪环境公司的代表。在这里，我提三个问题：第一个问题是，在环保方面有很大的融资方面的需要，当然，现在很多是靠各个城市进行融资，来筹措资金的。我们也跟中国的银行建立了很良好的关系。我的问题很简单，在环保方面进行筹资的时候，我们非常希望能拿到更长期的贷款。比方说，从拿人民币贷款来讲，是否能拿到15年或者以上期限的贷款？第二个问题，我还想问一下，是否可以授权贵国的各级政府来直接地借资金或者由它们来对于筹措的资金进行担保？第三个问题，我们公司现在有一个很成功的例子，就是在上海有一家公司进行了水的处理和分销这样的业务。我不知这样一个成功的例子能否在中国其他地方效仿或者推广？

朱镕基：中国在发展环保事业方面是不遗余力的，而且也会采取很多的鼓励措施进行有关环保方面的合作，包括融资方面。你在中国的合资企业既然已经存在了，它当然一定会发展。也就是说，它不是一个个别的例子，而是一种政策。在融资方面，我们会考虑你的意见，采取一些政策措施。中国现在不缺资金，缺的是先进的技术和管理。

问：总理先生，我是阿尔卡特公司驻中国的代表。你刚才所说的上海贝尔公司，正是在你的支持和关心之下扩大投资的。但是我们有一个担心，就是中国政府能否把上海贝尔公司看待成中国的一家企业，特别是在出口信贷和出口优惠政策支持上，能够像支持“中兴”、“华为”一样支持上海“阿尔卡特”？这是我要问的问题。

朱镕基：这个问题我们回去再说，好吗？

问：我是CNP（法国国家人寿保险公司）公司的代表。在这里并不是向总理先生提问，只是表示感谢，感谢贵国政府的支持，使得我们同中国的国家邮政局签订了一个合作的协议。我也非常希望以后还有机会，比方说，在得到适当的委员会批准之后，能够在中国开展银行、保险方面的业务，因为我们这家公司在法国已有超过一个世纪的历史和成功经验。

朱镕基：感谢你的合作，希望你成功。

问：我们刚刚收集到一些用纸条写上来的信息，我想向总理先生转达一下。第一个问题，现在中国方面是不是已经确立了一个时间表，就是在什么时候人民币能够实现完全自由兑换？

朱镕基：中国在经常项目项下已实现了人民币自由兑换，但是在资本项目项下，我们还没有实行人民币可自由兑换，关键问题在于证券投资方面。现在，在中国的证券市场还极不完善的情况下，我们很担心那样做会引发一些不必要的危机。因此，我们对何时实现人民币完全可自由兑换，目前还没有考虑。不过，我们现在已经批准了一些外国银行，包括法国的银行，可以在中国进行人民币的存款和贷款业务。同时，我们也正在以各种形式来使外国的投资能够在中国的证券市场上进行投资。

问：我是法国国家干邑酒行业办公室的代表。总理先生，我们跟贵国已经开展了有关农业产品方面的合作，比如在干邑酒、龙井茶两方面开展了很多的合作。我们看到贵国行政监督管理部门在检疫方面、在知识产权保护方面、在法律方面取得了很多进展。不知道是否可以请总理先生谈谈对于像这些高质量的农产品，也就是说，在一些原产地域保护的产品方面，贵国希望今后能够怎样使合作发展下去呢？总理先生有何希望、有何建议，怎样在这方面促进两国合作的发展？另外，这几年的发展经验也使我们深有体会，我们非常关心打击假冒产品这个范畴。也请总理先生谈谈贵国政府对这个问题的重视程度。

朱镕基：中国在出口产品方面是实行严格的监督和质量标准的，而且越来越加强这方面的工作。我刚才也讲过，中欧双方的贸易纠纷很多是出现在检验检疫方面，这个问题已经引起了我们双方的重视。当然，贵国检验到我们的某些出口产品不合乎欧盟的标准；同样，我们也检验到欧盟方面出口到中国的产品有的不符合国际标准。中国政府肯定会在将来加强对这方面的监管、检验，从而提高出口产品的质量标准。我也希望，我们双方在这些方面进行合作，包括进行技术合作；同时加强磋商，避免发生贸易纠纷。

看来，你们对我提的问题也差不多了，如果还有问题的话，我们可以到中国去继续讨论。我邀请塞利耶主席先生访华，在座的谁愿意去的话可以跟着他去，我到时会见你们，再回答你们的问题。现在轮到我向诸位提出一个问题了，可以吗？那就是中国申请 2010 年在上海举办世界博览会。如今将要进入最后的阶段了，今年 12 月就要举行投票了。我在昨天会见了国际展览执行局的主席和秘书长。他们都承认上海是一个理想的地点，上海的条件优越于其他的竞争者；他们也承认如果在上海举办世博会的话，参观的人数将打破世界纪录。前年在德国汉诺威举行的世博会，我去参观过。它的参观人数只有 1600 万人。我告诉主席和秘书长，上海就有 1600 万人。我会动员上海的每一个人，包括小孩子都去参观，这样，规模就会超过汉诺威。而且我相信，如果在上海举办世博会，一定会促进在座的各位企业家的商机。那么，我问主席和秘书长，现在还有什么问题阻碍中国举办世博会呢？他们说，那是政治和外交的问题。因此，我呼吁在座的企业家，请你们向希拉克总统施加“压力”，让他同意支持在中国上海举办 2010 年世博会，我相信希拉克总统很希望接受这种“压力”。如果你们同意支持中国上海举办世博会，同意向你们的政府施加“压力”，请你们鼓掌；否则，可以保持沉默（全场鼓掌）。谢谢！

四、接受香港记者境外随行采访

在英国谈中英关系等问题*

（1998年3月31日至4月1日）

（1998年3月31日下午，在伦敦温莎宫会见英国女王伊丽莎白二世后）

记者：总理，你跟女王谈了多长时间？

朱镕基：大概有二三十分钟，记不清楚了。

记者：谈些什么呢？

朱镕基：非常友好的谈话。

记者：这次访问有怎么样的成果？

朱镕基：我刚来，哪有什么成果？！

记者：有什么期望呢？

朱镕基：我当然希望能够促进中国和英国两国之间友好合作关系的发展，我希望亚欧首脑会议能够获得成功。

记者：人们对你有很大的期望，希望你能带动中国经济进一步发展，你觉得他们这种期望会不会对你之后的工作产生什么压力呀？

* 应大不列颠及北爱尔兰联合王国首相托尼·布莱尔邀请，朱镕基总理于1998年3月31日至4月5日对英国进行正式访问，并于4月3日至4日出席在英国首都伦敦召开的第二届亚欧首脑会议，还同欧盟领导人举行会晤。这是朱镕基在访问期间接受香港记者采访，谈中英关系等问题。

1998 年 3 月 31 日，朱镕基在伦敦温莎宫会见英国女王伊丽莎白二世。

朱镕基：这种期望是很自然的，我很欢迎。我将尽我所能，尽我最大努力，谢谢。

（1998 年 4 月 1 日上午，在下榻的伦敦海德公园饭店）

记者：朱总理，你觉得 2000 年的中国应该是一个怎么样的国家呢？

朱镕基：走向现代化的国家，民主、法制的国家。

记者：那你的“一三五”[1] 真的能够达到吗？

朱镕基：你希望回答的问题太多了，一下子讲不完。

[1] “一三五”，指朱镕基于 1998 年 3 月 19 日在九届全国人大一次会议记者招待会上回答中外记者提问时，把本届中央政府要干的几件事情概括为“一个确保、三个到位、五项改革”。

（1998 年 4 月 1 日上午，参观格林尼治天文台时）

记者：为什么选择到这里来看一看呢？

朱镕基：他们要我来我就来了。

记者：总理，你现在觉得东方跟西方的关系怎么样啊？东半球和西半球的关系怎么样啊？

朱镕基：我刚才已经横跨了东半球和西半球，关系很好。我一个人就可以把它们跨过去了，而且我把它们连接起来了。非常感谢，再见。

1998 年 4 月 2 日，朱镕基在伦敦唐宁街 10 号首相官邸会见英国首相布莱尔。

（新华社记者王岩摄）

（1998年4月1日下午，在下榻的伦敦海德公园饭店会见印度尼西亚副总统哈比比后）

记者：总理，麻烦谈一谈有没有收获？

朱镕基：收获很大，因为他们都是我的老朋友。

记者：你们有没有打算援助印尼？

朱镕基：尽我们的所能。我已经跟哈比比副总统说过了，我们愿意尽我们的所能来援助印尼。

记者：那除了国际货币基金组织的援助方式以外，会不会另外再有现金的援助？

朱镕基：还有。

记者：是多少呢？

朱镕基：暂时不要讲，因为等他们讲最好。

记者：朱总理，你跟布莱尔会面谈了些什么？

朱镕基：我们是老朋友。

记者：朱总理，这次你跟欧盟的首脑会晤，你觉得中国跟欧盟的关系是不是越来越朝着贸易合作方向发展？

朱镕基：越来越好，而且将要更好。

记者：总理，跟两位亚洲的领袖谈到金融风暴问题了吗？

朱镕基：谈到了亚洲金融危机，我们的立场一致。

记者：什么样的立场？

朱镕基：帮助，尽我们的所能来帮助解决亚洲金融危机。

记者：你们具体的方法？

朱镕基：有的是，现在来不及说了。

在美国谈同顾毓琇先生见面的情况*

（1999年4月9日）

（1999年4月9日下午，会见顾毓琇之后）

记者：朱总理，你带了江主席的什么信息给他（指顾毓琇——编者注）啊？

朱镕基：我带了江主席送顾老的茶叶。

记者：什么茶叶？

朱镕基：黄山名茶。

顾毓琇：我就是说："朱总理为国珍重。"

记者：那朱总理你会不会这样做啊？

朱镕基：我要按老师的教导来做。我给你们透露一点，不然你没有东西写了。顾老送我十六字箴言："智者不惑，勇者不惧，诚者有信，仁者无敌。""仁"字的意思很难解释，你们回去查查字典，仁者是无敌于天下的。

* 这是朱镕基总理访问美国期间，在华盛顿布莱尔国宾馆会见顾毓琇先生后接受香港记者采访，谈同顾毓琇见面的情况。顾毓琇（1902—2002），美籍华人教育家，并集科学家、诗人、戏剧家、音乐家和佛学家于一身。曾兼任上海交通大学电机与运算微积课教授，并创立了清华大学电机系，为首任系主任。

1999 年 4 月 9 日，朱镕基在华盛顿布莱尔国宾馆会见顾毓琇先生后，搀扶他走出国宾馆。后排左一为李肇星。
（新华社记者兰红光摄）

在新加坡谈住房制度改革问题*

（1999 年 12 月 1 日）

（1999 年 12 月 1 日上午，参观新加坡大巴窑组屋区后）

记者：总理你好，这个组屋的概念可以帮助我们推动住房制度改革，怎么推动？

朱镕基：1990 年我第一次来的时候就借鉴了他们很多经验。这次来了以后，看到它又有新的发展，我很欣赏。我们有些做法也跟他们差不多，但是他们走在前面，特别是他们有一个非常阔气的政府，我的政府太穷了。

记者：那要怎么样解决？

朱镕基：我们还是要解决，只是没有他们那么高的标准。

记者：朱总理，觉得怎么样？你觉得中国可以做得到吗？

朱镕基：当然，也要根据不同的收入、不同的层次。他们的做法是属于条件比较好一点的。

记者：中国现在不行吗？

朱镕基：那当然，中国是发展中国家。

* 这是朱镕基总理在访问新加坡期间接受香港记者采访，谈住房制度改革问题。

1999 年 11 月 30 日，朱镕基在新加坡会见新加坡内阁资政李光耀。
（新华社记者刘建生摄）

在比利时谈中欧合作和美国导弹防御系统等问题*

（2000年7月10日至12日）

（2000年7月10日下午，在下榻的布鲁塞尔喜来登饭店）

记者：朱总理，中国和欧盟之间的贸易还存在一些障碍，你会不会借这次机会，同欧盟方面谈一谈像歧视性反倾销这样的问题？

朱镕基：我想，可能吧。

记者：那我们会提出一些什么样的要求？如何使中欧双边协议取得最圆满的结果，消除双方的贸易障碍？

朱镕基：我觉得中国跟欧盟之间没有什么太大的问题，贸易方面小的分歧、小的问题不断地会有，但好像还不需要提到我们这一级来会谈。但是我们也会总结、回顾，提出一些希望。

记者：欧盟对你这次访问非常重视，他们担心这个协议虽然在中国中央政府这个层面得到承诺，但在地方政府方面，可能在执行时会遇到一些障碍。你这次来会不会给他们一个信心，就是说这次中欧双边协议可以得到圆满的执行？

朱镕基：任何一个国家都不能保证他们中央政府所做的决定百

* 这是朱镕基总理在访问比利时和欧盟总部期间接受香港记者采访，谈中欧合作和美国导弹防御系统等问题。

分之百地都能得到实行，但在中国基本上能实行，我们说话还是算话的。

记者：总理，有些国家担心香港成为转移内地偷渡者的转运中心，会不会影响香港的国际形象？

朱镕基：中国是坚决地反对非法移民的，我们有严格的法律、严格的措施，来制止非法移民。但是跨国犯罪集团太厉害了，谁也不敢说

2000 年 7 月 10 日，朱镕基在布鲁塞尔会见比利时首相伏思达。

（新华社记者樊如钧摄）

哪一个国家、哪一个地区没有人参与跨国犯罪集团。因此，要打击他们，就需要国际的合作。我来就是要跟欧盟谈合作打击跨国犯罪集团的问题。这次发现的58个中国非法移民，并不是由于他们贫困得不得了，才跑到那边去的，而是因为受骗上当了。你去看看他们福建农村家里，都挺好的。他们被坏人欺骗了。跨国犯罪集团的行为，惨无人道!

记者：会不会要求欧盟在一些措施、移民政策或其他方面作出修订？

朱镕基：我们没有要求他们改变移民政策，我们反对非法移民。那58个人是被欺骗来的。我们要跟欧盟合作打击啊。

记者：那有没有要求欧盟在打击“蛇头”方面和中国加强合作呢？

朱镕基：就是就是，你讲得很对。

（2000年7月12日上午，参观布鲁塞尔“未来住宅”时）

记者：总理，现在有的国家要建立一套全国的导弹防御系统，他们试验了三次，有两次是失败的，还要继续试验，这是不是会影响全球的地区安全呢？

朱镕基：当然。我们是反对的。恐怕三次都失败了，第二次实际上根据他们的报道也是失败的。

记者：你们是反对他们继续推行这个系统吗？

朱镕基：当然了。欧洲国家也表示很大的忧虑，担心会破坏整个世界的安全。

记者：但是，这个国家的国会参议院表示，要想通过给予中国的PNTR（永久性正常贸易关系），就要附一个条件，即中国不能扩散核武器。他们是不是说一套做一套呢？

朱镕基：我们是完全遵守核不扩散条约的。他们要附加这个条款是错误的，我们不同意。

在日本谈中日合作等问题*

（2000 年 10 月 16 日）

（2000 年 10 月 16 日上午，在山梨县试乘磁悬浮列车后）

记者：你乘坐磁悬浮列车的感觉怎么样？

朱镕基：日本磁悬浮列车的震动、噪声比我在德国坐的要大些，但它的时速可以达到 450 公里，德国的是 420 公里。

记者：感觉怎么样？

朱镕基：可以，可以，他们还在改进。

记者：那你比较喜欢磁悬浮还是什么？

朱镕基：这得让专家来进行比较，我现在还不能下结论。

记者：总理，你觉得在京沪铁路线上中日合作的机会大不大？

朱镕基：机会总是有的。

记者：与德国和法国相比呢？

朱镕基：需要竞争。

* 这是朱镕基总理在访问日本期间接受香港记者采访，谈中日合作等问题。

2000 年 10 月 16 日，朱镕基在东京会见日本明仁天皇。（新华社记者饶爱民摄）

2000 年 10 月 16 日，朱镕基与夫人劳安在日本山梨县参观磁悬浮列车试验场并乘坐磁悬浮列车。后排左起为张国宝、曾培炎、屠由瑞。（新华社记者王新庆摄）

在韩国谈打击国际犯罪和金融危机等问题*

（2000 年 10 月 18 日至 22 日）

（2000 年 10 月 18 日下午，在下榻的汉城新罗饭店）

记者：总理，听说你明天将会在亚洲领导人会议上提出要求召开一个研讨会，讨论国际犯罪问题，是不是？

朱镕基：发言里也许有吧。

记者：你为什么会有这样的考虑？中国为什么会提出这样的建议？

朱镕基：共同进行司法合作，共同打击国际犯罪。

（2000 年 10 月 20 日下午，在下榻的汉城新罗饭店出席亚欧领导人会议后）

记者：总理，今天下午是不是谈了经济全球化问题？

朱镕基：对，今天下午是谈经济、金融合作。

记者：你提出要建立一个经济新秩序，那么你觉得中国和欧盟包括欧洲国家、亚洲和欧洲怎么建立一个平衡的关系？

朱镕基：我就说要建立这种新秩序，首先，亚欧领导人会议就应

* 这是朱镕基总理在访问韩国并出席第三届亚欧首脑会议期间接受香港记者采访，谈打击国际犯罪和金融危机等问题。

2000 年 10 月 18 日，朱镕基出席韩国总统金大中在汉城青瓦台总统府举行的欢迎仪式。
（新华社记者王新庆摄）

该有一个新秩序。

记者：你真的就这么讲的？

朱镕基：我就这么讲的。因为亚洲国家和欧洲国家，历史、文化、社会制度都不一样，因此应该互相了解、互相交流、互相包容，不能把一方观点强加给另一方，那总是不行的。

记者：你担不担心会引发新一轮的经济危机呢？像这两天，美国股市就表现得不好。

朱镕基：是啊。关于金融危机，马来西亚总理马哈蒂尔发表的一个讲话蛮好的，但有那么两三个发达国家就不太同意他的讲话。他讲得很清楚，那些金融资本的投机活动影响了马来西亚，使它的货币贬值了一半。也就是说，过去 1000 亿美元商品出口，现在损失了 500

亿美元。

记者：现在科技股上下起伏很大，对全球的股市有很大影响，会不会引起另外一次金融风暴？

朱镕基：这个在这次会上没有讨论。科技股这种膨胀带有一点泡沫性，应该适当降一点。

记者：你觉得这种趋势发展下去，对中国的二板市场[1]建立会不会有影响？

2000年10月20日，第三届亚欧首脑会议在汉城开幕。朱镕基等各国领导人在身着民族服装的韩国少女引领下，步入开幕式大厅。（新华社记者王新庆摄）

[1] 二板市场，又名创业板市场，是指主板市场之外，专门为中小高新技术企业或快速成长的企业而设立的证券融资市场。

朱镕基：我们对二板市场要非常慎重地考虑。

记者：你的意思是……

朱镕基：因为，香港现在办得也不是很成功。香港走在前面，我们吸收它一点经验。看起来香港也并没有完全解决好监管的问题，所以我们要比较慎重地考虑。

记者：是要看香港的创业板表现如何，才决定内地什么时候推出吗？

2000 年 10 月 20 日，朱镕基出席在韩国汉城举行的第三届亚欧首脑会议。

朱镕基：那倒不一定。我的意思是，香港也没有创造出很成功的经验，因此我们要慎重一点。

记者：那是不是说内地要寻找一条自己的创业板的路子？

朱镕基：要借鉴美国纳斯达克的经验，也要借鉴香港的经验。

（2000年10月22日上午，在乘船参观济州岛后）

记者：选择济州作为最后一站，有什么特别意义呢？

朱镕基：济州山水甲天下。

记者：今天心情怎么样？

朱镕基：今天心情很好，这就是为什么我刚才在船上面为大家服务。

记者：服务什么呢？

朱镕基：我当"模特"，让大家每一个人过来照相啊。

记者：昨天的会议是不是谈了中国希望通过国际合作，把中国逃亡到外面的贪官遣送回来？

朱镕基：是的，我们提出了这个建议：召开亚欧打击国际犯罪集团的研讨会议，各国政府的刑事组织部门都来参加，共同打击国际犯罪集团。

贪官是很难跑出去的，但是像走私犯等犯罪分子逃到外国以后就变成"政治避难"了。

在新加坡谈“10+3”、“10+1”和中国证券市场等问题*

（2000年11月23日至25日）

（2000年11月23日晚，在下榻的文华大酒店会见泰国总理川·立派后）

记者：总理，东盟方面很赞赏你这次提出的建议，但为什么不能在自由贸易方面达成协议呢？

朱镕基：我没有说不能达成协议。也许这一次不可能出一个文件，我是这个意思。

记者：那这次跟东盟加强合作，能不能解除他们担心中国加入WTO后对他们造成威胁呢？

朱镕基：不会的，没有任何威胁，只会有好处。

* 朱镕基总理于2000年11月23日至26日，在新加坡出席第四次东盟—中日韩领导人会议和东盟—中国领导人会议。这是朱镕基在访问期间接受香港记者采访，谈“10+3”、“10+1”和中国证券市场等问题。

“10+3”，即“10+3”会议，指东盟十国（文莱、印度尼西亚、马来西亚、菲律宾、新加坡、泰国、越南、老挝、缅甸、柬埔寨）加上中国、日本、韩国三国领导人举行的会议。

“10+1”，即“10+1”会议，指东盟十国（文莱、印度尼西亚、马来西亚、菲律宾、新加坡、泰国、越南、老挝、缅甸、柬埔寨）加上中国的领导人举行的会议。

记者：那你这次来准备怎样向他们解释呢？

朱镕基：我一定会解释的，但是在这里我没有时间向你解释了。对不起。

2000 年 11 月 25 日，朱镕基出席在新加坡举行的东盟—中国领导人会议。右一为印度尼西亚总统瓦希德。（新华社记者鞠鹏摄）

（2000 年 11 月 24 日上午，在香格里拉饭店出席中、日、韩领导人早餐会后）

记者：中、日、韩可以有哪些合作？

朱镕基：可以有很多的合作。我们将进一步进行合作，包括中国的西部大开发，韩国和日本将会参加；在汉语的研究、沙尘暴的防治方面，也会进行进一步的大规模合作。同时，我们大家商定把这种会晤机制化，以后我们还会见面。

记者：为什么要成立东亚经济论坛，中、日、韩三国经济论坛？

朱镕基：我们还没有谈到这个，但是你的建议很好。在下一次中、日、韩领导人会晤时，可能会提出你的建议。

（2000年11月24日中午，在下榻的文华大酒店出席“10＋3”会议前）

记者：李光耀先生刚才说，东盟国家要团结起来才能抗衡中国带来的挑战，特别是中国加入世贸组织以后。你怎么回应这种看法，你会和他见面吗？

朱镕基：我没有看到他的原话。我这次要会见他，我会当面问他是不是这样讲的。

记者：有一些国家担心中国加入东盟自由贸易区之后，会对一些小国形成一些竞争，你怎么消除它们这种担忧？

朱镕基：竞争一定会有的，但是绝对没有威胁。

记者：中国会从哪些方面来表达这种合作的诚意呢？

朱镕基：在这个会上，我一定要表达这个诚意。

记者：会有什么方法？

朱镕基：这个问题我们可以讨论。中国加入WTO一定会有利于亚洲各个国家，而不是构成威胁。如果会构成威胁的话，那我们宁愿不加入WTO，也不能失去亚洲的朋友。

记者：中国跟东盟各国合作的前景怎么样？

朱镕基：我对于东盟、亚洲各国的合作很乐观，前景非常好，我是充满信心来参加这次会议的。

记者：你希望从这次峰会得到什么成果呢？

朱镕基：我希望这次峰会能够落实东亚、亚洲合作的联合宣言，采取一些具体步骤，使我们亚洲国家、“10＋3”国家能够合作得更好。

记者：日本和韩国都希望同中国在外汇方面签订双边协议，中国人民银行是不是一直在研究这个问题？

朱镕基：我们愿意签订协议，如果有需要的话。

（2000 年 11 月 24 日下午，在香格里拉饭店会见马来西亚总理马哈蒂尔前）

记者：请你介绍一下会议的讨论情况。

朱镕基：关于发展“10+3”各个国家的合作，我们已经向新闻界散发了一个文件，概括了我在会上讲的意见。其他国家也都说了很多意见。会上没有争论，也没有不同意见，是相互补充。

记者：会有一个宣言出来吗？

朱镕基：会上没有提到要出一个宣言。

记者：想把铁路连接起来，是不是？

朱镕基：是的。修建一条泛亚铁路是马哈蒂尔总理首先提出来的，我们都赞成、支持。很多国家也都表示支持这条铁路的修建。中国明确表示，我们愿意通过投标承包修建这条铁路。中国修铁路方面在世界上是最有经验的，我们愿意为此付出努力。

（2000 年 11 月 24 日下午，在香格里拉饭店出席“10＋3”会议后）

记者：总理，刚才谈得怎么样？

朱镕基：谈得非常好，气氛非常好，大家都提了很多建设性的意见。

记者：有什么具体的建议没有？

朱镕基：我有一个材料发给你们。

记者：你刚才开会时提出什么建议了吗？

朱镕基：我提出的建议，已经包括在发表的声明中了，大概你们会看到的。

记者：东盟国家是不是比较接受你这次提出的意见呢？

朱镕基：在这个会议上，大家都提出了很多很好的意见，没有对立的意见。

记者：那有没有谈到台湾问题，要求东盟国家坚持一个中国的原则呢？

朱镕基：没有，没有触及这个问题，谁也没有触及这个问题。

记者：是谈到经济方面的合作吗？

朱镕基：对，各方面的合作。

（2000年11月25日上午，在香格里拉饭店出席东盟—中国领导人会议后）

记者：你在“10+1”会议上，对“中国威胁”问题做了解释工作，解释的效果怎么样？

朱镕基：效果很好，在上午的“10+1”会议上，从吴作栋[1]开始，主动讲这个问题。他说对中国不必顾虑，中国加入WTO后不会构成对东盟国家的威胁。

记者：那其他的小国家呢？

朱镕基：小国家恐怕根本没有想过这个问题，它们怎么会感到威胁呢？我们对它们给予无私的援助啊，它们在双边合作里面得到了很大的好处，我们也尽了最大的力量。主要是一些比较发达的国家可能有这种顾虑，但是我觉得从今天吴作栋的发言和马哈蒂尔的发言，都可以感到他们说话还是真诚的。他们的基调是说，中国加入WTO，对他们会有一些竞争，但绝对没有威胁。

记者：那你非常满意你这次的访问行程吗？

朱镕基：是的，非常满意。

记者：东盟自由贸易区的情况会有进展吗？

朱镕基：对东盟自由贸易区，我们采取这么一个态度，我们支持东盟国家在2002年实现所谓的地区自由贸易化，同时我们也愿意跟他们进行谈判，研究中国如何来参加这个合作。中国在加入WTO的时候，通过双边的谈判，已经承诺了逐步降低我们的关税，有一个时

[1] 吴作栋，当时任新加坡总理。

间表，我们要履行我们对世界贸易组织的义务。当我们履行这个义务、实现这个时间表以后，跟东盟自由贸易区的要求也就差不多了，就可以接轨了。

记者：最近国际货币基金组织有个报告说，中国加入 WTO 以后会对香港的金融地位有影响，认为上海可能会取代香港。你有什么意见呢？这个情况会出现吗？

朱镕基：香港有它独特的作用，我可以断言，上海是不可能取代香港的。但上海作为中国内地的金融中心，一定会有很大的发展。全世界不只一个金融中心，中国也不会只有一个金融中心。

（2000 年 11 月 25 日下午，在下榻的文华大酒店听取新加坡交易所情况介绍后）

记者：总理，能不能跟我们谈一谈，你听完新加坡交易所的介绍之后，觉得对中国大陆的第二板市场建设会有些什么借鉴作用？

朱镕基：我们在借鉴各个国家和地区的经验，包括香港地区和新加坡的经验。刚才听起来，新加坡和香港地区还是有一些不同的地方，都可以供我们参考。

记者：大陆第二板出台的时间表是不是会有改变，能不能保证按原定的时间推出？

朱镕基：时间我们原来就没有定下来，我们是积极地在作准备。

记者：那你觉得最快需要多长时间才能推出？

朱镕基：我想明年大概可以吧。

记者：现在还欠缺什么条件呢？

朱镕基：应该说各项准备工作都已经做好了，而且我们也充分吸收了各个国家和地区的经验。现在我们再慎重一点，主要是为了保护投资者的利益。我们应该慎重一点。

记者：现在，中国海洋石油总公司等三家大型公司已经到海外上市，下一步是哪一家国企集团有可能到海外上市呢？

朱镕基：总会源源不断地上市，我是记不起来谁排在最前面，谁排在后面。

记者：新加坡证券交易所总裁亲自来解释创业板的运作情况，那么你现在对香港创业板的看法是不是有所改观呢？

朱镕基：我现在正在听他们的意见呢。

记者：那你觉得中国大陆的第二板是不是可以从新加坡吸取一些经验呢？

朱镕基：是的。我们很关注香港的创业板开办以来的经验，我听得很多了，非常重视香港的经验。这次到新加坡来，我也想听听新加坡这方面的经验。可见，我对这个问题非常重视。我听过你们香港很多人的意见。上一次香港报道说我批评香港的创业板，这不太确切。我不知道你在不在场，我的意思是说香港的创业板还不是很成熟，那不是批评，毕竟才刚开办了一年嘛，能够说很成熟吗？这不是批评。

记者：有人担心中国内地的第二板市场建立以后，对东南亚和香港市场很有威胁，你怎么看？

朱镕基：没有威胁。我都问了沈联涛[1]了，他说没有威胁。我又问了邝其志[2]，他也说没有威胁，那谁说有威胁呢？怎么我一到新加坡，到处听到“中国是威胁”啊?!

（2000 年 11 月 25 日下午，在下榻的文华大酒店）

记者：总理，再谈一谈厦门远华案好吗？如果赖昌星在加拿大申

[1] 沈联涛，当时任香港证券及期货事务监察委员会主席。
[2] 邝其志，当时任香港交易及结算所有限公司集团行政总裁。

请庇护怎么办？

朱镕基：我今天早晨才看到这个消息。我们会同加拿大方面进行联系和磋商，过去我们就已经磋商过了。

记者：总理，像远华案涉及那么多官员，涉及那么多金钱的贪污，在打击中会不会遇到很大的困难？

朱镕基：没有困难。无论涉及谁，我们都要一查到底，都要把他追查出来。没有任何困难，不会碰到任何阻力。如果有阻力，我们要打破阻力，一定要把这个案子查清楚。

记者：还会不会陆续发现这么大的案子？

朱镕基：任何一个国家都有贪污问题，谁也不能保证今后就不会发生这样的事情。但是，只要发生一件，我们就要坚决查处一件，依法来审判。

记者：中国会通过外交的途径去解决这个问题吗？

朱镕基：我想一定会的，过去我们已经在进行这方面的努力，否则也不会有今天的结果。

记者：你有信心把赖昌星抓回中国来吗？

朱镕基：我早晨不是说过嘛，我们试试看，或者说尽我们最大努力。

（2000年11月25日下午，在下榻的文华大酒店会见新加坡内阁资政李光耀后）

记者：总理，刚才你讲的李先生（指李光耀——编者注）可以得到一些信息，那是什么信息呢？两岸问题方面的？

朱镕基：信息交流。

记者：那是扮演一个管道？

朱镕基：不是不是，我们谈论的范围很广，从我的方面说，就是要吸取他们的经验和智慧。

记者：他有没有提到东盟自己要成为自由贸易区的问题？

朱镕基：没有，没有。因为这个问题在“10＋3”的会议上已经讨论过了。

记者：有没有提到这个担心：FDI[1] 在东盟已经下降了 50%，而在中国在不断地上升？如果不解决这个问题，将来趋势可能会越来越严重。

朱镕基：我们没有谈过这个问题，也不知道他有这种忧虑。

记者：陈水扁现在有好多的麻烦呢。你觉得现在面对的政局对两岸的关系有什么影响？

朱镕基：一言难尽。

记者：总理，明年中国的经济增长速度预测有 8%，为什么有信心达到这么高的增长速度，有没有把加入 WTO 的因素计算在内？

朱镕基：今年我们计划增长 7%，现在预计在 8% 以上。明年预计也超过 7%，甚至达到 8% 也是有可能的。我想我们的计划还是仍然定在 7%，我们不想过热。

记者：为什么这样有信心，有这样乐观的估计呢？

朱镕基：我想这与整个世界经济的走势差不多，特别是亚洲经济有很大的复苏，中国的出口情况也是比较好的。当然，主要还是由于我们启动了内需，推动了国内的需求。国有企业复苏以后，利润比去年增加了一倍，这是一个很令人印象深刻的数字。政府的税收也增加了很多。

记者：香港的经济也是蛮好的，但是内需方面还是很小。现在很多香港人觉得，经济增长达到 10% 以上，但是他们并没有得益。

朱镕基：我也听到香港人民群众有这种抱怨，经济增长 11%，工资没有增加，反倒还要减一点。我得到了这个启示，因此我们明年一定要加工资。

[1] FDI，是英文 Foreign Direct Investment 的缩写，即对外直接投资。

在斯里兰卡谈中国加入世贸组织等问题*

（2001 年 5 月 18 日）

（2001 年 5 月 18 日下午，在下榻的科伦坡希尔顿饭店）

记者：总理，能不能请教你几个问题？美联储连续宣布减息，世界经济放缓趋势难以改变。中国如何在采取积极的财政政策的时候，采取一些措施，扩大内需，确保实现经济增长的目标？

朱镕基：我们不管美国怎么样，要始终维持人民币币值和利率的稳定。

记者：在促进内需方面，采取哪些措施来确保经济增长的目标？

朱镕基：我们在年初制订计划时已经考虑到这一点，实行积极的财政政策已经足够了。

记者：总理，WTO 的谈判是不是下星期在日内瓦进行新的一轮，目前情况怎么样？现在问题在农产品补贴方面。既然开放是利大于弊，为什么我们不能加快一点呢？

朱镕基：能否加快不在于我们，在于西方的主要国家，他们在

* 应斯里兰卡民主社会主义共和国总统钱德里卡·班达拉奈克·库马拉通加邀请，朱镕基总理于 2001 年 5 月 17 日至 19 日对斯里兰卡进行正式访问。这是朱镕基在访问期间接受香港记者采访，谈中国加入世贸组织等问题。

农产品补贴方面不让我们享受发展中国家的待遇，我们认为不公平。

记者：你看新一轮的谈判，中国有没有希望早日加入 WTO？

朱镕基：希望总是有的，需要双方作出让步。

记者：6 月份，美国要讨论给予中国 PNTR（永久性正常贸易关系）问题。你怎样考虑目前的中美关系？

朱镕基：那我也没有办法。我们已经做了最大的让步了，现在就看他们的了。

2001 年 5 月 18 日，朱镕基在斯里兰卡与斯里兰卡总统班达拉奈克·库马拉通加举行会谈。
（新华社记者樊如钧摄）

记者：中国能否加入 WTO 对香港经济有影响。香港近几年跟随美国减息了很多，但是消费者的信心、对国内生产总值增长的信心还没有恢复过来，经济仍然在很大程度上依赖中国内地经济的发展。请问今后香港经济如何恢复?

朱镕基：中国经济的发展不会受外界多大的影响，因为主要依靠国内的需求。不论外面发生什么情况，中国还将以 7% 到 8% 的速度发展，我想无论如何这对香港是有好处的。香港有希望，不要着急。

在泰国谈亚洲经济和中国西部大开发等问题*

（2001 年 5 月 19 日至 21 日）

（2001 年 5 月 19 日下午，在曼谷总理府与泰国总理他信举行正式会谈后）

记者：这次会谈谈到各国之间合作防范金融风险的问题。为了防止亚洲金融风暴再次发生，你觉得可以采取怎么样的措施？对亚洲国家之间的合作，中国可以做些什么？

朱镕基：关于防止金融风险的问题，在“10+3”的会议上，以及后来在我们建议召开的财政部长和央行行长的会议上，曾经多次研究过。其中有一个签订货币互换协定的问题，原则上我们都同意了，认为可以做到。我们同泰国政府也接触了，他们提出来要 40 亿美元的互换协定，我们原则上都同意，达成了一致意见，但具体如何落实还要由工作层的官员来商量，因为不只是一个泰国，还有好几个国家，如韩国、菲律宾等等。

记者：未来世界经济的中心好像是放在亚洲，但现在亚洲国家经济的发展只有中国还保持着高速增长，那你怎么看中国是不是有能力带动亚洲，在世界经济增速放缓的情况下，恢复经济发展？

* 应泰王国总理他信·西那瓦邀请，朱镕基总理于 2001 年 5 月 19 日至 22 日对泰国进行正式访问。这是朱镕基在访问期间接受香港记者采访，谈亚洲经济和中国西部大开发等问题。

2001 年 5 月 20 日，朱镕基出席泰华各界举行的盛大欢迎晚宴，并发表重要讲话。
（新华社记者樊如钧摄）

朱镕基：亚洲金融危机对亚洲国家的打击是很大的，首先是从泰国开始，然后发展到印尼、菲律宾，都受到了很大打击。随后两年，经济恢复还是比较快的，其中韩国恢复得最快，但它的问题并没有完全解决；泰国也有一定程度的恢复了，目前也还面临着比较大的困难。我认为，这些困难应该说是可以解决的。现在有人谈论第二次世界范围的金融危机，我看这个可能性不是很大，因为每个国家都已经有经验教训了，而且都在进行着产业结构调整。我认为目前亚洲国家最重要的，应该是调整自己的产业结构。像泰国就面临着这个问题，今年农业大丰收，榴莲1元钱1斤，农产品都大跌价，如果不调整产业结构就没有前途。另外，金融系统的改革也是很重要的，日本在这方面吃了很大的亏，到现在也恢复不了。所以，亚洲国家特别是东南亚国家，如果不在这些方面自力更生的话，就始终会面临困难的局面。但是再次发生危机，我认为还不大可能。

（2001年5月21日晚，出席泰国总理他信举办的家宴前）

记者：总理晚安，今天去皇宫的感觉如何？跟国王、王后谈的感觉如何？

朱镕基：我已经说过了，谈得很亲切。

记者：还满意吗？

朱镕基：很满意。

记者：你对这件衬衣[1]觉得满意吗？

朱镕基：你们觉得怎么样？

记者：不错啊，很好看。

朱镕基：反正比穿西装舒服一点，松快一点。

记者：会不会不透风啊？

朱镕基：不会，可以。

[1] 指朱镕基按会议安排穿着泰国民族服装。

记者：怕你太累了，今天问你问题还是明天问你呢？

朱镕基：看问什么问题，问轻松的问题我就不累。

记者：现在有个问题跟香港有关系。5月24日，你将会见香港去内地西部地区考察的代表团。你会提供什么信息给香港商界和政府的代表？

朱镕基：我不能说内地西部地区大开发会给香港的商界提供哪些商机，这个商机要由他们自己去找，我也不能保证每一个商机都能赚钱。比如说，唐英年[1]先生的父亲，在新疆很早就开了一个天山毛纺厂，应该说他办得是很成功的。所以，真正好的商机还得要靠自己去找。我也可以把话说在前面，赚钱也不是那么容易的。为什么呢？现在西部地区最需要的是基础设施的建设，这要有大量的投资，回报率又不高。中央政府已经下定了决心，一定要搞。大量的投资将用于基础设施建设，如铁路、公路、空港、城市建设、环境整治等等。加工工业的竞争力就比较差一点，为什么呢？太远了，离中部、东部市场太远。所以，如果在西部地区搞加工工业，就得搞高科技的、不需要很大运输量的产品。

记者：那高科技是指哪些方面呢？

朱镕基：各方面都有，包括信息产业等等，这些是可以搞的。

记者：香港是一个融资中心，可以发挥这个力量，很多港资银行和外资银行在香港的分公司都希望能够在内地西部地区开设分行。在这一点上，中央政府会不会给予他们一些优惠的条件呢？

朱镕基：在内地开银行是有条件限制的。到目前为止，我知道恐怕还只有一家东亚银行具备这个条件，其他银行还不具备这个条件。

记者：中央政府对代表团有什么希望，让他们去看一些什么东西？

[1] 唐英年，当时任香港工业总会主席、建造业检讨委员会主席。其父唐翔千为第六届全国政协委员，第七届、八届、九届全国政协常委，香港半岛针织厂主席、美维科技集团主席。

朱镕基：我想他们去看一下是非常好的，可以加深对内地的了解。中国不是一个简单的国家，中国有东部、中部、西部，有富裕的地区，也有贫困的地区。他们去了解一下内地的全部面貌，对香港的知名人士是有好处的。

记者：过去香港商界依靠内地东部地区的发展取得了很多机会。这次西部地区的发展，你看会怎么样？

朱镕基：东部地区的发展，当然还是很有前途的，但是也得要找更新的机会了。要到中部、西部去看一看，应该去了解中部、西部，才能够找到适合在内地市场发展的机会。

记者：随着中、西部地区的不断发展，中央政府所采取的一些经济措施都是很开放、很有弹性的。那么，在沿海的4个经济特区还是不是特区，对它们的优惠政策还会继续下去吗？

朱镕基：现在特区已经不“特”了，已经没有什么特别优惠的政策了，全中国都是一样的。我们并不按地区来优惠，而是按产业来优惠。对需要发展的一些产业，如高新技术产业，我们会采取优惠政策，不管它们在什么地区都一样，而不是只在特区才有这个政策。

记者：想请教一下关于人才引进问题。内地已经引进了很多香港的专才，但是能不能吸引到足够的专才，内地本身的人才会不会觉得有压力呢？

朱镕基：有压力才有进步嘛。我们不否认中国内地也是有人才的，但是在国际竞争力方面还是差一点，对国际市场的知识还差一点。在这些方面，香港还是有一些人才的，是我们很需要的。

记者：你现在找到央行副行长的人选了吗？

朱镕基：可以当副行长的人很多，就看他愿不愿意来了。

在爱尔兰谈中国经济等问题*

（2001年9月3日至4日）

（2001年9月3日上午，与爱尔兰总理埃亨在国宾馆院内散步后）

记者：现在美国经济增速的放缓是不是对世界经济的影响很大？有报纸说你曾经指出要把美国对中国经济的影响看得严重一点，那你现在还有没有信心保持7%的经济增长速度呢？

朱镕基：这一点我们在去年11月的中央经济工作会议上就指出来，这个影响我们把它估计得严重一点比较好。到今年三四月份，我们对美国经济增长放缓看得更加清楚了，因此我确实也在警告大家，要注意到这种影响。这种影响果然来得很快，主要是出口一路下降，当时我是指增速的下降而不是绝对值的下降，但是到6月份时绝对值也下降了，6月份当月的出口比上一年的6月份下降了0.6个百分点。所以，我们当然对这个问题很警醒，采取了各种解决措施。由于中国的内需很大，而且我们从去年开始就作这个准备，扩大内需，因此，对美国包括对日本出口的停滞或稍有下降，不会影响到我们经济的发展速度，更不会影响到我们的国际收支平衡，因为中国有差不

* 这是朱镕基总理在访问爱尔兰期间接受香港记者采访，谈中国经济等问题。

2001 年 9 月 3 日，朱镕基在都柏林与爱尔兰总理埃亨举行会谈后共同会见记者。
（新华社记者齐铁砚摄）

多 2000 亿美元的外汇储备，在国际收支平衡方面不会发生任何问题。相反，今年以来，外汇储备还增加了 140 亿美元，这当然主要不是完全靠出口，还包括我们在海外发行股票筹集的资金。现在看起来，通过我们从投资和消费两方面拉动内需，经济增长速度我想今年总还是有 7% 到 8%，不敢具体说七点几，但肯定会超过 7%，我有充分的把握。

记者：似乎香港特区在这方面的预测不是太准确，要再度调低整个年度经济增长速度的预期。

朱镕基：是要调低到 1% 吧？

记者：对。香港经济上半年的表现不尽如人意，尤其是第二季度的进出口和转口贸易几乎是零增长。随着内地加入 WTO，香港作为中转港的地位将会消失。你看内地加入 WTO 后，香港怎么样依靠内地做后盾？

朱镕基：是的，由于以美国为首的发达国家经济增长速度趋缓，内地的出口减少，当然会影响到香港的转口，因此对香港经济的发展也会带来一定程度的影响。但也未必那么悲观吧，香港经济增幅比 1% 还是可以多一点吧，我想。

记者：香港现在似乎情况已经不是太好了，除了进出口减少以外，内部的消费也不振，因为人们都跑到深圳去买东西了。

朱镕基：香港人到深圳去买东西，正如美国人买中国的东西一样，对双方都是有好处的，不是只对一方有好处。

记者：你看是不是可以把加大珠江三角洲的合作，作为香港未来发展的路线？

朱镕基：我想，香港经济的发展还是要背靠祖国，背靠内地，在这方面我并不悲观。内地的经济好，香港的经济坏不了。我觉得香港应该团结一致，发扬民主，大家来讨论。很多问题需要讨论，应该采取一些怎么样的对策。但是，也不能老是议而不决，决而不行。确定了以后，大家都要全力以赴，团结一致向前奔。就得靠这种精神。我想，只要有这种精神，香港没有问题。No problem（没问题）！

（2001 **年** 9 **月** 4 **日下午，参观香农开发区凯里郡时**）

记者：总理，问你个问题。下星期 WTO 工作组将会召开最后一次会议，你看这次中国加入世贸组织会成功吗？

朱镕基：我希望如此，但是也不知道是不是又会蹦出一个什么问题来。

记者：目前看，是不是情况还是比较乐观呢？

朱镕基：现在提出的问题基本上都能够解决，就是在保险公司这个问题上美国和欧盟有不同意见，我们夹在中间非常为难。

记者：有一种说法，内地有一些行业，比如说电信、保险、农业等，加入 WTO 以后，对它们的冲击会很大。你觉得它们是不是已经完全有心理准备，应对加入 WTO 后受到的打击？

朱镕基：心理准备是有的，但冲击确实很大，有些也会出乎我们的意料之外。

在文莱谈中国与东盟的合作等问题*

（2001 年 11 月 4 日至 6 日）

（2001 年 11 月 4 日傍晚，抵达下榻的斯里巴加湾兰花园饭店时）

记者：建立中国—东盟自由贸易区的建议可以落实吗？

朱镕基：我们提议在 10 年以内建成。

记者：中国加入 WTO 后，会向东盟发出什么样的信息？

朱镕基：对大家都有利，中国将更加开放，其他国家有更多的商机。

记者：中国有机会取代美国和日本，成为区内最大的经济和贸易的合作伙伴吗？

朱镕基：这个由你们来看，我从来不吹牛皮。

记者：会不会担心美国经济影响中国加入 WTO 以后的发展呢？

朱镕基：美国"9·11"事件以后已经影响了中国的经济发展，今后还会有更大的影响。

记者：那有什么准备吗？

* 朱镕基总理于 2001 年 11 月 4 日至 7 日，在文莱出席第五次东盟—中日韩领导人会议、东盟—中国领导人会议及中日韩三国领导人非正式会晤。这是朱镕基在访问期间接受香港记者采访，谈中国与东盟的合作和中国加入世贸组织等问题。

2001 年 11 月 5 日，朱镕基在文莱斯里巴加湾市同出席第五次东盟—中日韩领导人会议的文莱苏丹哈桑纳尔·博尔基亚（右二）、日本首相小泉纯一郎（右一）、韩国总统金大中（左一）合影。（新华社记者齐铁砚摄）

朱镕基：回答这个问题要很长时间，我得向你作一个报告才能说清楚。

记者：总理，东盟的国家也很担心“9·11”事件以后区内的经济会受到影响。

朱镕基：现在已经受到影响了。

记者：那你会怎么跟他们合作呢？

朱镕基：我想，我们东亚地区应该加强合作，依靠自己，也依靠我们区内的合作，来抵消“9·11”事件以后世界经济对我们的负面影响。

记者：有什么具体的合作计划吗？

朱镕基：稍微等一等。如果你都问完了，以后我见到你就没话讲了。

（2001 年 11 月 5 日上午，在先得坊饭店出席中、日、韩领导人早餐会后）

记者：总理你好，能不能说一下，今天早晨跟日、韩两个国家的领导人谈的什么，有什么新闻？

朱镕基：有什么新闻？都是旧闻。

记者：没有在经济方面提出什么新的建议吗？

朱镕基：那无非是在中、日、韩范围里怎么进一步加强合作嘛。在信息工作方面、环境保护方面等等，都进行了三个国家的部长们的会晤，讨论如何进行合作。我们提出三国的经济部长进行会晤，大家都赞同；日本提出三国的外交部长进行会晤，韩国提出在人员交流方面进一步加强，我们也表示赞同。因为明年是中韩建交10周年、中日建交30周年，我们在去年就决定将它办成一个友好交流年，人员互相交流，三国的文化、艺术、旅游活动都开展起来。我想明年这样一个活动，既可以促进中、日、韩三国的人民世世代代友好，拉近他们之间的感情；又可以促进三国的旅游、民航这两个最困难行业的发展，这都是有好处的。

记者：韩国方面说中国有很多“福气”，但是这个“福气”没有跟人家分享。你觉得中韩两国会怎么样合作？

朱镕基：你怎么听见了？我跟金大中总统是讲了中国今年的“福气”特别多。金大中说，分一点“福气”给他，就是让我们支持世界博览会在他们的丽水举行。

记者：现在区内的经济，中国是表现比较突出的。其他的经济体对中国有什么期望，你会不会觉得有压力？有的经济体希望中国这样做，有的经济体希望中国那样帮助它。

朱镕基：我想我没有任何压力，我最主要的是把中国的经济搞好，在中国经济能够搞好的情况下，对其他国家也是一种贡献，也是有利于它们保持繁荣和稳定的。只有我们自己搞好了，我们才有能力同他们进行交流啊。韩国要向我们卖CDMA产品，我们经济好，就可以买得更多，买他们的产品买得更多，是不是？我们的经济好，开展旅游啊，各方面的交流啊，也会搞得更好。所以，我是一心一意搞好中国的经济，这对区内就是一个支持。

记者：总理，“9·11”事件对中国的负面影响现在是不是还没有出现？

朱镕基：主要在出口方面，现在是刚见端倪，真正的影响在明年。

记者：那怎么办呢？

朱镕基：请你相信我，总是有办法的。

记者：最主要的办法是哪些方面呢？

朱镕基：扩大内需，通过扩大我们自己国内的需求来拉动国民经济的发展。另外还有一条，中国目前是世界上最安全、最稳定的投资场所。今年1至9月份直接的外国投资比去年同期增长20%以上，我相信明年还会越来越多。这方面可以抵消一部分出口减少的影响。我们还是乐观的。

（2001年11月5日下午，在国际会议中心出席“10+3”会议后）

记者：总理，今天开会时间蛮长的，超时了。

朱镕基：本来中、日、韩领导人一人讲一小时，我一个人占了两小时，把人家的时间都“侵占”了。

记者：那有什么成果啊？

朱镕基：成果很好，我所提出的意见通通被他们接受了，中国参加东盟自由贸易区，大家都一致赞成。

记者：什么时候可以签订协议？

朱镕基：会议主席文莱苏丹陛下已经指示下一个层次的官员进行商讨。

记者：在自由贸易方面，中国对东盟国家有什么承诺？

朱镕基：它的名字就叫自由贸易区。怎样达到完全的贸易自由？

我相信是一个分阶段的过程，会有一个协议。

记者：对老挝等三国提供的10年优惠关税待遇是不是第一步？

朱镕基：对。中国会向东盟国家里面最不发达的国家提供最优惠的关税待遇。

记者：这样做，建立中国—东盟自由贸易区的目标，在10年以内能不能实现呢？

朱镕基：我们定的目标是10年以内。从5年到10年，都在10年以内。

记者：中国—东盟自由贸易区如果真的建成的话，就是全世界第三个最大的自由贸易区了，这标志着什么？

朱镕基：我想，它的意义就在于，它是世界第三个最大的自由贸易区。

（2001年11月5日下午，在国际会议中心出席“10+3”会议后）

记者：中国和泰国的货币互换协议，内容是怎么样的？两国货币是不是可以自由兑换？

朱镕基：不是自由兑换，而是在一方如果需要的时候，比方说，外汇出现短缺的时候，可以用本国的货币来兑换对方的货币。泰国可以用泰铢来换人民币；我们如果需要的话，也可以拿人民币到泰国去换它的外汇。当然，我们不会有这个需要，因为我们的外汇太多了，外汇储备已经超过2000亿美元了。就是说，如果泰国出现支付困难就会有这个需要，但是那等于是我们借给它的，它将来还要还给我们的。

记者：其他国家呢？

朱镕基：我们现在已经跟泰国达成了协议，有20亿美元的互换额度，跟韩国也基本达成了互换20亿美元的额度，跟日本也达成了互换30亿美元的额度。其他国家如果需要的话，我们也可以跟他们签订这种协定。这是上一次在泰国清迈开会时提出的倡议，即货币的互换。

记者：*是你今年5月访问泰国的时候基本达成的？*

朱镕基：基本达成了，他们的政府已经批准了，现在要经过议会的最后签字。

记者：*为了防范以后的风险？*

朱镕基：是为了防范以后可能遇到的货币风险，在国际收支发生不平衡的时候，防范这种风险。也许根本都不需要，要是大家都没遇到这个风险就不需要。

记者：*有没有谈到自由贸易区的问题呢？大家的看法怎么样？*

朱镕基：这个问题还没有提到今天的“10+3”首脑会议上，在下面的部长级会议上是要谈论这个问题的。有些领导人在发言里面也谈

2001年11月6日，朱镕基在文莱王宫会见文莱苏丹哈桑纳尔·博尔基亚。

到这个问题，但是没有展开进一步的讨论。

记者：看来，这个问题在2002年新年前是没有什么结果了。

朱镕基：东盟内部实行贸易自由化，他们已经有了一个时间表，他们自己会实行，而且很快。中国同东盟地区实现贸易自由化，这决定于我们，我们不同意就不可能实行；我们同意，他们当然就很欢迎，就没有问题。

记者：今天会不会达成什么协议呢？

朱镕基：我想，在明天的“10+1”会议上可能会谈到这个问题。

（2001年11月5日傍晚，在国际会议中心主会议厅出席文莱苏丹举行的晚宴前）

记者：中国加入世贸组织那一天，你的心情会怎么样，期待吗？

朱镕基：他们说是10日[1]嘛。

记者：10日晚上？

朱镕基：他们说是。

记者：会有庆祝活动吗？

朱镕基：无所谓了。参加了也好，也带来好多问题，伤脑筋了。

记者：加入WTO谈了15年了，从黑头发谈到白头发，你感觉怎么样？

朱镕基：那倒不是我。谈判的人是从黑头发谈到白头发了。

记者：在这个时间完成了，你感觉怎么样？

朱镕基：我一贯讲我感觉不怎么样，因为有利有弊。我们自己努力，搞得好，利大于弊，搞得不好，弊大于利，所以没什么很值得特

[1] 2001年11月10日下午，世界贸易组织第四届部长会议在卡塔尔首都多哈以全体协商一致的方式，审议并通过了中国加入世贸组织的决定。

别高兴的。如果说高兴的一点，就是终于实现了我们的平等权利，中国这么大的一个国家，怎么能够被排除在 WTO 以外呢？我们有这个权利参加。

记者：作为一个中国人，觉得应该是一件开心的大事嘛。

朱镕基：我想是应该。大家都开心，就我一个不开心。

记者：为什么就你一个不开心呢？

朱镕基：我伤脑筋。

记者：现在你最担心发生的问题是什么？

朱镕基：我想，最大的问题是农业。工业的竞争，应该说我们没有很大的问题。服务行业我更不担心，因为中国缺乏现代的服务行业，让发达国家进来好了，打垮谁？谁也没打垮。我最担心的是农业，因为他们的农业是现代化生产，成本比我们低得多，价格比我们低得多，如果他们大量向中国倾销农产品，就会带来中国农民收入的减少，这对中国将是一个最大的问题。所以，我讲我不开心是夸大一点，就是很担心；或者不要讲不开心，就讲很担心，担心的是什么？是农业。

记者：有没有信心？

朱镕基：要没有信心解决的话，我们就不进去了。但是很伤脑筋啊，这个问题不大容易解决。

（2001 年 11 月 6 日上午，出席“10+1”会议前）

记者：请问一下，在“10+1”会议上会不会谈到铁路的问题？新加坡到昆明的铁路。

朱镕基：我想会提到的。肯定会提到的。

记者：关于建立中国—东盟自由贸易区问题，今天会有结果吗？

朱镕基：我想会有个结果的。据说东盟内部讨论已经表示同意了。

记者：现在日本、韩国也要同东盟搞自由贸易区？

朱镕基：东盟现在还没有开始跟他们谈，准备开始跟他们谈。

（2001年11月6日上午，在国际会议中心出席“10+1”会议后）

记者：建立中国—东盟自由贸易区会有什么好处呢？

朱镕基：我想对双方都有好处，可以促进商品流通，消除一些关税壁垒和其他方面的壁垒。

中国并不想通过这个措施来增加自己的出口，我们赞成互利合作。马哈蒂尔总理今天讲得很好。朋友好了我们也好，我们好了别忘记朋友。这就是我们的原则。

记者：内地的股市还要继续整顿吗？

朱镕基：如果证券市场本身不健康的话，那吸引外资以后危险很大。这一点我们还没有把握，我们现在下很大的力气来整顿。

记者：怕不怕一整顿，股票市场就会“死”？

朱镕基：我想，越整顿就越表现出政府加强监管的决心，股民对股票市场就更有信心。

记者：那二板市场呢？

朱镕基：如果A股市场还没有整顿好，就贸然地开二板市场，我们担心会重复现在主板市场的一些错误和弱点。所以，我们希望把主板市场整顿得更好一点，为二板市场也创造一些条件。对二板市场建设，我们要吸收世界各国也包括中国香港地区的经验，其中有好多是不成功的经验。我们要吸收它们的经验。

记者：你觉得香港二板市场现在发展的问题，是不是外汇管制问题？

朱镕基：这是你昨天讲的“北水南调”问题，那不是中国证监会跟香港方面都有很多沟通吗？让他们商讨吧。

在孟加拉国谈中孟合作等问题*

（2002 年 1 月 11 日至 12 日）

（2002 年 1 月 11 日下午，在达卡总理府与孟加拉国总理卡莉达·齐亚举行正式会谈前）

记者：请谈谈你这次对孟加拉的访问。

朱镕基：我这一次到这里来，不但是为了加强同孟加拉国的双边关系，对促进地区的经济发展，对稳定地区的和平，也可以尽我们自己的力量。

我很佩服你，你到阿富汗去了吧？

闾丘露薇：对。

朱镕基：了不起。

闾丘露薇：谢谢总理。我们知道中国马上会跟孟加拉国就《曼谷协定》[1]的具体事项签订协议，这是否违反了 WTO 的有关规定？

* 应孟加拉人民共和国总理卡莉达·齐亚邀请，朱镕基总理于 2002 年 1 月 11 日至 13 日对孟加拉进行正式访问。这是朱镕基在访问期间接受香港记者采访，谈中孟合作等问题。

[1] 《曼谷协定》：1975 年 7 月，孟加拉国、印度、老挝、韩国、斯里兰卡、菲律宾、泰国在曼谷达成《亚太经济社会发展中成员国之间贸易谈判第一协定》，通称《曼谷协定》。这是在联合国亚洲及太平洋经济和社会理事会主持下，在亚洲发展中国家

2002 年 1 月 11 日，朱镕基在达卡总理府与孟加拉国总理卡莉达·齐亚举行会谈。
（新华社记者饶爱民摄）

朱镕基：我们签订协议自然是要符合 WTO 的规则。当然，我们也有地区的安排，也有“一国两制”等等，但总还是要符合 WTO 的原则。

（2002 年 1 月 12 日上午，在主持中国援建的“孟中友好会议中心”交接仪式后）

记者：你对最近日元贬值有什么看法？

朱镕基：我不想说得太多了，小泉首相正在访问东盟五国。我也是一国的总理，我说得太多不太好。

记者：日本一直不肯作出承诺。虽然它同亚洲国家（像泰国、新加坡）也签订了一些协议，希望参与多一些，但是，是不是日元对整

间达成的一项优惠贸易安排。现有 6 个成员国，即韩国、斯里兰卡、孟加拉国、印度、老挝和中国。中国自 2001 年 5 月 23 日起正式成为《曼谷协定》成员国，并于 2002 年 1 月 1 日起实施该协定。

个亚洲的影响不是很大？

朱镕基：我想，小泉首相这一次访问东南亚一些国家，听一听这些国家的意见，是很有好处的。他对日本产业结构的调整有很大的决心，我希望他能够成功。

记者：其他一些周边国家的货币会跟随日元贬值。中国在这种情况下怎么办？

朱镕基：现在已经有一些国家没有办法，只好也跟着贬值。我们还是要尽量克服困难，保持人民币币值的稳定。

（2002 年 1 月 12 日下午，在与孟加拉国总理卡莉达·齐亚举行正式会谈后）

记者：日元贬值对于中国人民币会不会带来影响？

朱镕基：当然会带来影响，对整个亚洲金融都会带来影响。

记者：人民币会不会像在 1997 年那样坚持不贬值，来稳定整个亚洲？在目前情况下，中国的货币情况会怎么样？

朱镕基：中国一直是要坚持人民币不贬值的方针。但是，目前日元贬值的形势对亚洲金融都不利，对我们也形成很大的压力。

记者：在出口方面有什么影响？我们坚持人民币不贬值，已经付出了很大的代价。

朱镕基：我希望日本政府能够注意这个问题，注意到亚洲国家的反应。

记者：中国政府有什么措施？

朱镕基：这个措施应该由日本政府来采取，因为有的国家没有什么反应，有些国家有反应，就是跟着一起贬值。中国没有那样做。

记者：大家都说，在这个局势下，谁都不是赢家。

朱镕基：当然都不是赢家。我想，这种贬值也未必会对日本的经济有什么很大的促进。

在印度谈中印关系等问题*

（2002年1月14日至18日）

（2002年1月14日下午，在下榻的新德里泰姬宫饭店）

记者：有一些报道说，这次你如期访问印度，表现了中国在地区安全上承担的责任。你是怎么看这次访问的？

朱镕基：我早就决定要访问印度了，本来应该是去年11月份，后来由于国内的原因推迟了一点。

记者：由于发生了美国“9·11”恐怖袭击事件，再加上印巴局势紧张，大家很担心这次访问会改变。你从什么样的角度来考量这次如期来访的出发点和目的？

朱镕基：我们商定访问日期的时候还没有发生“9·11”事件，不能因为发生了“9·11”事件就不来了嘛。

记者：香港觉得内地的发展速度快，对香港的发展来讲有好处。你觉得内地今年的情况可能不会比上年好，对香港来说会有什么影响？香港还是会好吗？

朱镕基：香港肯定会比去年好。内地只是增长的速度可能会

* 应印度共和国总理阿塔尔·比哈里·瓦杰帕伊邀请，朱镕基总理于2002年1月13日至18日对印度进行正式访问。这是朱镕基在访问期间接受香港记者采访，谈中印关系等问题。

低一点，比方说，去年7.3%，今年也许是7%，也许7.1%，也许6.9%，这都有可能，但总而言之，内地增长对香港只会有好处，没坏处。

记者：香港的失业率比较高一点，很多香港人都希望回内地去发

2002年1月14日，朱镕基出席印度总理瓦杰帕伊在新德里总统府举行的欢迎仪式。

（新华社记者兰红光摄）

展，你觉得这个途径如何？

朱镕基：我回答过这个问题。我说，内地的失业率比香港的还高。

记者：如果内地经济的增长缓慢下来，对香港有什么影响？

朱镕基：7%的速度不缓慢了，在全世界是最高的。

记者：香港公务员的薪金都降低了，你觉得香港要怎么面对呢？

朱镕基：降不降低不是还在研究嘛，据我所知。

记者：香港特区政府现在还是在研究啊，你觉得是该减少还是应该保持现状？

朱镕基：这是香港内部的事务。我对这个问题没有研究。

（2002年1月15日上午，在下榻的新德里泰姬宫饭店会见中国驻印度使馆工作人员后）

记者：今年内地的经济增长情况会怎么样？

朱镕基：今年内地经济增长7.3%，我估计有困难，但是，我们还是要尽力达到7%，尽力做到这一点。

记者：困难在哪里呢？

朱镕基：困难就是出口，没有其他任何困难。很多外电的报道都是不准确的，他们总是希望中国不好。不是这样的情况嘛。困难就是因为发达国家经济衰退，对我们的进口会减少，他们也采取种种手段限制我们产品的出口。我们出口缺的这一块，要用国内的需求补上来，而要补上来有一定的困难，是不是？所以，想再达到去年那么高的水平，有一定的困难。

记者：你们会采取扩大出口市场的策略吗？

朱镕基：实行出口市场多元化，增加对俄罗斯的出口，增加对印度的出口，增加对发展中国家的出口，不要把“鸡蛋”都放在美国、欧洲、日本一个“篮子”里。

记者：你觉得美国经济什么时候能复苏？

朱镕基：他们自己都说不清，我能说得清吗？

（2002年1月16日上午，在下榻的孟买奥柏罗伊饭店）

记者：在金融方面，国有银行会不会成为今年工作的重点？

朱镕基：是的，我们对国有商业银行今年要加强整顿。

记者：为什么？

朱镕基：2月份可能要开一个会。为什么？因为金融系统很重要，日本经济衰退是因为它的银行系统存在一些问题。我们应该吸取这个教训，对银行工作应该十分重视。

记者：有报道说，银行会有一些人事变动，这样会不会使外界对中国银行体系没有信心？

朱镕基：那怎么会呢？银行人事经常变动，外国银行的人事也是在经常变动。人事的变动不足为奇。

记者：请问，过去几年中国都是用积极的财政政策去拉动经济，因而不可避免地会有赤字，这会不会影响到中国的经济基础呢？

朱镕基：很多国家都有赤字，美国现在也有赤字，关键是看赤字的规模有多大。我们现在的赤字规模远在世界公认的警戒线以下，没有什么问题。

记者：香港的赤字问题现在很严重，特区政府觉得没有什么解决的办法。

朱镕基：我觉得香港现在的赤字不算严重。

记者：今年，内地公务员又要加工资，会对财政造成压力吗？

朱镕基：我们经常性的财政收支都是平衡的。现在我们发行的一些国债都是建设性国债，主要是为了开发西部地区。我们不是依靠赤字来增加工资，而是依靠经常性的财政收入，这一点是肯定的。

你想想，我们去年财政收入差不多增加了 20%，这是全世界都少有的。

记者：《香港特别行政区基本法》里面说，赤字不能长期存在，因为要量入为出。你觉得现在香港持续几年都是赤字，会违反《香港特别行政区基本法》吗？有什么解决的办法？

朱镕基：没有你讲的那么严重，刚出现赤字。

记者：过去几年都有经常性的赤字，但是还不知道是不是结构性的赤字。未来几年如果经济不好还出现赤字的话，会违反《香港特别行政区基本法》吗？

朱镕基：你这都是假设。我认为，不会像你讲的那么严重。我对香港的情况不太了解，但是我认为，现在香港的财政并没有什么很大问题。

记者：是因为有 400 亿美元的财政储备吗？

朱镕基：那不也是过去积累下来的嘛。

记者：你觉得如果香港有赤字的话，应该怎么样解决？

朱镕基：这不需要我来解决，特区政府都已经有办法在解决了。

（2002 年 1 月 17 日上午，参观班加罗尔信息技术园区时）

记者：你对印度的印象怎么样？这里的软件业要发达一些？

朱镕基：比我们的要先进。

记者：那你觉得合作的机会是不是很大呢？

朱镕基：我想应该是这样。我们在软件技术方面落后于印度，他们软件的出口现在是全世界第一，他们有很多人才。我们在硬件方面应该说是已经掌握了包括集成电路在内的硬件生产技术，我们现在电话的容量也是世界第一。中印在这两方面互相结合，对促进彼此的技术发展都有好处。

记者：现在内地和香港跟好多地方一样，都经历一个经济转型时期，你觉得怎么解决由此带来的失业和人才问题？

朱镕基：要广泛地吸引人才。中国非常注意发展教育，培养自己的人才。中国也有很多人才到全世界去了，他们现在有很多人准备回来。我们一视同仁地吸收所有愿意参加中国建设的人才，来解决产业结构调整对人才的需求。

记者：你觉得什么优惠政策能够吸引海外华人到中国来？

朱镕基：优惠政策就是，我们基本保证他有和他在海外差不多的生活待遇。我想不光是一个待遇问题，主要是在中国能够保证他事业的发展，也有比较好的生活环境，稳定的生活环境。

记者：关于经济转型问题。比如说农业靠技术，那些农民如果失业了，怎样在高科技的社会给他们一个工作的机会？

朱镕基：你讲的经济转型，就是我们讲的产业结构调整。中国的农民问题是一个很大的问题。现在的农民也在转型，在调整他们的种植结构，他们并不完全种粮食了，可以去种蔬菜、花卉等等，在沿海地区生产的一些花卉甚至能够出口到荷兰的市场上去。同时，农村也在发展小城镇，这样可以使农民有更多的生机，有更多的出路。当然，这需要一个比较长的过程。目前，农村的劳动力是有富余的，他们到城里打工的也很多，城里有很多工作，城里人不愿意做，只有乡下人愿意做。就好像在你们香港，都不愿意当保姆，只好请别人。

记者：低技术的工人没有工作，这是因为转型的问题。你觉得是不是教育和培训人才是最主要的解决方法？

朱镕基：是。要适应产业结构调整的需要，大力地培训人才。所以，我们非常重视教育，教育经费的比重每年都在提高。

记者：香港特区政府经常说，香港人可以北上去找机会。在内地能不能够找到机会创业？你有什么忠告给他们？内地需要什么人才？

朱镕基：我是最欢迎香港人才到内地来的，我是最积极的，证券行业我已请了4位了，银行业我还准备请。我欢迎他们来，但是他们是不是都能够找到职位，那我就不清楚了。因为有各种各样的需要，有的人能够找到，有的人也许就找不到，但总的我们是欢迎的。

（2002年1月18日上午，在班加罗尔机场）

记者：中国是不是要通过减息来促进消费呢？

朱镕基：你是讲我们的利息政策吗？现在还是有减息的空间，但是，是不是会减，或者减多少，我们还正在研究。

记者：如何使城乡居民把存款取出来，有效地促进消费呢？

朱镕基：中国人有一个传统的习惯，就是宁愿多储蓄而不愿意多消费。这种习惯现在也在逐步地改变，比如说最近的旅游，假日旅游发展得非常快，也就是说中国人现在也习惯于消费了，但储蓄额还是很大的。我们现在利用储蓄的最好方式是发国债，国债是向银行发行的。因为银行要把存款完全贷出去并不很容易，所以，政府从银行里把储蓄借出来，银行得到好处，同时，政府利用这个钱来发展基础设施建设。

记者：总理，存款增加那么快是说明大众市民还是没有信心消费吗？

朱镕基：不是没有信心，而是消费增长还赶不上储蓄增长快。应该说消费增长也还是很快的，现在买汽车的人很多，而且越来越多，但是储蓄还是很多。所以，如果降一点利息能够促进一下消费，未尝不是一个好办法。我们还正在考虑，没有做决定。

记者：香港昨天公布失业率超过了6%，比日本、新加坡还要高。你觉得香港人应该怎样面对经济不景气的现状？

朱镕基：这个问题，你们在路上已经问过我多次了。我已经讲

2002年1月18日，朱镕基圆满结束对印度的正式访问，与印度卡纳塔卡邦邦长戴维在机场话别。 （新华社记者兰红光摄）

了，特区政府自己有办法来解决这个问题，不需要我来发表意见。

记者：你对香港有什么鼓励的话要说？

朱镕基：我每次回答你的问题都鼓励了，就是香港特区政府可以解决自己的问题，没有问题的。没有什么大不了的问题，天塌不下来。

记者：谢谢。

朱镕基：我向你们表示感谢，你们工作的精神令我十分钦佩，希望你们继续努力。

记者：香港回归5周年的时候，你会来香港吗？

朱镕基：我希望去。

在土耳其谈中土经贸关系等问题*

（2002 年 4 月 15 日至 18 日）

（2002 年 4 月 15 日下午，在下榻的安卡拉喜来登饭店）

记者：想问一下，今天国航一架飞机在韩国发生了意外，你是不是担心会影响人民对国航的信心？

朱镕基：我们觉得很沮丧，因为中国国际航空公司从新中国成立以来从来没有摔过一架飞机。飞机为什么会爆炸，我们现在还搞不清楚。我们只知道这架飞机上有 155 个乘客，有 11 个机组人员，大概生还的有十几个人吧。

记者：那会不会成立一个专门的小组去调查？

朱镕基：肯定。我也是今天动身上飞机的时候才知道这件事的，详情还不太了解。

记者：那会不会影响民航业的重组呢？

朱镕基：没有那么严重吧。当然，我们不希望这样的事情发生，但摔飞机也不只是发生在中国。是不是？

* 这是朱镕基总理在访问土耳其期间接受香港记者采访，谈中土经贸关系等问题。

（2002年4月16日下午，在下榻的安卡拉喜来登饭店会见中国驻土耳其使馆工作人员后）

记者：你觉得中国和土耳其之间用什么方式去改变目前贸易逆差比较大的问题呢？

朱镕基：逆差说大也不大，说不大也还有一点，几亿美元。土耳其总理说，今年的中土贸易逆差有7.4亿美元，我们算起来只有4亿多美元，这并不是一个很大的问题。我想，最根本的问题是想办法在土耳其合资办厂，利用它跟欧盟的关系，把产品出口到欧盟去。这样的话，把“丝绸之路”再捡起来，而且把它延长到欧洲，我想这对中土两国都是非常有利的。当然在产品方面，我们也会想些办法促进双方的贸易平衡。这方面我想我们还有一些框框，我们一些进出口管理部门总怕进口产品在中国的市场上会把中国的企业打垮，实际上，有些企业就是应该被打垮。

记者：总理，今年中国第一季度的国内生产总值是增长7.9%吗？

朱镕基：7.5%。

记者：你刚才也说欧洲一些国家采取贸易保护主义政策，那会不会影响今年中国的国内生产总值增长？因为第一季度的财政收入增长不理想。

朱镕基：第一季度的财政收入之所以比预期的要差一点，就是因为关税降低了。关税降低3个百分点是一个很大的事情，这是实打实的，关税收入是我们财政收入很重要的一部分。我相信在今后3个季度里，我们会通过其他一些措施，使财政收入能够达到预期目标。加入WTO以后，外国的产品会更多地进入中国市场，特别是农产品，当然也有利于我们的产品走出去。有竞争才能使中国经济发展的质量提高，否则只顾数量，都是假冒伪劣，那不是害人吗?!

记者：欧盟对我们的产品是采取反倾销措施的。现在我们是世贸成员，我们如何充分利用世贸的机制来解决这个问题，我们有没有足够的人才来解决这个问题？

朱镕基：人才在任何时候都是不够的，我们正在努力解决这个问题。通过我们做工作，欧盟在这方面的态度正在逐步地改变。我想，我们会利用各种手段，通过 WTO 的机制，来跟他们谈判，促使他们取消这些制裁。否则，你老制裁我的话，我也要制裁你了。

（2002 年 4 月 18 日上午，参观圣索菲亚博物馆时）

记者：你昨天说咱们国家要发展经济的话，扩大内需就够了，这是不是意味着积极的财政政策要进一步调整？

朱镕基：没有这个意思。你总是会把我的话解释成很多意思。

记者：昨天上午财政部长项怀诚的讲话，我们理解可能财政措施要变通。

朱镕基：没有，根本没有这个意思。我们还要继续执行积极的财政政策，恐怕还要执行一段时期。要扩大内需，与此同时也要“打出去”。不是“打出去”，说错了，是“走出去”。要是不“走出去”，光靠内需也不足以推动经济快速发展。是这个意思，不是要改变现行的政策，与此同时还要“走出去”。

记者：“走出去”的力度要多大？

朱镕基：这个力度并不决定于我们自己想要多大，而决定于我们有多大的竞争力。随着我们竞争力的加强，我们可以“走出去”更多；如果我们竞争力不强，我们也走不出去。是不是？

（2002 年 4 月 18 日下午，乘船游览博斯普鲁斯海峡时）

记者：世界经济有向上调整的趋势，你怎么看？如果美国经济好转的话，对中国的经济发展会带来什么样的影响？

2002 年 4 月 18 日下午，朱镕基与夫人劳安在博斯普鲁斯海峡合影。

（新华社记者鞠鹏摄）

朱镕基：美国经济的复苏或者向上的调整，对我们经济的发展有很大的好处。我们去年估计今年经济环境的时候是估计得比较困难的，现在根据第一季度的情况来看，由于美国经济的复苏、世界经济的看好，中国经济的发展比我们预想的要好一些。

记者：中国会不会因为外围因素的好转，调高全年的经济预期？

朱镕基：不会。还有很多的因素不明朗，看得不是很清楚，有各方面的估计。

记者：你觉得如果外围因素好转的话，对中国今年的出口会不会带来一定的好处？

朱镕基：原来我估计今年中国的出口是零增长，但是根据第一季度的情况看来，我们的进出口总额大概会增长百分之七八吧。

记者：世界一些国家都在加息，中国要通过减息来刺激内需，这会对中国未来利率带来一些什么影响?

朱镕基: 现在中国的利率政策不会有什么改变，因为我们认为还是稳定比较好。美国现在的利率政策也是在变化之中，一会儿加息，一会儿减息。我们的情况跟他们还不完全一样。

记者: 要“走出去”的话，是先到一些像土耳其、埃及那样的国家吗?

朱镕基: 你讲得很对。进入一些发达国家的市场是很不容易的，它们采取各种限制和技术性的壁垒，一天到晚对你进行反倾销，一天到晚说你的产品今天不合标准，明天又检验出什么问题，很不容易进去。对一些发展中国家，我们有一些产品对它们也许是比较适合的。

记者: 有些人形容你有点像中国的推销员。

朱镕基: 我呀，如果能推销掉一些中国产品的话，我感到非常光荣。就怕我推销不出去。

记者: 在海南那边有些经济论坛提出，港元和人民币将来有没有可能挂钩，跟联汇脱钩?香港的梁锦松[1]说，如果人民币还是不能自由兑换的话，现在还不是最合适的时机。中央政府的看法怎么样?

朱镕基: 香港实行的是跟美元挂钩的政策，我们实行的是由市场决定的有管理的浮动汇率制度。但是我们还是比较多地看重美元，所以跟着美元走，基本情况就是这样。至于两边挂钩不挂钩，我们没有有意识地要去挂钩。实际上，中国的汇率还是非常稳定的，今后也还会是稳定的。

记者: 那就是说，没有必要挂钩?

朱镕基: 没有必要挂钩。

记者: 过去几年国企改革中有很多工人下岗，国家是通过社会保

[1] 梁锦松，当时任香港特别行政区政府财政司司长。

障来安定他们的生活。香港今天公布失业率为7%，是历史上最高的。香港又不能用大量的财政去搞社会保障，因为香港有很多财政赤字。这两难的局面怎么去解决？

朱镕基：香港有社会保障制度，你们叫“强积金制度”。可以申请社会综合援助嘛。综援嘛，也是社会保障制度。

记者：但是综援开支太大了，失业率不断上升，未来几年怎么样能把它维持在一个固定的水平上？

朱镕基：任何一个现代的国家都应该建立社会保障制度。中国这几年用很大的力气，花了很大的财政力量来建立社会保障制度。同样在香港，据我所知也有社会保障制度，我们还向香港学习过嘛。过去，李业广[1]不就搞这个事情吗？怎么能说没有呢？

记者：现在香港这么高的失业率都是因为经济的调整，其实内地也面临同样的问题。你觉得两地有没有合作的可能，互相解决一下？

朱镕基：这个社会保障制度，各个国家的情况都不一样。北欧的标准特别高，退休的人甚至比在职的人待遇还要高。各个西方国家的情况也都不一样。我们的情况也不一样，我们通过“三条保障线”[2]来建立这个社会保障制度。香港的事情根据香港的情况来确定。

记者：人才方面是不是可以互补呢？

朱镕基：我们现在对香港的人才也开放，我们特别需要银行、保险、证券等方面的人才。实际上，现在在内地工作的香港人也不少。

[1] 李业广，当时任香港公益金会长、董事会主席。

[2] “三条保障线”：指下岗职工基本生活保障、失业保障、城镇居民最低生活保障。

在埃及谈中国经济形势和中国企业“走出去”等问题*

（2002年4月20日至22日）

（2002年4月20日下午，在开罗喜来登饭店会见中国驻埃及使馆工作人员后）

记者：香港《经济学人》杂志已调高了对全球经济的预测，这其实对中国是一个好消息。中国有没有打算把今年的经济增长速度调高？消费者如果预期今年经济会比政府原来的预期更好的话，就可以更加刺激他们的消费。

朱镕基：我们没有计划提高自己经济增长的预期，因为尽管各方面都认为世界经济正在复苏，复苏的速度又比以前更加乐观一点，但是我们认为，还有很多因素并不是很明朗。我们保持这样的速度，我认为就很不容易，特别是在财政收入方面，因为我们加入WTO以后，大幅度地降低关税，对财政收入是一个很大的影响。我并不很重视速度是7%、7.5%，还是8%，我重视的是能够把钱收上来。钱收不上来，速度都是虚的。所以目前，我没有调高经济预期的计划。

记者：如果首季度收入情况不好，有些外商就担心即使中央政府

* 这是朱镕基总理在访问埃及期间接受香港记者采访，谈中国经济形势和中国企业“走出去”等问题。

2002 年 4 月 19 日，朱镕基与夫人劳安乘专机抵达开罗国际机场，开始对埃及进行正式访问。左一为中国驻埃及大使刘晓明。（新华社记者黄敬文摄）

遵守 WTO 规则，但是到了地方就会有问题出现了。

朱镕基：今年第一季度财政收入的增长不太理想，特别是关税，不但比去年同期没有增加，反而减少了。但是我认为，这是加入 WTO 必须付出的代价，也没有什么太大的了不起。一方面，我们可以通过其他途径来增加财政收入；另一方面，我们也可以增加一点进口，来弥补进口税收的减少。另外，中国吸引外资在今年第一季度比去年同期增加了 20% 以上，这是个非常好的现象，说明外国投资者对中国还是很有信心的。

（2002 年 4 月 22 日下午，在沙姆沙伊赫乘船游览红海前）

记者：中国企业在“走出去”的时候，如果面对一些发展中的国家，它们的产业结构或者产品跟我们相类似，那要注意些什么？怎么样才可以加强自己的竞争力？

朱镕基：现在我们跟一些发展中国家在贸易方面有一个困难，就是它们没有适合我们市场的产品，没有竞争力，所以，我们老是出口多、进口少，它们有逆差。这个问题不是一下子能解决的，因为要求它们有能适合我们市场的产品，也是比较困难的。当然，这些问题是可以逐步改善的。比方说，埃及也不是一点没有我们所需要的商品，它的柑橘很便宜，也很好吃，我相信在中国是有市场的。问题是，过去我们的进出口公司都不太注意进口这些东西，认为这些东西我们国内都有，何必要进口？实际上，它的品种比我们的好，我们还是可以进口的。既然可以从美国加利福尼亚进口柑橘，当然也可以从埃及进口柑橘。总而言之，就是要把贸易做活一点，能够找到适合我们市场的商品。贸易能够平衡地发展，这是一个最大的困难。当然，有一个好办法，就是中国企业到发展中国家去办加工厂，把我们有竞争力的元器件和零部件运到这个国家去组装，这可以帮助它的百姓就业，另外，它可以收税。我们可以通过它的市场再出口到别的国家，这也是一条路子。问题在于，有些发展中国家的投资环境不太好，没有投资法，很多事情做得不规范。我们的企业家一谈起这些事情就摇头，不愿意去。他不愿意去，我现在拿个鞭子在后面赶也不行。要有利益的机制，所以对发展中国家和友好国家，我们还得帮助它们完善一下投资法律法规，这样我们才能够“走出去”。不是“打出去”，你别报道“打出去”。“走出去”也不是很容易的。

记者：刚才我们看见这里卖的一些拖鞋，卖的人介绍说是中国制造的，比较便宜，但是质量没那么好，叫我们去买意大利制造的。你觉得中国的品牌要“走出去”的话，是不是要经历一个过程？有的埃及市民对中国制造的东西，信心不是很足。你觉得怎么样打响中国自己的品牌?

朱镕基：中国是有些假冒伪劣产品也“走出去”了，对此我们也没有办法，应该把它们淘汰掉。我在开罗的时候，看到宾馆提供的拖鞋是“阿迪达斯”牌子的，是美国牌子，不是中国牌子。其实，我一看就知道是中国生产的，他们也讲是中国生产的。我倒没看到用中国自己的品牌出口的商品，多半是打着外国名牌出口的。你产品质量不好，就没有市场，就会被淘汰。但是我相信，我们的出口产品还是有好的，也会逐步适应世界市场需要的。我就经常讲这么个例子，我在土耳其也讲这个例子。去年我在俄罗斯，他们的总理说他穿的夹克是在美国买的，是 made in China（中国制造），质量很好啊，但是他在俄罗斯买的皮夹克也是中国来的，是假冒伪劣，没有土耳其的产品质量好。他得出了一个结论，你们中国把最好的产品出口到美国和欧洲去了，给我们俄罗斯的都是假冒伪劣。我说不完全是这样，因为我们同俄罗斯有边境贸易，那里有优惠条件，好多假冒伪劣产品通过边境贸易进去了，都充斥在你们市场里面。我说最好的办法是你们到我们中国去采购那些名牌的、有信誉的大型企业的产品，这样才能把那些假冒伪劣的边贸产品给挤出去。

在肯尼亚谈中肯合作和环境保护等问题*

（2002年4月24日至26日）

（2002年4月24日上午，在内罗毕国家宫与肯尼亚总统莫伊举行正式会谈后）

记者：总理，能不能回答一个问题，这次你们会谈时谈了一些什么项目？还想请问一下，你觉得中国和肯尼亚的合作重点在哪些方面？

朱镕基：我们帮助他们建设的都是基础设施建设项目，像公路建设和其他方面的项目。

记者：我们知道有一些中国高科技公司也希望进入非洲市场。

朱镕基：正在谈通信的问题。通信的问题要做可行性研究，看看是不是可行。

记者：对这样的国家，我们以前主要是采取援助的形式，现在如何做到互利呢？

朱镕基：现在我们的援助，比方说他们今年粮食收购没有钱，我们提供一定的资金，帮助他们把粮食收上来，这可以作为援助。一般项目都采取优惠贷款的方式，有的是无息贷款。

记者：我们知道政策优惠贷款是有限度的，怎么样做到真正支持

* 应肯尼亚共和国政府邀请，朱镕基总理于2002年4月23日至26日对肯尼亚进行正式访问。这是朱镕基在访问期间接受香港记者采访，谈中肯合作和环境保护等问题。

2002年4月24日，朱镕基在内罗毕国家宫会见肯尼亚总统莫伊。

（新华社记者徐昱辉摄）

确实有需要的项目？

朱镕基：由中国进出口银行来同他们的公司进行谈判，进行可行性研究比较，哪些项目可以支持，哪些项目没有还款能力，暂时支持不了。告诉你们一个消息，我们在埃及沙姆沙伊赫同南西奈[1]的总督谈好了，我们海南省跟南西奈结为友好省，海南的三亚市同他们的沙姆沙伊赫市结为姊妹城市，双方可以交流旅游方面的经验。

[1] 南西奈，埃及的一个省，位于西奈半岛南部，面积约3.314万平方公里。

（2002年4月24日下午，在丽晶饭店会见中国驻肯尼亚使馆工作人员后）

记者：今天的《经济学人》杂志对香港营销环境的评分，从亚太地区的第一位下降到第二位，全球的排名由第五位降到第十位。

朱镕基：我没有看到那篇材料，不知道它怎么评价香港地位下降的，我也不好说。

记者：你觉得内地经济自由化会给香港造成不好的影响吗？

朱镕基：我想，香港的发展跟内地发展只会相辅相成，没有矛盾的地方。不能说中国内地的发展，照他们的说法，更加“自由化”了，或者更加全方位地发展了，香港所能发挥作用的余地就会越来越小，我不同意这种说法。香港的优势还是香港的优势，内地的优势在某些方面赶上香港是很不容易的。香港应该利用自己的优势，发展自己的特色经济。香港的产业结构要确定一定的方向，朝着这个方向去努力。我相信，只会因为中国内地发展得更快，香港也会发展得更快；而不会因为我们内地发展得更快，香港反倒发展得更差了。

记者：以前，香港有人提出“北水南调”，觉得30亿元数额太少，帮助不是太够，对此你怎么看？

朱镕基：“北水南调”，我始终没搞清楚调什么东西，中国内地什么“水”往香港调呢？是调钞票、调外汇还是调什么东西，我不是很清楚。但是只要我们有什么，我都可以调。只要真正对香港有效果的、有好处的，我们都愿意去做。现在具体的内容没搞得很清楚，怎么个调法、采取什么形式，我想我们还要继续商讨，再商量。我总觉得香港不要着急，不要听人家说三道四，自己要发展，自己有一定之规，朝着这个方向去努力，一定可以发展起来的。总的大势就是这样的嘛，既然世界经济在复苏，中国内地的经济还能够保持这样的势头，香港经济会掉下去谁也不相信。

2002 年 4 月 25 日上午，朱镕基与夫人劳安在肯尼亚参观纳库鲁湖国家公园。

（新华社记者鞠鹏摄）

（2002 年 4 月 25 日上午，参观肯尼亚纳库鲁湖国家公园时）

记者：我们看到这里的森林资源保护得还可以。现在中国也在鼓励退耕还林，对这种做法大家都很支持。如何能监督它、推动它落到实处呢？

朱镕基：其实也有搞弄虚作假的，我们只能依靠层层政府加强监督。发现了一些问题，我们也派人下去检查。好在什么呢？好在我们让农民退了耕，种了林，就给他粮食，给粮食时检查一下他是不是已经栽过树了。

记者：如何让中国的民众意识到环保的重要性呢？

朱镕基：我看现在人们越来越感到环保的重要性了，特别是我们在北京受到沙尘暴的苦，就越来越体会到环境的重要了。其实这里我们也看到，他们的山上也像我们一样种了“大字报田”，把山上的树砍光了，种了地，像“大字报”一样。

记者：环境是互相影响的，粤港两地的空气互相污染，你觉得粤港两地如何合作来搞好环境呢？

朱镕基：我们都有环境保护方面的各种会议的机制。目前同香港在环保、气象方面的合作也有些安排嘛。但是我还真不知道，究竟是内地这边的空气好，还是香港那边的空气好。

记者：互相沟通。

朱镕基：互相沟通总有一个好一个坏的。

记者：那要看吹什么风。

朱镕基：不不不，看谁空气的质量最好。是深圳的好还是香港的好？

记者：现在好像互相说对方不好。

朱镕基：都需要改进。

（2002年4月26日下午，参观肯尼亚国家博物馆前）

记者：现在香港和内地都想加强物流即货物的流通，两地政府正在商讨其中复杂的技术问题。你觉得两地政府应该用怎么样的态度来解决这个问题？

朱镕基：我看，还是两地的动植物检验检疫部门耐心地商量，总会找到一个妥善的办法的，因为双方的目的都是一样的。我回去问一问这个情况，叫他们加速进行谈判，好吗？

记者：两地加强物流对香港和华南地区经济上的结合有好处吗？

朱镕基：当然很有好处，希望加快一些。对香港有好处，对内地也有好处。

记者：在加入WTO之后要进行很多法律的修改工作。有一种意见是，在中国经济体制改革到一定程度的时候，要进行适当的政治体制改革，你怎么看这种政治体制改革？

朱镕基：不是加入WTO以后才要政治体制改革，政治体制改革一直要进行，而且它是必不可少的。什么叫政治体制改革？就是民主、法制的建设。在这方面，我们一直在向前走，经过了很多的波折。我相信随着各种变化，包括加入WTO，中国的民主和法制建设会一步一步地向前走。

记者：总结你这次对土耳其、埃及、肯尼亚三国的访问，你觉得在经贸方面最突出的成果有哪些？

朱镕基：我想一方面，我们同这些国家的双边贸易数量上有很大的发展；另一方面，我们对他们的基础设施建设提供了一些援助，也减少了他们的一些债务。双边贸易有一个很大的问题，就是逆差。就是说，他们进口我们的产品多，而他们供我们进口的产品比较少。如何改善贸易平衡是一个很大的问题。所以我这次到这三个国家，采取了一些措施来改善这个贸易不平衡的状况，即多向他们采购，另外鼓励我们的企业家“走出去”，到他们这些地方来办厂；同时也继续对他们提供援助，包括基础设施方面的建设，这些援助有的是无偿援助，有的是优惠贷款，等等。

在南非谈可持续发展和加入世贸组织对中国的影响等问题*

（2002年8月31日至9月6日）

（2002年8月31日下午，在下榻的开普敦纳尔逊山庄饭店会见中国驻开普敦总领事馆工作人员后）

记者：总理，这次你来参加联合国第一届可持续发展世界首脑会议，大家都很关心。中国在可持续发展方面面临很多像人口、环保，特别是贫富差距拉大等问题，有的问题越来越严重。你是怎么看的，会带来一个怎么样的解释？

朱镕基：我们来参加这个会议，当然也寄托着希望。希望这次会议能够坚持1992年联合国环境与发展会议所确定的一系列的原则，对于实现可持续发展和改善环境，发达国家应该有责任帮助发展中国家，给他们创造一些条件，给他们提供资金和技术方面的援助。这样，整个地球才能够实现可持续发展和缩小贫富的差距。

记者：对中国本身面临的贫富差距，政府有些什么措施？

朱镕基：中国也是一个发展中国家。中国经过几十年的建设，已

* 朱镕基总理于2002年8月31日至9月6日，在南非约翰内斯堡出席联合国第一届可持续发展世界首脑会议，并对南非进行工作访问。这是朱镕基在访问期间接受香港记者采访，谈可持续发展和加入世贸组织对中国的影响等问题。

2002 年 9 月 3 日，朱镕基代表中国政府在南非约翰内斯堡举行的联合国第一届可持续发展世界首脑会议上发言。（新华社记者徐显辉摄）

经获得了关于可持续发展战略的深刻认识，也可以说获得了很多教训。中国在最近几年里对实现可持续发展和改善生态环境进行了很大的投入，几年相当于过去几十年，作出了很大的努力。当然，中国国力还不强，我们还有很多困难，愿意跟发展中国家一起交流经验，相互支持，相互帮助，在全世界实现可持续发展，同时也缩小贫富的差距。

记者：再想问一下，关于北京、上海、深圳的居民可以免签证到香港去一日游，现在在等中央批准，你对此有什么考虑，批不批准这

2002 年 9 月 5 日，朱镕基在比勒陀利亚联邦大厦会见南非总统姆贝基。
（新华社记者李学仁摄）

个措施？

朱镕基：还没有把这个建议给我，要给我，我就画圈。

（2002 年 9 月 3 日下午，在约翰内斯堡会见南斯拉夫联盟总统科什图尼察后）

记者：关于个人所得税问题，大家有一些担心，可能对民营企业、私营企业有一些打击或者冲击。你怎么解释这个问题?

朱镕基：按照法律办事，无须任何担忧。现在实际存在的情况，是有不少的人不缴个人所得税。应该说，在税法方面也还有进一步明确的必要。很多工厂业主采取的一种办法，就是把所有的一切开支，都打到工厂的成本里去，他自己不拿工资，不拿工资也就不用缴个人所得税，这样就把税给漏掉了。所以在这方面，我们会做进一步明确的规定。

记者：是不是涉及税制改革的问题?

朱镕基：这不是税制改革的问题，应该说规定是非常明确的，在法律条文上要更加严格一点、具体一点。

记者：对公司管制和会计制度方面，是不是会有或一定有新的要求?

朱镕基：没有什么新的要求，早已经都规定了。但是，过去在碰到这种情况时该如何处理，没有讲得很清楚。照道理讲，这就叫偷税，就叫漏税，就叫逃税。有些民营企业家，一年的花销就有好几千万元，按照我们的税率，个人所得税就应该缴45%嘛，结果他们一个子儿也不缴，都在工厂成本里开支。杨景宇[1]，我讲得对不对?你现在给我纠正一下，免得报道以后有问题再纠正。

杨景宇：总理说得完全正确。

朱镕基：这点很明确，是不允许的，但是如果发生这样的问题，应该怎么办?是应该坐牢还是应该补税，还是应该怎么样?应该更加明确。

记者：现在内地有人觉得个人所得税税率比起其他地区偏高，你们会不会考虑做一点调整?

[1] 杨景宇，当时任国务院法制办主任。

朱镕基：个人所得税税率是不是偏高，现在还没有完全一致的意见。过去制定个人所得税税率的时候，累进制税率制度是参考美国等一些西方国家的，最高为45%。现在有一部分同志有意见，说这个税率太高了。就是说，有一些靠自己辛勤劳动，凭本事赚来的钱，你把税收得太多了。另外一方面，这也不利于外资到中国内地来。很多外资企业，很有名的外资企业、跨国公司，很愿意把总部设在上海，或设在北京，但因为个人所得税税率太高，它们的员工不愿意来。这方面香港有优势，我们没有这样的优势。

记者：这样会不会阻碍吸引人才？

朱镕基：有些人认为所得税税率偏高会阻碍吸引人才，我们正在讨论这个问题。杨景宇，讨论得怎么样？你说说。

杨景宇：已经讨论两年了，有各种方案，要计算出各阶层收入者税后怎么样能够更加公平。现在一直在抓紧研究。

朱镕基：这个变动影响很大，要审慎一点，继续讨论。

（2002年9月6日上午，在下榻的约翰内斯堡帕拉佐洲际饭店）

记者：加入WTO后，中国的对外贸易受到什么样的影响，有关政策会做调整吗？

朱镕基：因为进口关税减少了，这对我们财政有很大的损失；而出口对我们税收没有好处，我们都是免税的，或者退税的，但是对拉动国民经济肯定有好处。到目前为止，出口的情况比我们预想的要好得多。去年11月份，我曾经估计今年出口可能是负增长或者零增长，但到7月份实际增长14%，这很不容易，看样子还在发展中。这说明加入WTO以后，对中国“走出去”的战略也还是有好处的。其他的，我们也没有什么新的政策。

记者：现在外界估计国内经济的增长率会达到7.9%，你会不会调高对今年增长的预期？

朱镕基：他们预计 8%，我也没什么高兴的，我最关心的是我们口袋里收的钱有没有增长。我最担心今年的财政赤字可能会超过我们的预算，那我这总理就失职了。所以我们下了死命令，一块钱也不能超过，要执行原来的计划。现在最大的影响就是海关关税的减少。

记者：有人偷税？

朱镕基：不是。降低关税税率了，降了 3 个百分点，相当于 600 亿元人民币啊。

（2002 年 9 月 6 日上午，在约翰内斯堡希尔顿饭店会见中国驻南非使馆工作人员后）

记者：刚才采访素·帕猜[1]，他说希望中国加入世贸组织之后，在新一轮谈判里面，可以扮演一定的角色。你这次讲话也呼吁发达国家消除贸易壁垒。你觉得中国在新一轮谈判里面可以发挥什么样的作用？

朱镕基：新一轮的多边贸易谈判，我估计是非常艰巨的。中国总是站在发展中国家一边，跟大家一起争取平等的权益。素·帕猜当 WTO 总干事也有好处，他对发展中国家情况的了解比较深一点。

记者：现在有一种说法，中国加入世贸组织，在金融业开放方面是“WTO Plus（超 WTO）”。是不是有这样一种讲法？

朱镕基：我还没听到过“WTO Plus”这个说法。

我刚才跟素·帕猜讲，中国在加入 WTO 以后，差不多不到一年的时间，我们已经完成了所有的立法方面的修改，就是使我们的法律法规同 WTO 的规定相一致，这个我们已经全部完成了。另外，我们

[1] 素·帕猜，当时任世界贸易组织总干事。

认为已经兑现了或者履行了我们在加入 WTO 时所作出的承诺，哪怕这些承诺对我们来说是非常的困难。比方说，我们今年降低了 3 个百分点的关税，3 个百分点就意味着 600 亿元人民币啊，600 亿元财政收入，差不多相当于我们中央财政收入的十分之一。我不是讲全部的财政收入，因为关税是中央的收入，是减了中央的钱啊，地方的钱中央收不上来。所以，要保持财政的平衡，不要增加赤字，很困难。我回去马上要开大会、作报告，要求大家增收节支，要做大量的工作才能够实现这一点。素·帕猜说："据我所知，你们得到了好处啊。"我说，我们是得到好处，扩大了出口，但在现在这个阶段，扩大出口所增加的收入同关税降低所减少的收入比起来还不够。但是我相信，再过一两年，我们还是会好的。我过去就讲过，加入 WTO 利大于弊嘛，我们最后总是会得到好处的。这个对我们来讲是个困难，虽然困难，我们也一定履行承诺，说话算话。我还说，根据我的了解，最近有一些对中国的指责啦，来自于发达国家，说中国没有履行自己的承诺，或者说是不公平待遇啦；今天我还看到一个消息，说美国人指责中国边境贸易违反了 WTO 的规定啦。不管什么指责，中国都耐心倾听，但是我们认为，我们是兑现了自己的承诺的。素·帕猜也说，complain（抱怨）总是有的。到目前为止，他没有看到正式说中国有什么问题。他认为，中国还是履行了承诺的。

在丹麦谈亚欧领导人会议等问题*

（2002年9月23日至25日）

（2002年9月23日上午，在哥本哈根贝拉中心出席亚洲领导人会议后）

记者：能不能给我们介绍一下关于建设中国和东盟自由贸易区目前的进展情况，对亚洲地区会带来什么影响？

朱镕基：中国和东盟的经济部长举行了会议，就中国和东盟自由贸易区的框架问题进行协商，除了同菲律宾、泰国在个别产品方面还需要进一步磋商外，基本上达成了协议。大家也都同意在2010年以前建成中国和东盟的自由贸易区，从明年开始就可以启动了。

记者：你刚才主持亚洲领导人会议。你觉得亚洲这些国家之间的合作应该怎么样展开，如何在目前的经济形势下取得共同发展？

朱镕基：亚洲国家的共同愿望，一个是世界的和平与稳定，另一个是自己国家的经济发展，大家特别对经济发展有更加迫切的要求。

* 应丹麦王国首相安诺斯·福格·拉斯穆森邀请，朱镕基总理于2002年9月22日至26日对丹麦进行正式访问，并在丹麦首都哥本哈根出席第四届亚欧首脑会议，参加第五次中欧领导人会晤。这是朱镕基在访问期间接受香港记者采访，谈亚欧领导人会议等问题。

2002 年 9 月 24 日，在丹麦首都哥本哈根举办的第四届亚欧首脑会议闭幕后，朱镕基在由亚洲和欧盟领导人举行的记者招待会上回答记者提问。左一为欧盟委员会主席普罗迪，右一为越南总理潘文凯，右二为丹麦首相拉斯穆森。（新华社记者刘卫兵摄）

刚才在会上吴作栋和其他人的发言都有这个意思，希望更多地讨论经济合作、经济发展的问题。我想，会议应该朝这个方向作出更大的努力，拿出更多的具体措施来。在这方面中国还是尽了最大的努力，我们欢迎亚欧国家的这种会议，如经济部长会议、农业合作的会议都到中国去开，我们愿意来做东，推动这种活动。

记者：亚洲国家之间的合作谈得非常好，但是香港和内地建立更紧密的经贸关系在技术方面谈得蛮久，却没有一个结果。怎么样也要利用这个合作机会，让内地和香港都有共同发展，这一点中央政府是怎么看的？

朱镕基：香港当然不一样，和内地属于同一个国家。内地和香港的合作应该非常全面地、深入地、快速地推进，这是毫无问题的，不存在任何阻力。问题是这件事情蛮难的，因为香港同内地的经济结构不同，各方面的情况不一样，如何去探讨有效的合作，确实是我们共同研究的一个课题。有些事情讲得很好听，做起来没有实效，那就不好办了。而如何采取一些有实效的措施，双方的认识还不一样，你这样看，我那样看，确实还需要耐心地探讨。我相信，香港的情况还是在好转嘛。你昨天告诉我香港的失业率在下降嘛，总是在好转的。我想，香港的日子比我的日子好过多了。

（2002年9月23日下午，在哥本哈根贝拉中心出席亚欧领导人会议后）

记者：今天的会议延长了时间，大家谈得怎么样？有人说，西方国家主要想谈人权，亚洲国家想谈经济，是不是这个情况？

朱镕基：不是这样。每次会议都有一个议题：今天吃饭的时候是谈文化与文明的交流问题；上午的会议主要集中在地区、国家间的冲突问题，基本上都在谈伊拉克问题。

记者：在这个议题上，大家有没有取得共识？

朱镕基：我想基本上是有共识的，但是每个人强调的重点都不同。希拉克总统说得比较激动一点，中国的观点跟他的差不多。我们的调子没有变过，我们一贯要求伊拉克无条件地遵守联合国的决议，同联合国合作，接受核监督。另一方面，我们又主张尊重伊拉克的主权和领土完整，在联合国人员还没有去，也没有核查，没有确凿证据的情况下，就断言它有核武器，就绕过联合国对伊拉克动武，我们反对。这一点我们是很明确的，我们反对这么做。

记者：总理，最近香港立法会就《香港特别行政区基本法》第二十三条咨询立法，讨论什么是颠覆国家的行为，在香港引起很大的关注，有些人担心言论自由会受到影响，也有些外国人表示关注。中央政府的态度是怎么样的？

2002 年 9 月 24 日，丹麦首都哥本哈根，朱镕基与丹麦首相拉斯穆森（左）、欧盟委员会主席普罗迪（右）于会晤前合影留念。（新华社记者樊如钧摄）

朱镕基：我早就跟你们说过了，我不谈香港的问题。特别是对在香港引起争论的问题，我更不表态。对不起，我不能回答你这个问题。

记者：其实很多香港人都很关心，是不是香港特区政府自己……

朱镕基：这些话都不要由我来讲，首先由董建华特首来讲，其次是中央政府还有发言人。我现在不发言，对不起。

（2002 年 9 月 25 日下午，在下榻的斯堪的纳维亚饭店会见中国驻丹麦使馆工作人员后）

记者：总理，想问一下，最近美国有一篇报道说，一个调查表明中国吸引的外国直接投资已经超过了美国，现在是全世界最多的国家。你怎么看吸引外资对经济发展的影响？

朱镕基：是不是超过了美国，我倒没有这个概念。中国到目前为止吸引了 4000 亿美元外国直接投资，去年是 480 亿美元，今年到目前为止比去年同期增加了 25%，都是实际到位的，不是讲签了合同的，签了合同兑现不兑现搞不清楚，这是实际已经吸引到位的。这些外国直接投资对我们经济发展是一个很大的支柱，多数是直接投资于技术设备，在中国办厂；同时，外国直接投资也提高了中国的技术水平，使中国成为世界性的出口基地。

记者：这个调查也说，有一些外资之所以看好中国，是因为看好中国未来的消费能力，未来有 1 万美元以上年收入的人大部分是中国人。你怎么看？

朱镕基：主要还是由于中国能够提供最便宜的成本，使外资能够获利。所以，有些过去在其他国家设的工厂，现在搬到中国来了。为什么呢？第一，中国的基础设施建设非常完善。在沿海地区，那不用说了，高速公路四通八达，通信也非常方便。昨天我们吃晚饭的时候有位先生说，他在香港好多年，对香港非常佩服、非常喜欢，但每年有 3 个月都到上海去住。这说明中国是非常适宜于投资的地方。第二，中国可以提供比较便宜的但素质高的劳动力，包括工程技术人员，使外企大大降低了成本，增加了利润，这是最主要的原因。所以，外国人越来越喜欢到中国来。现在中国外企生产的产品对外出口的多，真正销到中国市场的比例还不是很多。

记者：美国决定今年不减息，但是明年肯定要减息。你对明年整个经济形势怎么看？

朱镕基：现在来看，明年的经济发展确实还有很多不确定的因素，还难以预料。首先是伊拉克战争打不打难以预料，对明年的经济大家都表示担忧。如果战争打起来的话，正如欧洲银行行长德伊森贝赫说的，可能导致全球经济衰退。我们当然不希望看到这种情况。我并不担心我们自己，因为我们的经济发展的动力主要来自于内需、国内自己的需求，我们能够应对任何不测的情况。

记者：这说明在刺激经济方面还是依靠扩大内需吗？

朱镕基：扩大内需并不是等于发国债，尽管我们现在发债的水平也不是很高。生产发展，收入增加，中国人民的生活水平在提高，中国的内需也是在发展的。

记者：增收节支会议已经开完了。关于税收的状况，你的预料是怎么样的，能达到你的计划目标吗？

朱镕基：说老实话，开会以前我就预计到我的计划一定会实现，但是我还是要开这个会议，以引起大家的注意，能够超过这个预计。

在法国谈吸引海外人才等问题*

（2002 年 9 月 28 日）

（2002 年 9 月 28 日晚，在图卢兹市政厅出席图卢兹市长布拉齐举行的宴会后）

记者：大家都很关心马上要开中共十六大了。这次你在访问欧洲的时候，有没有跟欧洲领导人介绍一下中共十六大准备的情况？

朱镕基：没有在正式的场合里谈过，个别会见的时候谈过。

记者：他们很关心。能不能向我透露一下目前的情况怎么样？

朱镕基：我都不知道，怎么向你透露？我只对外国人讲：你放心，我们的政策不会变化，中国同你们友好合作的路线不会变化。只告诉他们这个，别的我没办法透露。我自己都不知道，我怎么透露？

记者：你那时候请了一些香港人才到内地工作，你说人行的副行长一直没有找到人选。现在查太[1]在中国证监会也快任期届满了，大家说她要回来了。她说在内地干的时候也不是太顺利，可能压力也蛮大的。以后在吸引人才方面，会不会再请一些海外的人才、专

* 这是朱镕基总理在访问法国期间接受香港记者采访，谈吸引海外人才等问题。

[1] 查太，即史美伦，当时任中国证监会副主席。

才回来，协助中国在一些专业上发展？怎么吸引他们，让他们安心地工作？

朱镕基：我们认为她干得还是很顺的，而且她这个人是很强的，特别是在整顿证券市场秩序方面起了很好的作用。你说不顺主要是互联网上面说的吧。在互联网上面，不要说史美伦有人会攻击她，攻击我的也多得很，比她的还多。这个没什么，这个不代表中央政府的意见，也不代表内地大多数人民的意见。互联网上很多都是股民，有他们自己个人的利益在里面，你触犯了他们的个人利益，他们就要发表一些不满的话。我认为她干得很好。

2002 年 9 月 28 日，朱镕基与夫人劳安在法国图卢兹参观空中客车公司总装厂。
（新华社记者刘卫兵摄）

记者：会继续吸引一些海外人才吗?

朱镕基：那当然。这个政策是不会变的，因为这是中央的政策，已经规定了的。

记者：最后一个问题是港澳珠大桥，中央已经派人到香港和珠海去了解情况，让他们做一些可行性的研究。中央方面认为这个大桥会不会带动珠三角地区的发展?

朱镕基：我们还没有讨论这个大桥，也没有提交我们来讨论。这个事情现在还在下面酝酿，我听说有不同的意见，有赞成也有不赞成的，在香港内部有不同意见，在广东也有不同意见。所以，这个事情我们等大家各抒己见之后再来分析比较，现在还没有提到我们审批的日程上来。

在柬埔寨谈建设中国—东盟自由贸易区等问题*

（2002 年 11 月 2 日至 3 日）

（2002 年 11 月 2 日下午，在金边首相府与柬埔寨首相洪森会谈前）

记者：总理，不好意思。我知道你非常赶时间，就问一个问题可以吗？在中国电信这次加价事件里面，会特别强调香港的利益吗？

朱镕基：这是企业的问题，不是政府的问题。企业的行为当然也经过了主管部门的批准，如果有投诉的话，我们会考虑进行协调。

记者：会考虑香港的利益吗？

朱镕基：我们从来都考虑香港的利益，加价不等于说不顾香港的利益，这是企业的行为。

* 应柬埔寨王国政府首相洪森邀请，朱镕基总理于 2002 年 11 月 1 日至 4 日对柬埔寨进行正式访问，并出席在柬埔寨首都金边举行的第六次东盟—中日韩领导人会议、东盟—中国领导人会议及大湄公河次区域经济合作领导人会议。这是朱镕基在访问期间接受香港记者采访，谈中国民营企业和建设中国—东盟自由贸易区等问题。

2002 年 11 月 2 日，朱镕基出席柬埔寨首相洪森在金边举行的欢迎仪式。

（新华社记者马占成摄）

（2002 年 11 月 3 日上午，在下榻的金边五洲饭店）

记者：总理，今天要赶时间吗？继杨斌[1]以后，很多民企都发现

[1] 杨斌，原沈阳欧亚实业有限公司董事长，2001 年度“福布斯中国富豪榜”第三名。其属下公司“欧亚农业”在香港主板市场上市。2002 年 10 月，杨斌因涉嫌犯罪被公安部门依法监视居住。2003 年 7 月 14 日，沈阳市中级人民法院一审宣判，杨斌犯有虚报注册资本罪、非法占用农用地罪、合同诈骗罪、行贿罪、伪造金融票证罪，数罪并罚，依法判处有期徒刑 18 年。同年 9 月 7 日，辽宁省高级人民法院对杨斌案件作出终审裁定，维持原判。

了问题，这会不会影响投资者对民营企业的看法？

朱镕基：国有企业也有做假账的，也有偷税漏税的。美国也有。总是会有。

记者：中国鼓励民营企业到香港去上市，现在一些民营企业相继出现问题，好像香港投资者的信心都出现问题了，会不会影响他们拓展海外的业务？

朱镕基：要加强对证券市场的监管。它怎么上市的？业主有责任，会计公司也有责任，举荐的人也不能说一点责任没有，都有一点责任，各个环节都要加强监管。我想，这种造假账的情况，到处都有。所以，我在内地一直强调“诚信为本，不做假账”。前些日子我到国家统计局，送给他们四个字——“不出假数”。统计部门出假数的也有。

记者：就是说，不是针对民营企业的，是吗？

2002年11月3日，朱镕基与夫人劳安在金边王宫会见柬埔寨国王西哈努克及王后莫尼列。（新华社记者马占成摄）

2002 年 11 月 3 日，朱镕基出席在柬埔寨首都金边举行的大湄公河次区域经济合作领导人会议，并发表讲话。
（新华社记者马占成摄）

朱镕基：从来不看所有制，只看有没有依法办事，有没有遵纪守法，只看这一点。

（2002 年 11 月 3 日上午，在中国驻柬埔寨使馆会见使馆工作人员后）

记者：这次我们跟东盟方面有很多的协议，包括启动中国—东盟自由贸易区等。1999 年你出席东盟会议的时候，他们还在讨论“中国威胁”，现在已经有了一个合作的基础，为什么有这个变化？

朱镕基：中国和东盟在“10+3”、“10+1”的范围内，经过多年相互的了解和信任，在很多方面都取得了共同的认识。比如说中国和东盟自由贸易区，前年我刚提出，今年就可以签订框架协议了，这说明双方还是相互信任的，有这个基础。

记者：香港有些商界人士担心，中国和东盟签订了自由贸易区协定以后，香港会受到一定打击，很多货物就不经过香港了。

朱镕基：太敏感了。什么事情都跟香港联系起来，哪有那么多事！东盟地区的商品不见得很多都要通过香港，如果过去通过香港的，现在还可以通过香港，因为原来的渠道总是驾轻就熟嘛，这不会有什么影响。建立同东盟的自由贸易区，我们是准备付出代价的，以此来取得地区的睦邻友好合作。中国是个农业大国，农产品我们已经供过于求了，而东盟向我们出口的又大部分是农产品，我们让它们进来不就是打击我们自己吗？但是我们为了睦邻友好，为了地区的发展，还是愿意这样做。我们并不想通过这个自由贸易赚什么外汇，因为我们自己有足够的外汇储备，我们有足够的竞争力，在美国、欧洲都可以赚到外汇，还跑到东南亚地区来赚外汇干什么？我们只希望用自由贸易的手段，来促进双方之间的贸易合作，使之能够达到一个新的水平。

记者：听说你在国庆节期间到深圳去了，希望深圳加强与香港的旅游合作，是不是？

朱镕基：是这样啊。我不是光讲旅游合作，我讲了三条，里面有一条是实现和香港优势互补，包括旅游。香港有它的优势，深圳也有它在内地的优势，把两个结合起来，就可以做到深圳的旅游发展起来了，香港的旅游也发展起来了。我讲的主要是要优势互补。

后　记

应广大读者的要求，人民出版社推出《朱镕基答记者问》精装本，精装本内文照片用彩色印刷，同时附赠 1998 年至 2002 年朱镕基同志在九届全国人大会议 5 次记者招待会上回答中外记者提问的实况录像光盘。

人民出版社

2016 年 8 月

图书在版编目（CIP）数据

朱镕基答记者问／《朱镕基答记者问》编辑组 编．—北京：
人民出版社，2016.8
ISBN 978－7－01－014338－5

Ⅰ.①朱… Ⅱ.①朱… Ⅲ.①政治－问题－中国－文集 Ⅳ.①D61-53

中国版本图书馆 CIP 数据核字（2014）第 306632 号

本书彩色插图由新华社提供

朱镕基答记者问

ZHU RONGJI DA JIZHE WEN

《朱镕基答记者问》编辑组 编

人民出版社 出版发行
（100706 北京市东城区隆福寺街 99 号）

北京盛通印刷股份有限公司印刷 新华书店经销

2016 年 8 月第 1 版 2016 年 8 月北京第 1 次印刷
开本：700 毫米 ×1000 毫米 1/16 印张：29.5
字数：362 千字 插页：3

ISBN 978－7－01－014338－5 定价：166.00 元

邮购地址 100706 北京市东城区隆福寺街 99 号
人民东方图书销售中心 电话（010）65250042 65289539